fit fürs abi

Oberstufenwissen
Geschichte

Schroedel

fit fürs
abi
Oberstufenwissen
Geschichte

für Schülerinnen und Schüler zur Vorbereitung auf das Abitur

Dr. Hartmann Wunderer, Gymnasiallehrer, hat an zahlreichen Unterrichtswerken mitge-
schrieben; er verfasste ferner wissenschaftliche und fachdidaktische Arbeiten und war in der
Lehreraus- und -fortbildung tätig. Er initiierte eine Fülle von Schülerprojekten vor allem zu
historischen und sozialwissenschaftlichen Themen.

© 2012 Bildungshaus Schulbuchverlage
Westermann Schroedel Diesterweg Schöningh Winklers GmbH, Braunschweig
www.schroedel.de

Druck [4] / Jahr 2014

Redaktion und Satz: imprint, Zusmarshausen
Kontakt: lernhilfen@schroedel.de
Herstellung: Sandra Grünberg
Umschlaggestaltung und Innenlayout: Janssen Kahlert Design & Kommunikation, Hannover
Umschlagfoto: PantherMedia
Druck und Bindung: westermann druck GmbH, Braunschweig

ISBN 978-3-507-**23047**-7

Vorbemerkung

In diesem Band wird ein Basiswissen für abiturrelevante Themen des Geschichtsunterrichts in komprimierter und präziser Form dargelegt. Dabei geht es nicht nur um die „Daten und Fakten", sondern vor allem um historische Problemzusammenhänge, die erfahrungsgemäß bei Abiturprüfungen eine wichtige Rolle spielen. Einige Abschnitte sind daher diachron angelegt, sie verfolgen also, wie sich ein Thema, ein Problem (z. B. Nationalismus oder Krieg und Frieden) über die Epochen hinweg verändert hat.

In den einzelnen Kapiteln, die sich mit den historischen Epochen von der Aufklärung bis zur Gegenwart befassen, werden einige programmatische, zeitgenössische Stimmen integriert. Zugleich wird bei den Darlegungen dem Kontroversitätsprinzip bei der Geschichtsvermittlung Rechnung getragen. Angesichts des begrenzten Umfangs dieses Werkes ist dies freilich nur in knapper pointierter Form möglich. Bekanntlich gibt es weder **das** historische Basiswissen noch **die** Geschichte. Jeder Wissenschaftler oder Lehrer wird zwangsläufig unterschiedliche Relevanzkriterien entwickeln und eigene inhaltliche Schwerpunkte setzen. Im Kapitel 5.1 wird in exemplarischer Weise am Beispiel des 8. Mai 1945 demonstriert, wie sich die Rekonstruktion von Geschichte ändert. In einer pluralistischen Gesellschaft versteht es sich von selbst, dass es hier keine Einigkeit geben kann und auch nicht geben muss. Nur totalitäre Gesellschaften kennen ein festes, geschlossenes Geschichtsbild; in freiheitlichen Gesellschaften muss über Plausiblität und Relevanzen ständig gestritten werden.

Die zahlreichen Schaubilder, tabellarischen Zusammenstellungen und Karten dienen der elementarisierten Bündelung wichtiger Sachverhalte. Ein knappes, kommentiertes Literaturverzeichnis gibt Anregungen zur vertiefenden Lektüre. Fürs Nachschlagen und Lernen unterwegs gibt es das Glossar auch als App für Ihr Smartphone. Einfach im Apple App Store oder bei Google Play „Fit fürs Abi" eingeben und kostenlos herunterladen. Die App erklärt wichtige Fachbegriffe nicht nur für das Fach Geschichte, sondern auch für sieben weitere Abiturfächer. Digitale „Karteikarten" erleichtern das Auswendiglernen.

Achtung! Das Glossar gibt es als App für Smartphones.

Meinem Kollegen Egbert Klöckner und vor allem Herbert Kohl danke ich für kritische Hinweise. Die Synopse zur Außenpolitik (→ Seite 211–212) wurde von meiner Schülerin Jana Fischer erstellt.

Gutes Gelingen und viel Glück bei der Abiturprüfung!

Hartmann Wunderer

Die Herausbildung der bürgerlichen Gesellschaft in der Zeit des Absolutismus

1

Die großen Revolutionen des 18. Jahrhunderts, die Englische, Amerikanische und die Französische Revolution sollten die sozialen und politischen Verhältnisse in weiten Teilen der Welt völlig verändern. Diese Revolutionen haben viele Ursachen, eine wesentliche war die Aufklärung, die traditionelle Gewissheiten erschütterte, die Vernunft und Freiheit in den Mittelpunkt des Denkens rückte, Menschenrechte und politische Partizipation einforderte.

1.1 Das Zeitalter der Aufklärung

1784 bezeichnete der Königsberger Philosoph Immanuel Kant den Kern dessen, was Aufklärung kennzeichnet: *„Aufklärung ist der Ausgang des Menschen aus seiner selbst verschuldeten Unmündigkeit. Unmündigkeit ist das Unvermögen, sich seines Verstandes ohne Leitung eines anderen zu bedienen. Selbst verschuldet ist diese Unmündigkeit, wenn die Ursache derselben nicht am Mangel des Verstandes, sondern der Entschließung und des Mutes liegt, sich seiner ohne Leitung eines anderen zu bedienen. Sapere aude! Habe Mut, dich deines eigenen Verstandes zu bedienen! ist also der Wahlspruch der Aufklärung.“*

Immanuel Kant (1724–1804). Besonders folgenreich war seine Erkenntniskritik, also die Analyse der Bedingungen, die Erkenntnisse ermöglichen. Er geriet wegen seiner religionskritischen Haltung wiederholt in Konflikt mit dem preußischen König.

Immanuel Kant: Werke in sechs Bänden, hrsg. v. Wilhelm Weischedel, Bd. 6, Frankfurt a. M. 1964, S. 53.

Eine wichtige Vorarbeit für die Aufklärung leisteten vor allem die Naturwissenschaftler des 15. und 16. Jahrhunderts, die nun Vorgänge und natürliche Erscheinungen genau beobachteten, beschrieben und nach natürlichen Ursachen forschten, praktische Experimente durchführten und den menschlichen Körper sezierten. Diese „rationale", empirische und wissenschaftliche Herangehensweise wurde auf andere Bereiche übertragen. Aufklärung (der Begriff wird bereits im 18. Jahrhundert gebraucht) meint: „Licht in das Dunkel bringen". Die Aufklärer wollten Licht in eine Finsternis bringen, die geprägt war von Aberglauben und Vorurteilen, von Dogmen, Autoritätshörigkeit und erstarrten Ritualen. Gefragt war nun der „gesunde Menschenverstand" sowie eine natürliche, ungekünstelte Lebensweise, in der die menschliche Natur und auch das Gefühl zur Geltung kommen. Die Aufklärung sollte alle praktischen alltäglichen Lebensbereiche umfassen – auch das öffentliche Leben, vor allem aber die Gesellschaft und den Staat, prägen. Die Aufklärer attackierten insbesondere die Religion und ihre Grundlagen und forderten religiöse Toleranz. Religiöse Texte wurden nun nicht mehr wörtlich gelesen, biblische Wundergeschichten wurden auch rational gedeutet, gewissermaßen entmythologisiert. Insofern waren viele aufklärerische Bestrebungen den Kirchen verdächtig und die betroffenen Personen mussten mit Repressionen rechnen.

Die bayerische Regierung begründet 1784/85 das Verbot der aufgeklärten Freimaurer: *„Wir sind genau unterrichtet, und die untrügliche Erfahrung bestätigt es, dass sie [die Freimaurer] in ihren Versammlungen gegen Religion, den Staat und die Regierung die gefährlichsten Projekte schmieden, [....].“*

Die Aufklärung setzte in der zweiten Hälfte des 17. Jahrhunderts in England ein, griff dann auf Frankreich über und erfasste im 18. Jahrhundert auch Osteuropa. Vor allem in Westeuropa zielte die Aufklärung im Kern auf das feudalabsolutistische System. Sie stellt insofern die Ideologie des noch von der politischen Macht ausgeschlossenen Bürgertums dar. Allerdings gehörten auch zahlreiche Adelige (z. B. bei den Freimaurern oder in Lesegesellschaften) zu den Aufklärern. Die Reichweite der Aufklärung war in Westeuropa am intensivsten, im Osten blieb sie auf kleine intellektuelle Zirkel begrenzt. In Westeuropa hatte die Aufklärung eine eminent praktisch-politische Dimension, im territorial extrem zersplitterten Deutschland hingegen blieb die Kritik an den Herrschenden verhalten, hier ging die Aufklärung bisweilen von diesen selbst aus – manche Aufklärer suchten die Zusammenarbeit mit den Mächtigen.

Überblick: Frühe Neuzeit

1618–1648	Dreißigjähriger Krieg; er endet mit dem Westfälischen Frieden.
1651	Thomas Hobbes begründet in seinem „Leviathan" die absolutistische Staatstheorie.
1661–1715	Ludwig XIV. (der „Sonnenkönig") begründet den barocken europäischen Absolutismus.
1683	türkische Niederlage vor Wien
1679	Habeas-Corpus-Akte in England – Verbot willkürlicher Verhaftung
1688/89	Glorious Revolution in England
1717	Verordnung der allgemeinen Schulpflicht in Preußen
1751–1777	Jean Le Rond D'Alembert und Denis Diderot geben ihre 35-bändige „Encyclopédie" heraus.
1756–1763	Siebenjähriger Krieg in Mitteleuropa und in den Kolonien; Kanada wird britisch.
1776	Virginia Bill of Rights; die Vereinigten Staaten von Amerika erklären ihre Unabhängigkeit.
1783	Beendigung des nordamerikanischen Unabhängigkeitskriegs; Großbritannien erkennt die Souveränität der USA an.
1794	Allgemeines Landrecht in Preußen

Tab. 1.1: Frühe Neuzeit

Im Zeitalter der Aufklärung entwickelte sich langsam eine „bürgerliche Öffentlichkeit", in der über breite Themen raisoniert, also nachgedacht und debattiert wurde. Orte hierfür waren Kaffeehäuser, Lesegesellschaften oder literarische Clubs, aber auch die Häuser von Literaten, von gebildeten Adeligen, (auch jüdische) Salons. Daneben nahm die Buch- und Zeitschriftenproduktion enorm zu. In dieser Zeit wurden eine Reihe von vielbändigen Enzyklopädien verfasst, die das Wissen ihrer Zeit in aufklärerischer Perspektive zusammenfassten, die bekannteste ist die von Denis Diderot und Jean Le Rond d'Alembert zwischen 1751 und 1777 herausgegebene 35-bändige „Encyclopédie".

Als bedeutendste Aufklärer gelten Immanuel Kant (1724–1804), John Locke (1632–1704), Jean-Jacques Rousseau (1712–1778), Charles de Secondat Montesquieu (1679–1755), François Marie Arouet, genannt Voltaire (1694–1778).

Der hochgebildete und weitgereiste Voltaire beispielsweise unterhielt unter anderem vielfältige Kontakte zum aufgeklärten preußischen König Friedrich II. Voltaire trat für die Gleichheit aller Bürger vor dem Gesetz ein und schaffte auf seinen eigenen Gütern die Leibeigenschaft ab. Er verfasste zahllose (literarische und politische) Schriften, die oft rasch in andere Sprachen übersetzt und in gebildeten Kreisen diskutiert wurden.

Zentrale und politisch folgenreiche Leitgedanken der (westeuropäischen) Aufklärung waren Recht auf Eigentum, Volkssouveränität, Gewaltenteilung, Toleranz, (Selbst)Bildung, Humanität und Respekt vor der (menschlichen) Natur. Bisweilen wurden gar die Gleichheit der Geschlechter, die Emanzipation der Juden sowie die Abschaffung der Sklaverei gefordert. Die großen Revolutionen seit dem 17. Jahrhundert in England, Nordamerika und Frankreich wären ohne die geistige Vorarbeit der Aufklärung undenkbar. Allerdings vertraten die Aufklärer durchaus unterschiedliche Positionen und entwickelten konträre gesellschaftspolitische Modelle. Während Locke und Montesquieu die Gewaltenteilung begründeten, forderte Rousseau, dass sich alle Bürger der *volonté générale* unterwerfen müssten, die das allgemeine Wohl im Blick hätte. Manche Aufklärer wollten die absolutistische Macht stark beschränken, um die Freiheit und das Eigentum des Bürgers zu gewährleisten; andere wiederum vertrauten eher den klugen Entscheidungen eines aufgeklärten Monarchen.

Bis ins 20. Jahrhundert wurden die Zielsetzungen der Aufklärung vor allem von der katholischen Kirche wiederholt kritisiert, aber ebenso von kritischen Intellektuellen, die auf eine prekäre, auch im Prozess der Zivilisation angelegte Dimension der Verengung des humanistischen Gehalts aufmerksam machen: Zur „Dialektik der Aufklärung" (Th. W. Adorno und M. Horkheimer) gehöre auch die Gefahr einer bloß instrumentellen, auf die Realisierung beliebiger Zwecke zielende Vernunft, die im vermeintlichen Dienst am wissenschaftlichen „Fortschritt" inhumane Praktiken rechtfertigt; z. B. bei „wissenschaftlichen" Experimenten an Tieren und Menschen, im Bereich der Gentechnologie und vor allem der Rüstungsindustrie. Hier kämen zwar „rationale" wissenschaftliche Ansprüche zur Geltung, jedoch würde bisweilen das Humanum – ein zentraler Anspruch der Aufklärung – verraten.

Heute wird im interkulturellen Dialog, vor allem im Gespräch bzw. in der Auseinandersetzung mit dem Islam – nicht selten der Respekt vor aufklärerischen Postulaten gefordert. So behauptet der renommierte Historiker Hans-Ulrich Wehler, es gäbe eine „Kulturgrenze" bei der Erweiterung der Europäischen Union:

„Europa ist geprägt durch die christliche Tradition, durch die jüdisch-römisch-griechische Antike, durch Renaissance, Aufklärung, Wissenschaftsrevolution. Das alles gilt auch für die Beitrittstaaten in Osteuropa. Aber es gilt nicht für die Türkei. Man kann diese Kulturgrenze nicht in einem Akt mutwilliger Selbstzerstörung einfach ignorieren."

taz vom 10. 9. 2002, Seite 6.

Abb. 1.1: Salon der Madame Geoffrin, Gemälde von Gabriel Lemonnier, 1814. Unter den Dargestellten: d'Alembert, Montesquieu, Diderot, Malherbe, Turgot, Rameau, Reaumur, Vanloo, Vernet. Öl auf Leinwand. – akg-Images, Erich Lessing

1.2 Die Gründung der USA

Widerstand in den Kolonien

Bereits die ersten puritanischen Siedler betrachteten Nordamerika als *God's own Country*, als *Promised Land*. Zügig bauten sie Stützpunkte und dehnten das von ihnen kontrollierte Gebiet an der Ostküste und später nach Westen aus. Zugleich konkurrierten die europäischen Großmächte England, Frankreich, Holland und Spanien um Einflusssphären. Zunächst wurden die Holländer und Spanier verdrängt. Im Siebenjährigen Krieg (1756–1763) gelang England die Vertreibung der Franzosen. Angelsächsisches Recht und angelsächsische Mentalität setzten sich in den Neuenglandkolonien allmählich durch. Als sich die englische Regierung nach dem für sie äußerst teuren Siebenjährigen Krieg daran machte, ihre Kolonien einer stärkeren Kontrolle und ökonomischen Nutzung zu unterwerfen, führte das zu heftigem Widerstand. Denn die Stempelsteuer sollte von Menschen entrichtet werden, die im englischen Parlament nicht repräsentiert waren. Der „**Stamp Act**" von 1765 wurde angesichts dieses Widerstandes ein Jahr später aufgehoben. 1767 unternahm England einen weiteren Versuch, die amerikanischen Kolonisten zur Zahlung von Steuern zu veranlassen. Empörte Bürger verkleideten sich daraufhin als Indianer, stürmten am 16. Dezember 1773 in **Boston** ein englisches Handelsschiff und vernichteten dessen Ladung, Tee aus Indien („Boston Teaparty"). Daraufhin griff die englische Regierung zu militärischen Zwangsmaßnahmen gegen die Kolonie Massachusetts.

Das vom englischen Parlament verabschiedete Stempelsteuergesetz bestimmte, dass jedes amtliche Schriftstück oder Dokument sowie manche Druckschriften mit Steuermarken gekennzeichnet werden mussten. .

Die Bewohner der 13 nordamerikanischen Kolonien – überwiegend englischer Herkunft – hatten ein klares Bewusstsein von den Rechten eines Engländers. Sie wussten, dass Steuern nur mit Zustimmung der Besteuerten oder der ihrer Repräsentanten erhoben werden durften. Bereits 1775 war es zu ersten militärischen Auseinandersetzungen gekommen.

Die Amerikaner kennzeichnete eine spezifische Art von politischem Argwohn, der auch die Vorstellung von einem typischen Weg in die Versklavung beinhaltete: Demzufolge begann jede Unterdrückung mit kleinen Eingriffen, denen aber immer härtere Maßnahmen folgten, bis schließlich die Freiheit völlig beseitigt war. Es galt also, den Anfängen zu wehren und absolutistische Reglementierungen im Keim zu ersticken, vor allem, wenn sie die Eigentumsverhältnisse betrafen.

Der Unabhängigkeitskrieg

Thomas Paine (1736–1809) setzte sich unter anderem für die Abschaffung der Sklaverei ein. Seine Schrift „Common Sense" erreichte rasch eine Auflage von einer halben Million. Später verteidigte er in England die Französische Revolution. Der Name „Vereinigte Staaten von Amerika" wurde erstmals von Paine vorgeschlagen.

Die bereits im englischen Mutterland entstandene Haltung des Misstrauens gegenüber den Mächtigen trug dazu bei, dass der amerikanische Widerstand lange auf die Zusammenarbeit mit oppositionellen Kräften in England hoffte. Thomas Paines Schrift „**Common Sense**" (1776) schlug wie eine Bombe ein. In dieser Flugschrift, die sehr große Verbreitung fand, erhob Paine die Forderung nach Unabhängigkeit und die Auflösung der Beziehungen zu England zur zentralen Losung. Mit diesem Text erhielt die Bewegung in Amerika den Charakter einer kolonialen Befreiungsrevolution. Nie zuvor war der Vorwurf der Ausbeutung an die Adresse des Mutterlandes so heftig ausgesprochen worden.

„Ich fordere den hitzigsten Vertreter der Aussöhnung auf, nur einen einzigen Vorteil zu zeigen, der diesem Kontinent aus der Verbindung mit England erwächst. Ich wiederhole die Herausforderung: Nicht ein einziger Vorteil kann daraus hergeleitet werden. Unser Getreide wird auf jedem europäischen Markt seinen Preis bringen, und für importierte Waren müssen wir bezahlen, wo immer wir sie kaufen.

Die Nachteile und der Schaden aber, die wir durch eine Verbindung erleiden, sind unzählbar; und unsere Pflicht sowohl gegenüber der Menschheit insgesamt wie gegen uns selbst lehrt uns, die Verbindung aufzugeben. Denn jede Unterwerfung unter oder Abhängigkeit von Großbritannien wird geradewegs darauf abzielen, diesen Kontinent in europäische Kriege und Zänkereien zu verwickeln, uns in Gegensatz zu Nationen zu setzen, die sonst unsere Freundschaft suchen würden. [...] Da Europa unser Handelsmarkt ist, sollten wir keine partiellen politischen Verbindungen mit dem einen oder anderen Teil eingehen. [...]

Alles, was richtig oder vernünftig ist, spricht für eine Trennung. Das Blut der Erschlagenen, die jammernde Stimme der Natur rufen überlaut: Es ist Zeit, voneinander zu scheiden. Selbst die Entfernung, die der Allmächtige zwischen England und Amerika gelegt hat, ist ein starker und natürlicher Beweis, dass die Oberherrschaft des einen über den anderen nie die Absicht des Himmels war. [...] Es hat etwas Absurdes an sich, anzunehmen, ein Kontinent solle ständig durch eine Insel regiert werden. In keinem Fall hat die Natur Satelliten größer als ihre Hauptplaneten gemacht. Da England und Amerika in dieser Beziehung die gewöhnliche Ordnung der Natur umkehren, ist es offensichtlich, dass sie zu verschiedenen Systemen gehören: England zu Europa, Amerika zu sich selbst."

Willi P. Adams (Hg.): Die Amerikanische Revolution in Augenzeugenberichten. dtv, München, 1976, Seite 230 f.

Der ökonomische Pragmatismus, den diese Flugschrift reflektiert, sollte auch in der Folgezeit die amerikanische Außenpolitik bestimmen.

Der Kontinentalkongress der 13 nordamerikanischen Kolonien beschloss am 4. Juli 1776 die Unabhängigkeit der „Vereinigten Staaten". Sie wurde mit der nur wenig später unterzeichneten, wesentlich von Thomas Jefferson ausgearbeiteten **„Declaration of Independence"** begründet. Von ausländischen Truppen unterstützt, gelang es der amerikanischen Armee unter George Washington, den Krieg gegen England zu gewinnen. 1783 erkannte England die amerikanische Unabhängigkeit an.

Der Kontinentalkongress strich aus der Unabhängigkeitserklärung Jeffersons Verurteilung der Sklaverei, um die Zustimmung der Kolonien zu erlangen, die noch eine Sklavenwirtschaft betrieben.

1776 formulierten Bevollmächtigte der Vereinigten Staaten von Amerika im Allgemeinen Kongress eine Erklärung, die sogenannte Unabhängigkeitserklärung. Die Leitgedanken dieses Dokuments entfalteten eine breite Wirkung für die Verfassungsentwicklung in den entstehenden USA und später in Europa.

„Wir halten diese Wahrheiten für in sich einleuchtend: dass alle Menschen gleich geschaffen sind; dass sie von ihrem Schöpfer mit gewissen unveräußerlichen Rechten ausgestattet sind, darunter Leben, Freiheit und Streben nach Glück; dass zur Sicherung dieser Rechte Regierungen unter den Menschen eingesetzt sind, die ihre gerechten Vollmachten von der Einwilligung der Regierten herleiten; dass, wenn immer eine Regierungsform diesen Zielen zum Schaden gereicht, es das Recht des Volkes ist, sie zu ändern oder abzuschaffen und eine neue Regierung einzusetzen, die sich auf solche Grundsätze aufbaut und ihre Macht in einer Weise organisiert, wie sie am geeignetsten erscheint, seine Sicherheit und sein Glück zu schaffen."

Die Klugheit gebiete, dass seit langem bestehende Regierungsformen nicht aus geringfügigen und vorübergehenden Ursachen geändert werden sollten. Die Menschheit sei geneigt, Missstände so lange zu erdulden, solange sie ertragbar seien, anstatt sich Recht zu verschaffen. Die Geschichte des gegenwärtigen Königs von Großbritannien sei eine Geschichte wiederholter Beleidigungen und Anmaßungen, die alle das direkte Ziel verfolgten, eine unbeschränkte Tyrannei über diese Staaten aufzurichten.

„Im Namen und in Vollmacht des guten Volkes dieser Kolonien geben wir feierlich bekannt und erklären, dass diese Vereinigten Kolonien sind und von Rechts wegen sein sollen freie und unabhängige Staaten, dass sie von jeder Untertanenpflicht gegen die britische Krone befreit sind und dass jeder politische Zusammenhang zwischen ihnen und dem Staate Großbritannien völlig

*gelöst ist und sein soll und dass sie als freie und unabhängige Staaten die volle
Macht besitzen: Krieg zu führen, Frieden zu schließen, Bündnisse einzugehen,
Handelsbeziehungen anzuknüpfen und alle anderen Handlungen und Dinge
vorzunehmen, die unabhängige Staaten von Rechts wegen tun dürfen.“*

Revolutionär waren aber auch die Verfassungsprinzipien, die dann einige
Jahrzehnte später auf Europa zurückwirkten. Ziel der amerikanischen Revolutionäre war es, den Widerstand gegen England in geordnete Bahnen zu
lenken. Eine prominente Rolle spielte dabei der Schutz des Eigentums.

Weiterhin wurde dem **Prinzip der Volkssouveränität** Geltung verschafft:
Alle Gewalt sollte, wie die „**Virginia Bill of Rights**“ vom 12. Juni 1776 erklärte,
vom Volk ausgehen. Diesem Grundsatz folgte man auch bei dem Prozess
der Verfassungsgebung. Während die ersten Einzelstaatsverfassungen noch
von den normalen Parlamenten ausgearbeitet und verabschiedet wurden,
übernahmen diese Aufgabe später verfassungsgebende Versammlungen,
bei denen alle männlichen Einwohner teilnehmen durften.

Völlig neue Wege beschritt die Amerikanische Revolution damit, dass sie das
Prinzip des Bundesstaats einführte. Mit der Unionsverfassung von 1787 wur-
de eine bis dahin einmalige Teilung der Kompetenzen zwischen Bund und
Einzelstaaten vollzogen. Neu war auch die 1787 geschaffene Möglichkeit,
hinzukommende Territorien nach einer kurzen Phase als gleichberechtigte
Mitgliedstaaten in die Union aufzunehmen. Neu war auch die Erklärung der
Menschenrechte. Die USA gewannen mit diesen Prinzipien eine beachtliche

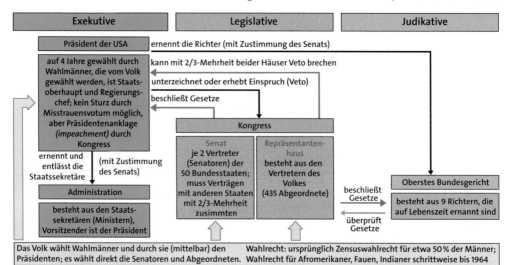

Abb. 1.2: Die Verfassung der Vereinigten Staaten von Amerika (mit späteren Entwicklungen)

Anziehungskraft für viele Menschen in der Welt, die nun in großen Einwanderungswellen in die Neue Welt strömten.

George Washington, der erste Präsident der USA, erklärte 1793 die Neutralität des neuen Staates. Er vertrat damit zugleich einen isolationistischen Standpunkt, der in der Folgezeit wiederholt die amerikanische Außenpolitik bestimmen sollte. Ab 1800 befanden sich in der neu errichteten Stadt Washington der Sitz des Präsidenten im Weißen Haus und der Sitz des Kongresses im Kapitol. Bereits im ausgehenden 18. Jahrhundert kam es zur raschen Industrialisierung des Landes, beflügelt durch immer mehr Immigranten, die in den USA ihr Glück suchten.

Diese dargestellten Verfassungsprinzipien inspirierten Repräsentanten der Französischen Revolution. Einige von ihnen hatten im amerikanischen Unabhängigkeitskrieg gegen England mitgekämpft und exportierten gewissermaßen die republikanischen Ideen.

Ein prominentes Beispiel hierfür ist Marie-Joseph-Paul-Yves-Roch-Gilbert du Motier, Marquis de La Fayette oder Lafayette (1757-1834), der (unentgeldlich) auf Seite der Kolonisten am Amerikanischen Unabhängigkeitskrieg als General mitwirkte und später in der Französischen Revolution eine zentrale Rolle spielte, er befehligte die Nationalgarde, er war u.a. an der Formulierung der Menschenrechte, aber auch an der Flucht des französischen Königs beteiligt.

Wahlberechtigte in den USA

1789	weiße, männliche Bürger ab 25 Jahren, die über ein Mindesteinkommen verfügten (ca. zehn Prozent der Bevölkerung)
1830	alle weißen, männlichen Bürger ab 25 Jahren
1870	alle männlichen Bürger ab 21 Jahren
1920	alle Bürgerinnen und Bürger ab 21 Jahren
1971	alle Bürgerinnen und Bürger ab 18 Jahren

Bevölkerung der USA (in Mio.)

1800	1820	1840	1860	1880	1900
5,3	9,6	17,1	31,5	50,3	76,1

Tab. 1.2: Wahlberechtigte und Bevölkerungszahl

Bei der Beratung des Grundgesetzes für die Bundesrepublik Deutschland 1948 im Parlamentarischen Rat wirkte auch die amerikanische Besatzungsmacht mit. Auf diese Weise flossen Leitideen der amerikanischen Verfassung ins Grundgesetz ein. So drangen die Amerikaner auf einen föderalistischen Staatsaufbau mit starken Ländern und einer schwachen Zentralgewalt. Im „Memorandum der alliierten Militärgouverneure vom 22. November 1948 an den Präsidenten des Parlamentarischen Rates" hieß es: „*Wie Sie wissen, wurde der Parlamentarische Rat einberufen, um eine demokratische Verfassung auszuarbeiten, die für die beteiligten Länder einen Regierungsaufbau föderalistischen Typs schafft, die Rechte der beteiligten Länder schützt, eine hinreichende Zentralgewalt schafft und Garantien der individuellen Rechte und Freiheiten enthält.*"

1.3 Der Sieg des Bürgertums: Die Große Französische Revolution

Bereits in den englischen Revolutionen des 17. Jahrhunderts (1640–1660) und während der **Glorious Revolution** (1688/89) wurde die absolute Stellung des Monarchen attackiert und der Kontrolle eines Parlaments unterworfen. Damals wurden fundamentale Freiheitsrechte des einzelnen Bürgers formu-

Wichtige Ereignisse der Französischen Revolution und der Napoleonischen Kriege

Mai 1789	Nachdem in Frankreich alle Versuche gescheitert waren, die Finanz- und Staatskrise zu bewältigen, werden die Generalstände einberufen. Der Dritte Stand verlangt eine Abstimmung nach Köpfen, nicht nach Ständen.
17. 6. 1789	Der Dritte Stand erklärt sich zur Nationalversammlung. Kurz darauf erfolgt der Ballhausschwur. Die anderen Stände schließen sich in den nächsten Tagen dem Dritten Stand an.
9. 7. 1789	Die Nationalversammlung erklärt sich zur verfassunggebenden Nationalversammlung. Gerüchte über einen Militärputsch führen zum Sturm auf die Bastille (14. 7.).
4./5. 8. 1789	In einer dramatischen Nachtsitzung erklärt die Nationalversammlung die Aufhebung der Feudalordnung und die Abschaffung der ständischen Privilegien. Die Nationalversammlung formuliert die Erklärung der Menschen- und Bürgerrechte.
1790	Die Kirche wird säkularisiert.
Juni 1791	Die Flucht des Königs scheitert. Die Nationalversammlung hat eine Verfassung ausgearbeitet, durch die Frankreich zu einer konstitutionellen Monarchie wird.
April 1792	Die Nationalversammlung erklärt Österreich und Preußen den Krieg. Vordringen von Koalitionstruppen gegen Frankreich.
August 1792	Die Tuilerien das Pariser Stadtschloss des Königs, werden gestürmt, der König wird Gefangener der Nationalversammlung.
Sept. 1792	Der Nationalkonvent beschließt die Abschaffung der Monarchie.
Jan. 1793	Ludwig XVI. wird durch die Guillotine hingerichtet.
1793/94	Angesichts royalistischer Aufstände in Frankreich und des erfolgreichen Vordringens der Truppen der Koalition kommt es zur Schreckensherrschaft der Jakobiner. Levée en masse, → Seite 23.
Juli 1794	Robespierre und seine Anhänger werden durch den Nationalkonvent gestürzt und hingerichtet. Die Macht wird von einem „Direktorium" übernommen, das die Interessen der Bourgeoisie vertritt.
1799	Napoleon, der sich dem Direktorium zur Verfügung gestellt hatte, unternimmt einen Staatsstreich und lässt sich zum Ersten Konsul ernennen.
1803	Reichsdeputationshauptschluss: Die deutschen Fürsten, die linksrheinisch Gebietsverluste erlitten haben, werden durch die Säkularisation von Kirchengut und die Mediatisierung kleiner Territorien (z. B. Ritterschaften) entschädigt.
1804	Bonaparte krönt sich als Napoleon I. zum „Kaiser der Franzosen"; Code Civil.
1806	Kontinentalsperre; Gründung des Rheinbunds: 16 Reichsfürsten schließen sich zum Rheinbund zusammen, der Napoleon militärisch und materiell unterstützt; Ende des Hl. Römischen Reiches Deutscher Nation.
seit 1807	Beginn der Reformpolitik in Preußen und in anderen deutschen Staaten (Bauernbefreiung, Bildungsreform, Gewerbefreiheit, Heeresreform, Städtereform und Judenemanzipation)
1812	Niederlage der napoleonischen Armee in Russland, anschließend Befreiungskriege (1813–1815)
1815	Auf dem Wiener Kongress verhandeln die Fürsten über eine Neuordnung Europas.Gründung der Heiligen Allianz und des Deutschen Bundes; Beginn der Phase der Restauration.

Tab. 1.3: Französische Revolution und Napoleonische Kriege

liert und durchgesetzt, die zum Kernbestand einer modernen Staats- und Gesellschaftsordnung zählen. In der amerikanischen Revolution wurde das Postulat der Volkssouveränität in die Praxis umgesetzt. Die Hinrichtung von Monarchen in England (1649, Karl I.) und Frankreich (1793, Ludwig XVI.) demonstrierte, dass die Monarchie ihre religiöse Legitimation bereits eingebüßt hatte. Zugleich wurden in der englischen, amerikanischen und französischen Revolution fundamentale Bürger- und Menschenrechte formuliert sowie Fragen der Gleichberechtigung der Geschlechter diskutiert, letztere allerdings nur zögerlich umgesetzt. Die Französische Revolution erschütterte nicht nur Frankreich, sondern veränderte Alteuropa grundsätzlich, auch indem sie Gegenkräfte mobilisierte, zugleich aber zahlreiche politische und soziale Reformen in Europa initiierte.

Olympe de Gouges (1748 – 1793), die 1791 die „Erklärung der Rechte der Frau und Bürgerin" formuliert hatte, wurde 1793 hingerichtet.

Staats- oder Gesellschaftskrise?

Schon unter den Nachfolgern des „Sonnenkönigs" Ludwig XIV. wurden fundamentale Schwächen und Krisenphänomene des absolutistischen Systems manifest: Dem absolutistischen Zentralismus standen viele Sonderrechte von Provinzen und ständischen Einrichtungen entgegen. Frankreich stellte genauso wenig wie etwa Preußen eine wirtschaftliche oder politische Einheit dar, vielmehr gab es Binnengrenzen, unterschiedliche Maße und Gewichte, regionale gesetzliche Regelungen, Sonderrechte für Einzelpersonen oder Berufsgruppen, unterschiedliche Regelungen im Steuersystem.

Die Macht der Parlamente (also der Gerichtshöfe) wuchs in Frankreich seit dem Regierungsantritt von Ludwig XVI.; gegen diese Parlamente konnte der König kaum regieren. Ludwig XVI. (1774–1793; hingerichtet) galt als durchsetzungsschwach und nahm seine Regierungsaufgaben eher unwillig wahr. Seine Frau Marie Antoinette, arrogant und eitel, untergrub auf ihre Weise die Popularität der Monarchie.

Unter Ludwig XVI. wurden die obersten Gerichtshöfe, die Parlamente, wieder berufen. Sie untergruben die Autorität des Königs und blockten dringend notwendige Reformen ab.

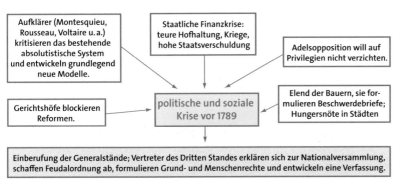

Abb. 1.3: Gesellschaftliche und politische Konflikte vor der Französischen Revolution

Von den 503 Mio. Livres, die 1788 als Steuern eingenommen wurden, dienten 318 Mio. nur für den Schuldendienst.

Die Parlamente verhinderten auch eine Lösung der gewaltigen Finanzkrise – in Frankreich überstiegen die Staatsausgaben beträchtlich die Staatseinnahmen, die zu einem großen Teil für den Schuldendienst eingesetzt werden mussten. Kriegsniederlagen vor allem in Nordamerika belasteten zusätzlich den Staatshaushalt. Modellen zur Lösung der Finanzkrise stellten sich nicht nur die Parlamente entgegen, die auf alte Privilegien verwiesen, sondern auch der Adel und der Klerus. Daher entschloss sich der König zur Einberufung der **Generalstände** (→ Glossar, S. 229), um Finanzreformen an den Parlamenten vorbei zu erörtern und zu beschließen. Die Generalstände hatten zuletzt 1614 getagt. Da die Repräsentanten der drei Stände en bloc abstimmten, erhofften sich die Vertreter der ersten beiden Stände eine Restauration des **Ständestaat**s und eine Schwächung des **Absolutismus** (→ Glossar, S. 221).

Bei den Wahlen der Vertreter der Generalstände war jeder männliche Franzose wahlberechtigt, der über 25 Jahre alt war und in Steuerlisten erfasst wurde. Der Erste und Zweite Stand hatte jeweils 300, der Dritte Stand 600 Abgeordnete. Bemerkenswerterweise befanden sich unter den Abgeordneten des Klerus auch viele Pfarrer, denen die Nöte der Landbevölkerung ver-

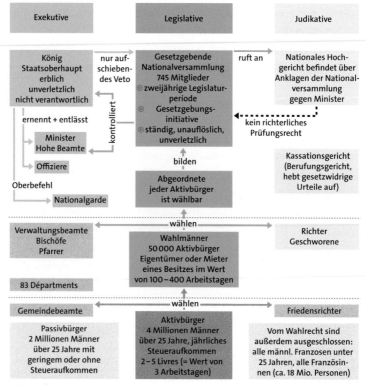

Abb. 1.4: Die Verfassung von 1791

traut waren und die zudem Reformen gegenüber offen waren. Unter den Abgeordneten des Dritten Standes, vorwiegend reiche und gebildete Bürger, waren auch einige Angehörige der bislang privilegierten Stände. Die Generalstände traten am 5. Mai 1789 in Versailles zusammen. In allen Landesteilen hatten vorher die Menschen Gelegenheit, ihre Wünsche, Forderungen und ihre Kritik in *cahiers de doléances* (Beschwerdeheften) zu formulieren – diese Hefte vermitteln vielfältigste Einblicke in die sozialen Verhältnisse und inneren Spannungen im **Ancien Régime** (→ Glossar, S. 221) in Frankreich.

Im Mittelpunkt dieser Forderungen und Beschwerden standen soziale Forderungen (Steuern, Abschaffung adliger Privilegien, Abschaffung von Gebühren, gerechtere Gerichtsverfahren), kaum indes politische Ziele.

Als sich am 17. Juni 1789 der Dritte Stand nach fruchtlosen Debatten in den Generalständen zur Nationalversammlung erklärte, war dies ein revolutionärer Akt, denn der Dritte Stand beanspruchte, der einzig legitime Repräsentant der französischen Nation zu sein. Nach turbulenten Ereignissen, bei denen die Nationalversammlung die Immunität ihrer Mitglieder proklamierte, gab der König nach und forderte die Abgeordneten der ersten beiden Stände auf, sich der Nationalversammlung anzuschließen.

Gerüchte um ein aristokratisches Komplott und die prekäre soziale Lage, Brotverteuerung u. ä. trugen zum **Sturm auf die Bastille** (14. Juli) bei. Die Besatzung dieses Symbols der alten absolutistischen Ordnung (Ancien Régime) wurde von der aufgebrachten Bevölkerung niedergemacht. Die militärische Macht übernahm nun eine Nationalgarde unter Führung von La Fayette, der bereits in der amerikanischen Revolution mit den neuen bürgerlichen Ideen konfrontiert worden war.

Die häufigen Brotpreiserhöhungen trafen die Masse der Armen besonders stark, da sie fast die Hälfte ihres Einkommens für Brot ausgeben mussten.

Um der wachsenden Unruhe im Land Herr zu werden, schaffte die Nationalversammlung in einer dramatischen Nachtsitzung vom 4. auf den 5. August 1789 die **Feudalordnung** ab: Sie hob die Leibeigenschaft auf, die Bauern konnten sich von ihren Verpflichtungen gegenüber den Grundherrn freikaufen, die grundherrliche Gerichtsbarkeit wurde beseitigt, Steuerprivilegien wurden aufgehoben, ebenso die Zünfte und die Käuflichkeit der Ämter. Um die Finanzkrise zu bewältigen, wurde der riesige Grundbesitz der Kirche verstaatlicht und verkauft. Von diesen Entscheidungen profitierten insbesondere wohlhabende Bürger und Bauern und auch so mancher Adlige, während ärmere Bauern das Nachsehen hatten, insbesondere aber die Masse der armen Taglöhner, Arbeiter und Gesellen, denen das Gesetz „Le Chapelier" verbot, sich zusammenzuschließen oder gar zu streiken. Darin kamen ebenfalls die Interessen des Besitzbürgertums in dieser ersten Phase der Revolution klar zum Ausdruck.

Das Gesetz von Le Chapelier war eine Reaktion auf die Forderung nach Mindestlöhnen, das Streikverbot bestand in Frankreich bis 1864, das Koalitionsverbot (also Gewerkschaftsverbot) bis 1884.

In der Nationalversammlung bildeten sich verschiedene Gruppierungen, die spezifische soziale Interessen vertraten:

- ⊚ **Jakobiner:** Sie vertraten primär die Interessen des Kleinbürgertums und sie trieben die Revolution maßgebend voran.
- ⊚ **Girondisten:** Sie setzten sich eher für das gehobene Bürgertum ein.
- ⊚ **Unabhängige**
- ⊚ **Konstitutionelle** (auch **Feuillants**): Sie vertraten primär die Interessen des Großbürgertums und verteidigten die Verfassung von 1791, also die konstitutionelle Monarchie.

In den Jahren 1791 und 1792 kam es zu einer Radikalisierung. Für die Masse der Franzosen hatte sich die soziale Lage nicht verbessert, ein großer Teil der Adligen war ins Ausland geflohen und agitierte bei seinen Standesgenossen gegen die Revolution; 1791 unternahm der König einen Fluchtversuch. Im Sommer 1792 griffen österreichische und preußische Truppen unter der Führung des Herzogs von Braunschweig die Revolutionstruppen an. Im August 1792 stürmten **Sansculotten** (→ Glossar, S. 240) das königliche Schloss in Paris, die Tuilerien, der König wurde gefangengesetzt und vorläufig als „Landesverräter" seines Amtes enthoben und im Januar 1793 hingerichtet. 1792 wurde eine neue Volksvertretung, der Nationalkonvent, gewählt. In dieser zweiten Phase der Revolution änderten sich die Mehrheitsverhältnisse im Parlament. Diese schlugen sich auch in einer neuen Verfassung nieder, die den Prinzipien der Volkssouveränität, Gleichheit und Freiheit entsprach. Nun durften alle Männer ab 21 Jahren wählen. Auch soziale Rechte wie das Recht auf Arbeit und kostenlosen öffentlichen Unterricht waren darin verankert; allerdings ist diese Verfassung nie in Kraft getreten.

Unter dem militärischen Druck der ausländischen Koalitionstruppen, wegen royalistischer Aufstände in weiten Teilen Frankreichs und der galoppierenden Inflation entwickelte sich die Diktatur der Jakobiner. Diese schreckte nun auch nicht mehr vor der massenhaften Verurteilung und Hinrichtung von (tatsächlichen oder vermeintlichen) Gegnern der Revolution durch die Guillotine zurück. Die revolutionäre Tugend sollte durch den Terror geschützt und gefestigt werden. Die *Levée en masse*, die erste allgemeine Wehrpflicht, ermöglichte militärische Siege an zahlreichen Fronten. Zugleich kippte im Nationalkonvent die Stimmung gegen die zahlreichen Zwangsmaßnahmen des Konvents. Am 27. Juli 1794 wurde Robespierre, der Führer der Jakobiner, der Tyrannei angeklagt und einen Tag später ohne Gerichtsverfahren mit 21 seiner Anhänger hingerichtet.

Durch die *Levée en masse* wurde eine Art allgemeiner Wehrpflicht in Frankreich eingeführt. Alle unverheirateten Männer im Alter von 18 bis 25 Jahren wurden dadurch zum Kriegsdienst verpflichtet. Das französische Heer konnte auf diese Weise in kurzer Zeit auf eine Stärke von einer Million Soldaten vergrößert werden. Dies trug maßgeblich zum Sieg Frankreichs über die Koalitionstruppen bei, die in der Regel aus „gepressten" Söldnern bestanden, die zumeist zum Kriegsdienst gezwungen worden waren, keineswegs begeistert für die preußische oder österreichische Sache kämpften und nicht selten desertierten.

Darüber hinaus war die *Levée en masse* Ausdruck eines neuen französischen Nationalbewusstseins, das Heer und Kriegsführung fundamental veränderte: Jeder tüchtige Soldat konnte nun Offizier und General werden, an die Stelle der adligen Geburt traten nun Leistung und Gesinnung. Die französischen Erfolge des revolutionären Massenaufgebots veranlassten später die absolutistischen Armeen, ihr Militärwesen ebenfalls zu reformieren.

Levée en masse

Tonangebend im Nationalkonvent wurde nun wieder das reiche Bürgertum, das Hungerdemonstrationen niederschlagen ließ. Die neuen Machthaber änderten Gesetze, die das wirtschaftliche Leben regelten, in ihrem Interesse ab. Ein neues Wahlgesetz sah einen hohen Zensus vor, die Gewaltenteilung, erst kurz zuvor vom Konvent aufgehoben, wurde wieder eingeführt. Die Regierungsgewalt übernahm ein Direktorium, bestehend aus fünf Männern. Unterstützung fand dieses Direktorium durch die Armee – einer der begabtesten Generäle stürzte 1799 dieses Gremium und machte sich selbst zum Staatsoberhaupt: Napoleon Bonaparte.

Durch zahlreiche unpopuläre Maßnahmen, die vor allem die Masse der Armen benachteiligten, verspielte das Direktorium rasch seine Autorität. Verschiedene Staatsstreichpläne lagen 1799 in der Luft.

Zur weltgeschichtlichen Bedeutung der Revolutionen in der Frühen Neuzeit

Die Revolutionen in England (1640–1660), in Amerika (1776) und die Französische Revolution sind auf vielfältige Weise miteinander verbunden. Sie leiten alle drei das ein, was gelegentlich als „Projekt der Moderne" bezeichnet wird, denn sie formulieren und begründen die Menschen- und Bürgerrechte, die Idee der Volkssouveränität, den Parlamentarismus sowie die moderne Demokratie. Alle drei Revolutionen leiten die Ablösung einer als ungerecht empfundenen (ständischen) Gesellschaftsordnung ein und experimentieren (vor allem die Französische Revolution) mit verschiedenen neuen politischen Modellen.

Die Universalität der Menschenrechte ist nicht unbestritten: Mit dem wirtschaftlichen Erfolg vieler asiatischer Staaten entwickelte sich zwischen westlichen Ländern und Teilen Asiens eine Debatte über die sogenannten Asiatischen Werte, die der Gemeinschaft vor dem Individuum Vorrang einräumen, die Familie betonen und den Konsens vor dem Streit.

Zwischen 1640 und 1660 ging es in England um die Freiheitsrechte jedes einzelnen Bürgers und um die Stellung des Parlaments gegenüber der absolutistisch regierenden Krongewalt. Der Kampf um die Durchsetzung der religiösen Rechte des Einzelnen kann gewissermaßen als paradigmatisch für die Durchsetzung individueller Freiheitsrechte gelten, die heute zum Kernbestand jeder freiheitlichen Staats- und Gesellschaftsordnung zählen. Als in England (Karl I. 1649) und später in Frankreich (Ludwig XVI. 1793) Monarchen hingerichtet wurden, wurde damit auch ein Schlag gegen die „Heiligkeit" der Monarchie geführt, das Königtum rückte unter die Macht des Rechts und des Parlaments – zum Entsetzen besonders der feudalen Eliten in Europa.

Der Beitrag der Amerikanischen Revolution zum „Projekt der Moderne" besteht vor allem in der praktischen Umsetzung der Idee der Volkssouveränität (gegenüber der englischen Krone) und in der Formulierung der Menschen- und Bürgerrechte, die das Verhältnis von staatlicher Gewalt und individuellem Glücksstreben sowie ökonomischem Handeln neu bestimmte. *„Das Volk beherrscht die amerikanische politische Welt wie Gott das All"*, bemerkte Alexis de Tocqueville 1833. Allerdings galten diese Freiheits- und Bürgerrechte in der Regel zunächst nur für die freien männlichen Amerikaner, nicht für die Frauen oder gar für die Sklaven.

Die Französische Revolution schließlich griff Ideen und Prinzipien der Englischen und Amerikanischen Revolution auf und universalisierte sie, das heißt, hier wurden Ideen entwickelt, die nicht nur für Amerikaner oder Franzosen gelten sollten, sondern für die ganze Menschheit. Das legitimierte die gewaltigen und extrem gewaltsamen Unternehmungen (die bis hin zum Terror gegenüber Andersdenkenden reichten) der französischen Revolutionsarmeen ebenso wie die spätere napoleonische Expansionspolitik über fast ganz Europa. Die Französische Revolution liefert zugleich zahlreiche Beispiele für das Spannungsverhältnis zwischen den Prinzipien Gleichheit und Freiheit und (abschreckende) Beispiele für die Legitimität staatlicher Gewalt bei der Durchsetzung neuer politischer Ordnungsmodelle. Vor allem die Französische Revolution, die maßgeblich zum Ende des „Alten Europa" beitrug, löste zahlreiche Gegenbewegungen in Frankreich, aber auch in den von Frankreich besetzten Ländern aus: Die politisch, sozial und ökonomisch außerordentlich folgenreiche Reform- und Modernisierungspolitik in Preußen und zahlreichen anderen Staaten wäre ohne die französische Besetzung nicht denkbar. Zugleich entstand um 1800 der moderne Nationalismus, der die soziale und politische Mentalität der Menschen und die Politik der europäischen Staaten seit dem 19. Jahrhundert bis in die unmittelbare Gegenwart maßgeblich prägen sollte.

Streit um die Bedeutung der Französischen Revolution anlässlich der 200-Jahr-Feier 1989

Soll man die Revolution feiern oder ihrer nur gedenken? Das hängt maßgeblich davon ab, ob man das gesamte Jahrzehnt bis zum Staatsstreich Napoleons im November 1799 in den Blick nimmt oder nur den Beginn der Revolution 1789. Aber auch bei letzterem gibt es unterschiedliche Vorgänge, die je spezifische Bewertungen eröffnen: die Eröffnung der Versammlung der Generalstände in Versailles am 5. Mai, die Erstürmung der Bastille am 14. Juli oder die Erklärung der Menschenrechte am 26. August. Hier werden sehr unterschiedliche Aspekte in den Mittelpunkt gerückt.

Manche Historiker argumentieren gegen die schlichte These von der Revolution als einem einmaligen Akt der Befreiung von oder der Überwindung der feudalen Ordnung und verweisen darauf, dass die „Bourgeoisie" eine traditionsbewusste *„Notabelnschicht tendenziell aristokratischer Amts-, Renten- und Grundbesitzer"* war (so Michel Vovelle und Walter Grab).
Einige Historiker sprechen der Revolution jede fortdauernde Wirksamkeit ab, andere hingegen betonen, dass republikanische und aufklärerische Grundwerte der Gegenwart durch den revolutionären Prozess initiiert wurden. An der Terrorherrschaft und insbesondere an Robespierre scheiden sich naturgemäß die Geister.

Vergleicht man die Opfer, die Robespierre und seine Mitstreiter auf dem Gewissen haben, mit den Millionen von Opfern der napoleonischen Zeit, dann erscheint die Terrorherrschaft in einem neuen Licht. Bereits Goethe war es bewusst, dass nicht die Revolution, sondern Napoleon Bonaparte halb Europa verwüstete.

Darf man die bäuerlichen und/oder adeligen Konterrevolutionäre etwa in der Vendée in eine Beziehung zu der Resistance, dem französischen Widerstand gegen die deutsche Besatzung 1940–1945, bringen? Dann würden Revolution und Faschismus fast gleichgesetzt werden, Robespierre würde dann in die Nähe von Hitler oder Stalin gerückt und die Revolution insgesamt diskreditiert werden.

Vor allem in der Vendée kam es zu royalistischen Revolten gegen die Pariser Revolutionsregierung.

Andere Historiker wie etwa Rolf Reichardt begreifen die Französische Revolution als *„Kultur- und Bewusstseinsrevolution"*. Was die Revolution von 1789 mehr als etwa die Englische Revolution des 17. Jahrhunderts oder die Amerikanische Revolution zu einem weltweit beachteten Modell mache, sei nicht

nur ihre idealtypische Verlaufskurve, wie sie bei anderen Revolutionen auf-
getreten ist und sich z. B. noch in der iranischen Revolution wiederholt, sondern auch der eng mit ihr verknüpfte Messianismus der Freiheit und Gleichheit. Dieser lebt in der Erinnerung fort und bleibt politisch wie gesellschaftlich
eine aktuelle Herausforderung.

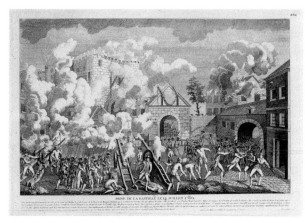

Zentrale Schlüsselereignisse wie
die Einnahme der Bastille, der
Tuileriensturm oder das Abschlach-
ten der Gegenrevolutionäre in der
Vendée seien in dieser Perspektive
letztlich nur Oberflächenerschei-
nungen. Was ihnen zugrunde lag,
was sie auffordernd und rechtfer-
tigend begleitete, das waren politische Grundsatzerklärungen, Parolen, Leitbegriffe und Symbole.

Abb. 1.5: Sturm auf die Bastille. Kolorierter Stich, 1789. –
Bibliothèque nationale de France.

In dieser Perspektive wird eine neuartige, originäre politische Kultur in
der Phase ihrer ersten praktischen
Erprobung und Entwicklung sichtbar. Denn es handelte sich um das erste,
modellhafte Experiment der „Demokratie" im modernen Sinne. Diese demokratische Kultur ist gekennzeichnet durch eine ständige, sehr grundsätzliche,
öffentliche Debatte um die aktuelle Politik, ihre Recht- und Zweckmäßigkeit.
An ihr beteiligten sich breite Bevölkerungsschichten. Aus der Diskussion
würde die „Wahrheit" von selbst als Siegerin hervorgehen. Die Diskutanten
gingen von naturrechtlichen und existenziellen Grundsätzen aus, es konnte
nach damaliger Auffassung nur eine wahre Meinung, nur eine wahre Politik
zum Wohl des Volkes geben, alles Konkurrierende, Widersprechende galt als
vorurteilbehaftet oder gar als konterrevolutionär.

Die demokratische Kultur der Französischen Revolution schuf eine neuartige
Öffentlichkeit, neue Kommunikationssysteme: Versammlungen und Clubs,
Zeitungen, Flugschriften, Bildflugblätter, Lieder und anderen Medien der In-
formationsvermittlung und Meinungsbildung. Diese Dichte, Intensität und
Aktualität hat es zuvor nicht gegeben. In der Hauptstadt wie in der Provinz
wurden große Teile der klein- und unterbürgerlichen Schichten politisiert
und mobilisiert, bis hin zu Gruppen, die noch ganze oder halbe Analphabe-
ten waren.

1.4 Die Neuordnung Deutschlands und Europas im Zeitalter Napoleons

Nationalbewegung und Reformpolitik (1803–1815)

1803 wurde auf dem Regensburger Reichstag der **Reichsdeputationshauptschluss** verabschiedet. Die deutschen Fürsten, die ihre linksrheinischen Besitzungen an Frankreich abtreten mussten, erhielten zur Entschädigung säkularisierte geistliche Fürstentümer. Ferner wurden durch die sogenannte **Mediatisierung** fast alle freien Reichsstädte und weitere reichsunmittelbare Herrschaften aufgehoben und den jeweiligen Mittelstaaten zugeschlagen. Aus zersplitterten Klein- und Mittelstaaten entstanden auf diese Weise Flächenstaaten; die Freie Reichsstadt Nürnberg wurde z.B. dem Staat Bayern zugeteilt. Napoleon leistete auf diesem Weg einen beachtlichen Schritt zur deutschen Einigung.

Der Reichsdeputationshauptschluss wird nicht selten als „Flurbereinigung" Deutschlands bezeichnet, da die über 1800 selbstständigen Herrschaften zu etwa drei Dutzend Mittelstaaten zusammengelegt wurden.

Die deutschen Staaten, die von Napoleon im **Rheinbund** (1806) zusammengeschlossen worden waren, mussten für Napoleons militärische Unternehmungen erhebliche Truppenkontingente stellen. Beim **Russlandfeldzug** 1812 bildeten Deutsche den größten Anteil, und kaum ein Soldat kehrte nach Hause zurück. Zahlreiche Fürsten, die sich dem Rheinbund mehr oder minder zwangsweise anschlossen, erfuhren durch Napoleon eine Rangerhöhung, Bayern und Württemberg wurden auf diese Weise zu Königreichen, aus dem nassauischen Grafen wurde ein nassauischer Herzog, der nun über ein erheblich größeres, arrondiertes Territorium herrschte. Manche deutschen Fürsten wechselten die Fronten. Auf die Gründung des Rheinbundes reagierte der Kaiser mit der Niederlegung der Krone des Heiligen Römischen Reichs Deutscher Nation, das Alte Reich fand damit sein formelles Ende.

Kaiser Franz II. legte 1806 die deutsche Kaiserkrone nieder. Als „Franz I." ernannte er sich bereits 1804 zum Kaiser von Österreich.

Bereits die **Kontinentalsperre**, mit der Napoleon England wirtschaftlich in die Knie zwingen wollte, hatte auch die deutsche Wirtschaft empfindlich getroffen sowie erneut antifranzösische Ressentiments provoziert. Nutznießer der Kontinentalsperre waren vor allem die Schmuggler. Die von immer größeren Kreisen als bedrückend und deprimierend empfundene französische Fremdherrschaft, die mit zahllosen Einquartierungen, Requirierungen und finanziellen Belastungen einherging, stimulierte zunehmend eine oppositionelle Nationalbewegung, die sich schließlich nach der verheerenden Niederlage Napoleons im Russlandfeldzug (1812) zu einer „Befreiungsbewegung" entwickelte.

Getragen wurde diese nationale Bewegung vom Bildungsbürgertum, von Studenten und Handwerkern, die sich Freiwilligenverbänden zum Kampf gegen Napoleon anschlossen. Die nationale Euphorie wurde durch eine Flut von pathetisch-nationalistischen Flugblättern, Gedichten, Schauspielen etc. angestachelt. 1811 bildete sich – inspiriert vom „Turnvater" Jahn – die bürgerliche Turnerbewegung, getragen von Gymnasiasten, Studenten, Handwerkern und Gesellen, denen es nicht primär um Leibesertüchtigung und paramilitärische Ausbildung ging, sondern auch um eine vaterländische Gesinnung. Den traditionellen feudalen Eliten waren diese Turnvereine nicht nur wegen ihrer antiständischen Haltung verdächtig, sondern auch wegen ihrer nationalen Gesinnung, stellte doch diese die deutsche Kleinstaaterei infrage und forderte einen deutschen Nationalstaat. In der Folgezeit bildeten sich auch bürgerliche Sängervereine, die wie andere Vereinsgründungen den Argwohn der politisch Mächtigen erweckten. Nach der Märzrevolution 1848/49 drifteten diese Vereine überwiegend ins nationalistisch-konservative Fahrwasser ab.

Nach der preußischen Niederlage in den Schlachten von Jena und Auerstedt kapitulierten die preußischen Festungen reihenweise bedingungslos – ein Schock für die deutsche Öffentlichkeit.

Aus den militärischen Niederlagen (1806) der deutschen Klein- und Mittelstaaten gegen Napoleon erwuchs nicht nur die deutsche Nationalbewegung, sondern es folgten auch zahlreiche Reformbestrebungen in den besiegten deutschen Staaten. In mehreren deutschen Mittelstaaten gelangten nach der Katastrophe von 1806 Männer in führende Stellungen, die den Herausforderungen der Französischen Revolution nicht mehr allein defensiv begegneten, sondern die staatlich-politische, ökonomische und soziale Ordnung reformieren wollten, ohne allerdings die Grundlagen der feudal-absolutistischen Ordnung prinzipiell infrage zu stellen. Den preußischen Reformern (Stein, Hardenberg, Gneisenau, Humboldt und anderen) ging es um die Beteiligung der gehobenen sozialen Schichten an Gesetzgebung und städtischer Selbstverwaltung, sie wollten die – von den meisten Menschen verachteten und verhassten – Armeen reformieren, ebenso das Schul- und Hochschulsystem und durch die Abschaffung des erstarrten Zunftwesens eine neue wirtschaftliche Dynamik freisetzen. Am folgenreichsten und umstrittensten war die Abschaffung der **Leibeigenschaft** bzw. die Aufhebung der Gutsuntertänigkeit, zumal diese mit beträchtlichen Ablösesummen für die betroffenen Bauern verbunden war. Auf dieses ökonomisch, sozial und politisch ungemein folgenreiche Thema der **Bauernbefreiung** wird unten gesondert eingegangen.

Der hochgebildete Karl August Freiherr von Hardenberg (1750–1822), seit 1810 Regierungschef in Preußen, war auch in bürgerlich-liberalen Kreisen hochangesehen.

Im Gegensatz zu vielen seiner Standeskollegen beurteilte der aufgeklärte preußische Reformer Hardenberg (1750–1822) die Französische Revolution nicht nur negativ. Sie habe den Franzosen einen neuen Schwung gegeben, schlafende Kräfte geweckt, überholte Verhältnisse beseitigt – aber auch manch Gutes mit hinweggefegt.

Kritisch beurteilt Hardenberg die Verhältnisse im „Alten Europa". In seiner „Rigaer Denkschrift" (1807) schreibt er: *„Unkräftig waren alle die Dämme, welche man diesem* [dem Strom der Französischen Revolution] *entgegensetzte, weil Schwäche, egoistischer Eigennutz und falsche Ansicht sie bald ohne Zusammenhang aufführte* [...] *Der Wahn, dass man der Revolution am sichersten durch Festhalten am Alten und durch strenge Verfolgung der durch solche geltend gemachten Grundsätze entgegenstreben könne, hat besonders dazu beigetragen, die Revolution zu befördern und derselben eine stets wachsende Ausdehnung zu geben. Die Gewalt dieser Grundsätze ist so groß, sie sind so allgemein anerkannt und verbreitet, dass der Staat, der sie nicht annimmt, entweder seinem Untergange oder der erzwungenen Annahme derselben entgegensehen muss."*

Es lasse sich auch nicht leugnen, dass ungeachtet des eisernen Despotismus, womit Napoleon regiere, Napoleon dennoch in vielen wesentlichen Dingen jene Grundsätze befolge, wenigstens ihnen dem Schein nach zu huldigen genötigt sei. Für Preußen fordert Hardenberg: *„Also eine Revolution im guten Sinne, gerade hinführend zu dem großen Zwecke der Veredelung der Menschheit, durch Weisheit der Regierung und nicht durch gewaltsame Impulsion von innen oder außen, – das ist unser Ziel, unser leitendes Prinzip. Demokratische Grundsätze in einer monarchischen Regierung: Dieses scheint mir die angemessene Form für den gegenwärtigen Zeitgeist."*

Gemeinsam vor allem mit dem Freiherrn von Stein, Wilhelm von Humboldt und Gneisenau entwickelte Hardenberg die Ideen zu den **Preußischen Reformen** und formulierte Gedanken zu einem liberalen Verfassungsstaat. Viele dieser Ideen wurden in einigen (vor allem süddeutschen) Staaten aufgegriffen. Sie leiteten eine neue Ära ein. Das Verfassungsversprechen wurde allerdings in Preußen nicht eingelöst.

Beispiel

Die Stein-Hardenberg'schen Reformen in Preußen 1807–1812

Bauernbefreiung
- ⊙ 1807/10 werden die Bauern aus der Erbuntertänigkeit gegenüber den Gutsherren entlassen.
- ⊙ Damit entfallen Fron- und Gesindedienste.
- ⊙ Weiterhin entfallen Schollenbindung und Heiratsbeschränkungen; die Bauern genießen Freizügigkeit.

⊙ Ab 1811 werden die ländlichen Besitzverhältnisse neu geregelt; viele Bauern werden Besitzer des von ihnen bearbeiteten Landes, viele andere sinken zu landlosen Landarbeitern herab (s. u.).

Städteordnung (1808)

⊙ Einführung begrenzter städtischer Selbstverwaltung; die Gemeindeangelegenheiten regeln von den Bürgern gewählte Stadtverordnete; diese bestimmen die Magistrate.
⊙ Das Bürgerrecht einer Stadt (aktives bzw. passives Wahlrecht) ist an Grundbesitz bzw. Vermögen gebunden.

Heeresreform

⊙ Einführung der allgemeinen Wehrpflicht statt des bisherigen Söldner- oder Freiwilligenheeres.
⊙ Auch die Taktik wird modernisiert; zur Ausbildung der Offiziere wird 1810 eine Allgemeine Kriegsschule eingerichtet.

Reform des Bildungswesen

⊙ Die Volksschule soll der Vermittlung allgemeinen Wissens dienen, der mechanische Drill wird reduziert.
⊙ 1810 nimmt die Friedrich-Wilhelms-Universität zu Berlin ihre Tätigkeit auf; 1811 wird die Universität Breslau reformiert und paritätisch neu gestaltet.
⊙ Freiheit von Lehre und Forschung
⊙ Das Abitur wird Voraussetzung für ein Hochschulstudium.

Gewerbefreiheit

⊙ Jeder hat nun freie Berufswahl, während bislang die Zünfte die Zulassung zum Handwerk beschränkten.
⊙ keine Beschränkung der Berufstätigkeit durch Zugehörigkeit zum Adelsstand

Judenemanzipation

⊙ rechtliche und staatsbürgerliche Gleichstellung der jüdischen Einwohner Preußens mit den Christen
⊙ Viele berufliche und soziale Einschränkungen werden aufgehoben:
    – Juden dürfen nun Grundbesitz erwerben,
    – Abschaffung der Judensteuer.
⊙ Gleichwohl gibt es noch viele Diskriminierungen.

Die sozialen Folgen der Bauernbefreiung

Der Sozialhistoriker Reinhart Koselleck hat die tiefgreifenden ökonomischen und sozialen Folgen der Bauernbefreiung in prägnanter Weise beschrieben:

- die komplizierten Modalitäten der sogenannten Bauernbefreiung mit ihren teilweise fatalen sozialen Folgen, vor allem die Massenarmut (**Pauperismus**, → Glossar, S. 237),
- den nun beschleunigten Übergang von der Tausch- zur Geldwirtschaft,
- die Zerschlagung der traditionellen ländlichen Sozialstrukturen und die damit einhergehende Entfremdung der neuen sozialen Unterschichten vom Staat – eine wichtige Ursache für die Revolution von 1848, die gerade durch die „Bauernrevolution" im Frühjahr 1848 ihre besondere Dynamik erhielt,
- und schließlich die mit der Bauernbefreiung einsetzende Bevölkerungsdynamik, eine Voraussetzung für die wachsende Binnenmigration im 19. Jahrhundert und für den massiven **Urbanisierungsprozess** (→ Glossar, S. 243) .

Der Urbanisierungsprozess vollzog sich durch Zuwanderung. In den Städten selbst war die Geburtenrate in der Regel geringer als die Sterberate.

Zugleich stiegen im 19. Jahrhundert – das wird im folgenden Textauszug nicht berücksichtigt – die Erträge und die Arbeitsproduktivität in der Landwirtschaft steil an, eine wichtige Voraussetzung für das dramatische Bevölkerungswachstum im 19. Jahrhundert. Wesentlich Faktoren hierbei sind:

- Fruchtfolgewirtschaft statt Dreifelderwirtschaft,
- höhere Produktivität (Kapitaleinsatz, Modernisierung von Arbeitsgeräten),
- Vergrößerung von Anbauflächen,
- künstliche Düngung (Justus von Liebig),
- Ausweitung des Zuckerrüben- und Kartoffelanbaus.

„Die schwierigste und langwierigste, die teuerste und einschneidendste Reform betraf die ländliche Agrarverfassung, das heißt etwa 5/7 der preußischen Bevölkerung. Auf vier Sektoren wurde die ständisch vermittelte Herrschafts- und Sozialordnung zerschlagen:

Erstens durch eine entschädigungslose Beseitigung aller an den Personen der Gutsuntertanen haftenden Abhängigkeitsverhältnisse, ein Vorgang, der die persönliche Freizügigkeit und demzufolge die spätere Binnenwanderung ermöglichte.

Zweitens erhielten alle spannfähigen Bauern [...] gegen Kapital- oder Rentenzahlung, meistens aber gegen Abtretung eines Teiles ihres Landes – je nach Besitzrecht der Hälfte oder des Drittels – ihren Besitz zum Eigentum.

Damit entstand eine Schicht freier Eigentümer, soweit sie auch den weiteren Bedingungen genügten, nämlich drittens der Dienstablösung. Alle auf den Grundstücken haftenden Zwangsdienste sollten unter Abrechnung der ebenfalls verfallenden sozialen Verpflichtungen der Herren zum 25-fachen Betrag der Jahresleistung in Rente oder Kapital abgelöst werden.

Eine restlose Trennung der Gutswirtschaften von den damit zugleich entstehenden Bauernwirtschaften war aber erst erreicht, wenn auch der vierte Punkt erfüllt war, nämlich die Separation [Trennung] *der Acker- und Weideflächen von Gutsherr und Bauer sowie der Bauern untereinander durch Aufteilung der Gemeinheiten an die Berechtigten. Der Vorgang der Flurverteilung und auch Flurbereinigung war zudem oft verbunden mit zwangsmäßigen Umsiedlungen.*

Die Durchführung dieses gewaltigen Planes nahm mehr als ein halbes Jahrhundert in Anspruch, er lief wesentlich erst nach dem Frieden von 1815 an, und die Revolution von 1848 hat ihn weniger beendet als erneut vorangetrieben. Schließlich war der preußische Boden soweit verteilt, dass sich – im Jahre 1869 – die Fläche der selbstständigen Bauerngemeinden zu der der Gutsbezirke wie 49 % zu 45 % verhielt [...] [der Rest war städtischer Grund und Boden]. *Die Landverteilung war die Voraussetzung für den Übergang von der Naturalwirtschaft zur Geldwirtschaft, ein Vorgang, der – auf dem Wege der Land- oder Geldentschädigung – faktisch von den Bauern bezahlt werden musste, und damit lag (im Unterschied zu den Ergebnissen der Französischen Revolution) der relative Vorteil auf Seiten der Gutsherren. Die preußische Verwaltung fungierte in diesem gewaltigen Prozess als Besitzverteiler, sie griff, von der Justiz weitgehend unabhängig* [...] *in die ländliche Sozialstruktur ein. Oft gegen den Willen, fast immer gegen den Protest der Betroffenen erzwangen die meist bürgerlichen, mit diktatorischen Vollmachten ausgestatteten Generalkommissionen die Sprengung der herkömmlichen gutsherrlich-bäuerlichen Agrarverfassung.* [...]

Zunächst entstand, nach Einführung der freien Verkäuflichkeit von Rittergütern, ein neuer Unternehmertyp auf dem Lande: die Großgrundbesitzerschicht, in der kapitalkräftiges Bürgertum und Adel zusammenwuchsen. Trotz der schweren Agrarkrise in den 20er-Jahren, die zu einer großen Mobilität auf dem Gütermarkt führte, konnte sich diese Schicht – durch staatliche [...] *Kredithilfen gestützt – langsam aber zunehmend kräftigen.* [...]

Jahrzehnte hindurch Entschädigungsgelder an sie abführend, andernfalls noch Dienste leistend, stand im Schatten der Großgrundbesitzer die Schicht der frei werdenden Bauern. Häufig knapp am Existenzminimum entlanglebend und nur zögernd die Formen der Geldwirtschaft erlernend, konnte sich der Bauernstand, soweit er überhaupt freies Eigentum erhalten hatte, dennoch durch-

setzen. Er wurde – im Unterschied zum Großgrundbesitz – vom Staat fast gar nicht gestützt, hat sich aber der Gesamtzahl nach behauptet.

Unterhalb der Bauern und Großgrundbesitzer, deren wirtschaftliche Interessen sich einander anglichen, wuchs nun, 1811 weder vorhergeplant noch vorausgesehen, die große Masse der ländlichen Unterschicht – ohne durch Ehebeschränkung gehindert zu sein – in besonders hohen Wachstumsraten, auf den Gütern das Gesinde, die Dienstleute und Tagelöhner, die die bisherigen bäuerlichen Dienste übernahmen, und auf den Dörfern die bäuerlichen Hintersassen […], Eigenkätner, Einlieger, Handwerker usw. Der immense preußische Bevölkerungszuwachs von rund 10 auf rund 16 Millionen Menschen 1815–1848 stammt im wesentlichen aus den Landkreisen der ostelbischen Provinzen, in denen die Agrarreform das Wachstum zugleich ermöglichte und herausforderte.

In den 40er-Jahren war somit eine neue Schicht vorhanden, die als das Produkt der liberalen Wirtschaftspolitik Preußens bezeichnet werden muss, eine in der ehemaligen Ständeordnung nicht mögliche Masse von landlosen Landbewohnern, die zunehmend proletarisierte und die sich durch kurzfristige Arbeitsverträge und bessere Arbeit suchend zu bewegen anfing, ohne noch von einer relativ unentwickelten Industrie aufgefangen werden zu können. Es war eine Schicht, die weder von den Landbesitzern zufriedengestellt werden konnte, noch von einer staatlichen Sozialpolitik erfasst wurde, revolutionäres Ferment der Revolution von 1848."

Werner Conze (Hg.): Staat und Gesellschaft im deutschen Vormärz 1815–1848. Stuttgart, 1962, Seite 95 ff.

Überblick

An der Französischen Revolution schieden sich im 19. Jahrhundert die Geister; vor allem die Terrorherrschaft 1793/94 hatte sie stark in Misskredit gebracht. Auf diese Weise löste die Revolution zwar weitreichende Reformen aus, verlängerte aber umgekehrt auch die Lebensdauer des „legitimen" monarchischen Gedankens. Alle politischen Ordnungsmodelle (Monarchie, Diktatur, Anarchismus, Republik, Demokratie, konstitutionelle Monarchie etc.) wurden während der Revolution diskutiert und erprobt. Insofern kann sie als ein „Laboratorium der Moderne" bezeichnet werden.

2 Das lange 19. Jahrhundert

Wie lange dauerte das 19. Jahrhundert, das mit der Französischen Revolution einsetzte? Bis 1914 oder 1918 oder gar bis 1945, als der nationalistische Wahn sein Ende fand? Das „lange" 19. Jahrhundert wurde jedenfalls durch ein sehr kurzes 20. Jahrhundert abgelöst, das bereits 1989 durch das Ende des Kalten Kriegs und die Revolutionen in Osteuropa zum Abschluss kam.

2.1 Restauration und Formierung der liberalen Bewegung (1815–1847)

Deutscher Bund

Der österreichische Kaiser Franz I., der Zar Alexander I. und König Friedrich Wilhelm III. von Preußen schlossen 1815 in Wien eine frömmelnde „Heilige Allianz", die bereits von Zeitgenossen als mittelalterliche Theaterdekoration verspottet wurde.

Auf dem **Wiener Kongress** (1814/15) (→ Glossar, S. 245) verhandelten die europäischen Monarchen und Staatsmänner nach der endgültigen Niederlage Napoleons über eine Neuordnung Deutschlands und Europas. Eine führende Rolle spielte dabei der österreichische Staatskanzler Metternich, daneben verhandelten Zar Alexander I., der britische Außenminister Castlereagh, der preußische Staatskanzler Hardenberg sowie der französische Vertreter Talleyrand, der eine respektvolle, gleichberechtigte Behandlung seines Landes erreichte. Ziele des Kongresses waren, eine Ordnung zu schaffen, die ein Mächtegleichgewicht garantierte, die Restauration (Wiederherstellung vorrevolutionärer Zustände) sowie die Wahrung des Prinzips der dynastischen Legitimität. Aber die durch den Reichsdeputationshauptschluss geschädigten Adligen gingen leer aus, denn von einer Wiederherstellung des vorrevolutionären Besitzstandes war in Wien keine Rede, vielmehr wurde der Status quo bestätigt. Die Fürsten, die ihr Territorium durch ihre Zusammenarbeit mit Napoleon vergrößern konnten, behielten ihren Zugewinn. Völlig ignoriert wurden die nationalen Ansprüche der Italiener und Polen.

An die Stelle des 1806 aufgelösten Heiligen Römischen Reiches trat der **Deutsche Bund** (→ Glossar, S. 226), ein Zusammenschluss von souveränen deutschen Fürsten und freien Städten zu einem Staatenbund, dessen Mitglieder den Mehrheitsbeschlüssen des Deutschen Bundes verpflichtet waren. Organ des Deutschen Bundes war die in Frankfurt tagende Bundesversammlung aller Gesandten, Österreich hatte den Vorsitz. In der politischen Praxis erwies es sich aber, dass die Arbeitsfähigkeit des Deutschen Bundes von der

Zusammenarbeit zwischen Österreich und Preußen abhängig war. Die Völker selbst (die Untertanen) fanden dabei kein Gehör.

Seit 1819 (**Karlsbader Beschlüsse,** → Glossar, S. 232) wurde der Deutsche Bund ein Instrument zur Unterdrückung der nationalen und liberalen Bewegung, die eine nationale Einheit bzw. demokratische Verfassungen forderte. Der Deutsche Bund wurde zunächst durch die **Revolution von 1848/49** überrollt, aber 1850 wieder eingerichtet. Wachsende preußisch-österreichische Spannungen, die in den Krieg von 1866 mündeten, führten in diesem Jahr auch zur Auflösung des Deutschen Bundes.

Der Begriff „**Restauration**" (→ Glossar, S. 239) beschreibt nur die eine Seite der Epoche, insofern er die Kräfte der Beharrung akzentuiert und das Bemühen der feudal-absolutistischen Staaten, ihre Machtposition zu wahren. Tatsächlich vollzog sich in der Phase der Restauration auch ein beträchtlicher sozialer, ökonomischer und politischer Wandel, der schließlich in die Märzrevolution 1848/49 mündete. Insbesondere drei Bewegungen waren es, die

> Der Burschenschaftler Karl Sand hatte die Ermordung des Dichters und russischen Generalkonsuls August von Kotzebue lange geplant und als Tyrannenmord verstanden. Kotzebue hatte die Burschenschaften verspottet und als Revolutionäre „verunglimpft". Sands Haare wurden von Burschenschaftlern wie Reliquien verehrt, sein Grab wurde zur Wallfahrtsstätte. Dieser Mord lieferte die Begründung für die Karlsbader Beschlüsse .

Überblick: Die Zeit des Vormärz

1815–1866	Deutscher Bund
1816–1821	Einführung von Verfassungen in mehreren deutschen Bundesstaaten – unter anderem in Nassau, Bayern und Baden (1818) und Württemberg (1819); hier entsprechen die Verfassungen am ehesten konstitutionellen Vorstellungen.
1817	500 Burschenschaftler feiern das Wartburgfest; Bücherverbrennungen.
1819	Als Reaktion auf die Ermordung des Dichters August von Kotzebue werden die Karlsbader Beschlüsse erlassen: Verbot der Burschenschaften, Überwachung der Universitäten und Professoren („Demagogenverfolgung"), hierzu Einrichtung einer Zensur- und Untersuchungskommission
1823	Monroe-Doktrin der USA – Präsident Monroe fordert: keine weitere Kolonisation der Europäer auf dem amerikanischen Kontinent und Nichteinmischung der Amerikaner in der Alten Welt.
1830	In der Julirevolution wird die Bourbonenmonarchie gestürzt; Flucht des französischen Königs, Frankreich wird wieder Republik.
1832	Hambacher Fest: Auf einer Massenkundgebung fordern süddeutsche Liberale ein freies und geeintes Deutschland.
1834	Gründung des Deutschen Zollvereins unter preußischer Führung; die meisten deutschen Staaten – aber nicht Österreich – schließen sich ihm an.
1835	Bau der ersten deutschen Eisenbahnstrecke zwischen Nürnberg und Fürth, Beginn der Industrialisierung.
1837	Sieben Göttinger Professoren protestieren gegen die Aufhebung der Verfassung durch den König von Hannover.
1844	Ein Aufstand von völlig verarmten schlesischen Webern wird militärisch niedergeschlagen.

Tab. 2.1: Das frühe 19. Jahrhundert

auf je spezifische Weise die alten Mächte herausforderten, deren Ziele und soziale Basis aber nicht trennscharf beschrieben werden können: Die nationale Bewegung, die liberale Bewegung und erste Ansätze einer sozialen Bewegung die spätere **Arbeiterbewegung** (→ Glossar, S. 222), die die gravierenden sozialen Missstände kritisierte und mehr soziale Gerechtigkeit forderte.

Es wäre ungerecht, im Deutschen Bund nur ein Mittel staatlicher Repression zu sehen. Immerhin gewährten eine Reihe von Einzelstaaten den Untertanen einige **Grundrechte**, z. B. die Sicherung des Eigentums, religiöse Toleranz sowie das Auswanderungsrecht. Einige Staaten erließen „landständische Verfassungen", die sozial privilegierten Untertanen ein begrenztes Mitspracherecht bei der Gesetzgebung ermöglichten, nicht aber einen Einfluss auf die Armee, die Verwaltung und die Finanzen. Über ein Etatrecht verfügten diese Parlamente oder Kammern noch nicht, auch konnte der jeweilige Monarch gegen ihm missliebige Gesetze ein Veto einlegen. In Preußen und Österreich gab es in dieser Epoche noch keine Verfassungen.

Die Erlaubnis zur Auswanderung erhielten vornehmlich Personen, die völlig verarmt waren, als potenziell kriminell galten und öffentlichen Kassen zur Last fielen.

Das System Metternich

Graf Klemens Wenzel Lothar Nepomuk von Metternich (geb. 1773 in Koblenz; gest. 1859 in Wien), seit 1813 Fürst von Metternich-Winneburg, prägte maßgeblich die Epoche vom Wiener Kongress bis zur Revolution 1848/49.

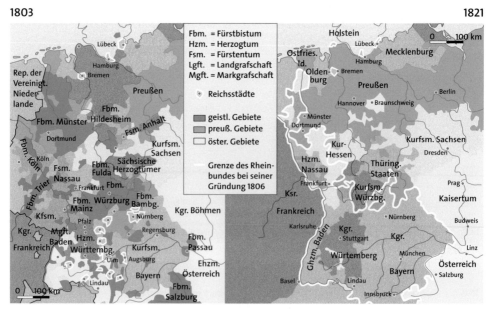

Abb. 2.1: Auf dem Wiener Kongress wurden im Wesentlichen die Grenzverschiebungen, die durch den Reichsdeputationshauptschluss 1803 getroffen wurden, bestätigt.

Seit 1801 war er im diplomatischen Dienst Österreichs, als Gesandter in Dresden, 1803 in Berlin und nach dem Pressburger Frieden 1805 in Paris. Nach dem Ende des Heiligen Römischen Reiches durch die Niederlegung der Kaiserkrone durch Franz II. im Jahr 1806 bemühte er sich um eine Annäherung zwischen Österreich und Frankreich. Nach der Niederlage Österreichs 1808 wurde er Außenminister. Metternich war die führende Gestalt auf dem Wiener Kongress. Es gelang ihm, den Gedanken der Befreiung von der napoleonischen Herrschaft in den Geist der Restauration zu transformieren. Er initiierte maßgeblich die Zusammenarbeit der Großmächte in der Heiligen Allianz und sicherte die Vormachtstellung Österreichs in den immer noch territorial zersplitterten Staaten des Deutschen Bundes und in Italien. Als entschiedener Gegner von Demokratie und Liberalismus errichtete er nach dem Anschlag auf den Dichter Kotzebue einen Polizeistaat (Karlsbader Beschlüsse) mit Zensur und Spitzelwesen. Seine Leitideen gaben der Epoche ihren Namen: das **Metternich'sche System**. Seit 1820 bekämpfte Metternich das **Risorgimento** (also die nationale Einigungsbewegung) in Italien. 1826 instruierte er einen österreichischen Gesandten. In dieser Instruktion werden seine zentralen politischen Leitgedanken deutlich:

Die Risorgimento-Bewegung setzte nach dem Wiener Kongress ein, sie zielte auf die „Wiedergeburt", die Schaffung eines italienischen Nationalstaats (1861 durchgesetzt).

„Das erste Ziel der Bemühungen unserer Regierung und aller seit der Wiederherstellung der Unabhängigkeit Europas mit ihr verbündeten Regierungen ist die Aufrechterhaltung der gesetzlichen Ordnung, die das glückliche Ergebnis dieser Wiederherstellung ist; eines Zustandes der Ruhe, der allen die Früchte eines so teuer erkauften Friedens sichert. [...] Die Unterdrückung des noch bestehenden Übels [ist] *die erste und unerlässliche Vorbedingung dafür* [...] *Dieses Übel* [...] *hat gerade seit der allgemeinen Befriedung erschreckende Fort-*

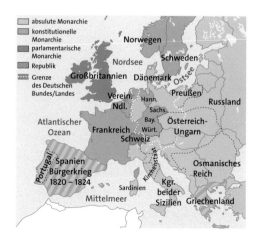

Abb. 2.2: Unterschiedliche Regierungsformen in Europa zwischen 1815 und 1830 ...

Abb. 2.3: ... und im Jahre 1914.

schritte gemacht. Es ist allumfassend in seiner unheilvollen Betätigung, es äußert sich in allen möglichen Formen, in fast allen Ländern. Da es in seiner destruktiven Betätigung allumfassend ist, kann es nur durch einen allumfassenden Widerstand bekämpft und besiegt werden. Dieses Übel ist der revolutionäre Geist, geboren aus jener ordnungswidrigen Unruhe, welche die Umwälzungen der Epoche der heutigen Generation aufgeprägt haben, gespeist durch begehrliche Leidenschaften und tiefe Entsittlichung der einen, begrüßt durch den Fanatismus der anderen. Systematisch in ihren Plänen, streng folgerichtig in ihrem lichtscheuen Treiben finden die Führer dieser gottlosen Sekte, die sich zum Umsturz der Altäre und Throne zusammenschloss, von einem Ende Europas zum anderen Verbündete für die Durchführung ihrer verbrecherischen Unternehmungen, überall da, wo dieselben Leidenschaften dieselben sozialen Verhältnisse in gleicher Weise auf die Geister sich auswirken."

W. Näf (Hg.): Europapolitik zu Beginn des 19. Jahrhunderts, Lang Bern, 1954, Seite 47.

1848 zwang die liberale **Märzrevolution** (→ Glossar, S. 234) in Österreich Metternich zum Rücktritt. Er floh nach London und kehrte 1851 als Ratgeber der Regierung nach Wien zurück.

Das Adjektiv „anachronistisch" bedeutet „zeitwidrig" oder „unzeitgemäß". Das Nomen Anachronismus lässt sich wörtlich mit „Verwechslung der Zeiten" übersetzen.

In der Geschichtswissenschaft ist Metternich höchst umstritten. Aus liberaler Sicht verbindet sich mit Metternichs Name ein anachronistisches, vormodernes, absolutistisches System, das von polizeistaatlicher Willkür, Konterrevolution und Reformunfähigkeit geprägt ist. Versucht man, Metternich

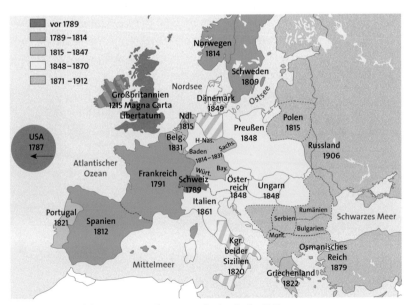

Abb. 2.4: Die Einführung von Verfassungen im Laufe der Zeit

aus seiner Zeit heraus zu beurteilen, fällt das Urteil anders aus: Metternich vertrat das Prinzip einer „legitimen Herrschaft", die aus seiner Sicht nur eine monarchische sein konnte. In der liberalen und demokratischen Bewegung sah er Kräfte am Werk, die für die Französische Revolution und ihre Exzesse verantwortlich waren, die die alte europäische Staatenwelt in ihrem Kern massiv bedroht und umgewälzt hatte. Daher schienen ihm seine „polizei-staatlichen" Repressionen angemessen – nicht um die schiere Macht zu be-haupten, sondern um blutiges Chaos und Anarchie zu verhindern.

Liberalismus

Der preußische Gelehrte, Unterrichtsminister und Diplomat **Wilhelm von Humboldt** formulierte 1792: *„Die wahre Vernunft des Menschen* [kann nur einen Zustand wünschen, in dem] *jeder sich selbst, in seiner Eigentümlich-keit* [...] *nach seinen Bedürfnissen und Neigungen* [entwickeln darf], *nur be-schränkt durch die Grenzen seiner Kraft und seines Rechts.* [...] *Der Staat* [...] *gehe keinen Schritt weiter, als zu ihrer* [der Bürger] *Sicherstellung gegen sich selbst und gegen auswärtige Feinde notwendig ist; zu keinem anderen End-zwecke beschränke er ihre Freiheit."*

Wilhelm von Humboldt (1767–1835) zählte mit seinem Bruder Alexander zu den bedeutendsten und angesehensten Wissenschaftlern und Gelehrten seiner Zeit, Mitbegründer der Universität Berlin.

Der **Liberalismus** (→ Glossar, S. 234) wurzelt in der Aufklärung, die den In-dividualismus entdeckte und geistige Freiräume für das Individuum rekla-mierte. Der deutsche Liberalismus nimmt Forderungen der Französischen Revolution auf, lehnt aber deren radikale Konsequenzen der Guillotine, den Terror und die (napoleonische) Diktatur ab. Zu den zentralen Forderungen des Liberalismus gehört:

- ◉ Anerkennung eines naturrechtlich begründeten Vorrangs des Menschen vor dem Staat
- ◉ Abschaffung ständischer Barrieren, kirchlicher Bevormundung und jeder Form der obrigkeitlichen und bürokratischen Reglementierung
- ◉ Ablösung der absolutistischen Willkür durch die Herrschaft des Rechts
- ◉ Schaffung einer Verfassung und Gewaltenteilung, die die Macht des Monarchen begrenzt
- ◉ Proklamation des mündigen Bürgers anstelle des unmündigen Untertans
- ◉ Verminderung der Macht des Staats und Einschränkung des Macht-missbrauchs Einzelner durch ein System von Kontrollen
- ◉ Autonomie und Selbstbestimmung (Eigenverantwortung und Eigen-initiative) im sozialen, politischen und ökonomischen Leben anstelle von Fremdbestimmung
- ◉ Recht auf Eigentum

Der Jurist und Schrift-steller Pfizer gehörte zu den führenden Vertretern der libe-ralen Opposition, er war Abgeordneter der Paulskirche und eine Art Kultusminister in Württemberg.

Der württembergische Abgeordnete Paul Pfizer (1801–1867) formulierte 1831 zentrale Leitideen des Liberalismus:

„Der Liberalismus ist es, der den erwachten Geist der Freiheit auf vernünfti-ge Prinzipien zurück- und seinem höhern Ziel entgegenführt oder, wo er noch schlummert, durch bildende Institutionen und durch Aufklärung des Volks über seine Rechte und Interessen ihn zu wecken sucht. [...] Welcher Grad von Freiheit und von Gleichheit aber möglich sei, ist nach der Verschiedenheit des Nati-onalcharakters, der Kulturperiode und der übrigen Momente des Volkslebens sehr verschieden. Dieselben Institutionen, welche bei einem gebildeten Volke die Schutzwehr aller Freiheit und die Lebensbedingungen des Fortschritts sind, Pressefreiheit, Volksvertretung, Schwurgerichte, Nationalbewaffnung, können bei einem ungebildeten, noch auf der Kindheitsstufe der Entwicklung stehen-den Volke eine Quelle der Zerrüttung und Gesetzlosigkeit, ein Werkzeug der Gewalt und Unterdrückung werden [...]

Dass unter dem gleichen Rechte und der gleichen Freiheit aller, welche der Liberalismus fordert, nicht die äußerliche Gleichheit von Besitz und Macht gemeint sein könne, indem Rechtsgleichheit himmelweit verschieden ist von materieller Gleichheit des Besitzes, [...] dies wird [...] allmählich von den Geg-nern des Liberalismus ebensogut, als von den Liberalen selbst eingesehen.“

G. Küntzel (Hg.): Paul Achatius Pfizer, Politische Aufsätze und Briefe. Diesterweg, Frankfurt, 1924, Seite 2 f.

Den Liberalen schwebte ein ökonomisches Modell vor, bei dem sich auf dem freien Markt die Kräfte von Angebot und Nachfrage frei von obrigkeitlichen Zwängen entfalten sollten. Dieses Modell – entwickelt von **Adam Smith** – würde am besten den Interessen und Bedürfnissen aller am Marktgesche-hen beteiligten Individuen dienen. Denn der Egoismus und die Konkurrenz der Einzelnen würden zu einem System führen, das den Bedürfnissen und Interessen aller am ehesten gerecht werde.

Liberale organisierten sich im frühen 19. Jahrhundert zu losen Gruppierun-gen, die auch politische Kundgebungen veranstalteten (**Hambacher Fest, 1832,** → Glossar, S. 230) und in der Märzrevolution sowie in der Paulskirche eine wichtige Rolle spielten. Sie formierten sich im späteren Deutschen Kaiserreich zu politischen Parteien, den

- ⊙ **Linksliberalen** (Deutsche Fortschrittspartei 1861), die sich kritisch zu autoritären obrigkeitsstaatlichen Maßnahmen verhielten und elementare Grund- und Menschenrechte einforderten,
- ⊙ und den **Nationalliberalen** (→ Glossar, S. 235), die primär ihre eigenen ökonomischen Interessen im Blick hatten und entsprechendes staat-liches Handeln befürworteten.

Gegen Ende des 19. Jahrhunderts scheint der Liberalismus seinen innovatorischen Elan verloren zu haben. Es bereitete ihm offenkundig Schwierigkeiten, sich den Gegebenheiten der industriellen Massengesellschaft anzupassen. Teile der liberalen Bewegung setzten auf die Karte des Imperialismus und auf populäre nationalistische Stimmungen; auf diese Weise öffnete er sich auch illiberalen Positionen und einer rassistisch motivierten Großmachtpolitik. Daraus erklärt sich auch seine spätere Unentschlossenheit und Hilflosigkeit gegenüber dem Nationalsozialismus.

Im Kaiserreich und in der Weimarer Republik war die liberale Bewegung ebenfalls in zwei Flügel gespalten: Während der eine den autoritär-obrigkeitlichen Staat bekämpfte und für mehr Demokratie und den Schutz der Menschenrechte eintrat, befürwortete der andere Flügel primär den Schutz der ökonomischen Interessen der Besitzenden vor (sozial-)staatlichen Reglementierungen. Daher lehnten vor allem die **Nationalliberale**n die Sozialgesetzgebung des Kaiserreichs als zu weit gehende staatliche Eingriffe ab. In der Weimarer Republik bildete die linksliberale Deutsche Demokratische Partei (DDP) zeitweise mit der SPD und dem Zentrum die „Weimarer Koalition", während die rechtsliberale, großbürgerliche Deutsche Volkspartei (DVP) eher eine unentschlossene Haltung zur Republik einnahm. Beide Parteien, mittlerweile schon stark geschrumpft, kapitulierten 1933 vor dem Nationalsozialismus und nahmen den autoritären Führerstaat fast widerstandslos hin.

Die Nationalliberalen entstanden 1866 aus einer Abspaltung von der Deutschen Fortschrittspartei, die Nationalliberalen wurden 1871 stärkste Fraktion im Deutschen Reichstag und unterstützten die imperialistische Machtpolitik der Konservativen.

In der Bundesrepublik sind beide Flügel des Liberalismus in einer Partei vereinigt, der FDP, die in nicht immer konfliktfreier Weise beide liberalen Strömungen auszubalancieren sucht.

2.2 Die Industrialisierung verändert Wirtschaft und Gesellschaft

Voraussetzungen

Unter **Industrialisierung** wird der Prozess von ökonomischen und gesellschaftlichen Strukturveränderungen zusammengefasst, der sich zunächst im ausgehenden 18. Jahrhundert in England durchsetzte und im 19. Jahrhundert nahezu alle europäischen Staaten sowie Nordamerika und schließlich auch Japan erfasste. Der Begriff **Industrielle Revolution** (→ Glossar, S. 231) („take-off") meint hingegen die entscheidende erste Wachstumsphase der Industrialisierung.

Der Begriff **Protoindustrialisierung** bezeichnet eine Entwicklung besonders im ländlichen Heimgewerbe, als der wachsenden Bevölkerung auf dem Land durch das verlagsmäßig organisierte Heimgewerbe weitere Erwerbsmöglichkeiten geschaffen wurden. Umstritten ist, ob die Protoindustrialisierung als eine Voraussetzung oder als Vorbedingung für die Industrialisierung einzuschätzen ist.

Als Voraussetzungen für die Industrialisierung gelten:
① Die Entwicklung neuer **Produktionsverfahren und Maschinen**, wodurch sich die Produktionsform der Manufaktur in das Fabriksystem wandeln konnte. Hierzu zählen neben der Dampfmaschine insbesondere Werkzeugmaschinen.
② **Kapital** für Investitionen im Produktionsprozess. In England war der Adel investitionsbereit, ferner stellten Banken Kapital zur Verfügung, Aktiengesellschaften kamen auf, Handel und Agrarüberschüsse ermöglichten eine Kapitalbildung.

Die Industrielle Reservearmee wird von Arbeitern gebildet, die zwar ihre Arbeitskraft verkaufen möchten (oder müssen!), aber keinen Käufer finden.

③ **Arbeitskräfte** – diese wurden in Deutschland insbesondere durch die Agrarreformen und durch das Bevölkerungswachstum vor allem seit dem frühen 19. Jahrhundert bereitgestellt. Zunächst bildeten die freigesetzten ländlichen Unterschichten die sogenannte industrielle Reservearmee, die dem langsam aufkommenden Fabriksystem als billige Arbeitskräfte dienen konnte. Erst mit der Entwicklung zur Hochindustrialisierung in der 2. Häfte des 19. Jahrhunderts wurde die Massenarmut (**Pauperismus**) dieser industriellen Reservearmee allmählich beseitigt.

„Verspätete" Industrialisierung Deutschlands

In England hat sich die Industrialisierung zuerst entfaltet, da hier das ständische Gefüge früher als in anderen europäischen Staaten erschüttert wurde und günstigere Bedingungen für die Kapitalbildung (unter anderem durch den Handel) vorhanden waren. Umgekehrt behinderte in Deutschland die Kleinstaaterei mit ihren zahlreichen Zollgrenzen, Münzen, Währungen und Handelsmonopolen den Warenaustausch und die Entwicklung eines Wirtschaftsbürgertums, das Güter nicht nur für einen lokalen Markt produzierte. Die deutschen Städte spielten im 18. Jahrhundert längst nicht mehr die Rolle als Gewerbe- und Handelsmetropolen, die sie etwa in der Zeit des Frühkapitalismus einnahmen. Auf den Weltmeeren war Deutschland bis ins 19. Jahrhundert kaum präsent, anders als Spanien, Holland oder England. Auf der anderen Seite waren der Kohle- und Eisenerzreichtum der raschen Industrialisierung in Deutschland sehr förderlich.

> Von den Zollgrenzen in Deutschland profitierten die zahllosen Schmuggler, der Zollverein 1834 (dem in der Folgezeit weitere deutsche Staaten beitraten), bereitete die kleindeutsche Lösung vor.

Ebenso wie in anderen europäischen Staaten ging die Industrialisierung mit einem Bevölkerungswachstum, einer Agrar- und Verkehrsrevolution einher. Günstig für die deutsche Entwicklung war, dass Innovationen, die mühsam in England entwickelt worden waren, für Deutschland mehr oder minder „kostenlos" verfügbar waren und man einen bereits fortgeschrittenen Stand der Technik übernehmen konnte. Die „deutsche Verspätung" war für Deutschland insofern durchaus vorteilhaft, zumal kein Kapital in überholten Technologien gebunden war. Die ersten deutschen Eisenbahnen stammten noch aus englischer Produktion. Der deutsche Beitrag zum „technischen Fortschritt" war bis in die Mitte des 19. Jahrhunderts noch sehr gering, man

> Die erste Lokomotive der 1835 eröffneten Eisenbahnlinie zwischen Nürnberg und Fürth wurde aus England importiert, gesteuert wurde sie von einem englischen Ingenieur. In der Regel wurden die Waggons jedoch von Pferden gezogen, da der Import der Kohle per Fuhrwerk teuer war.

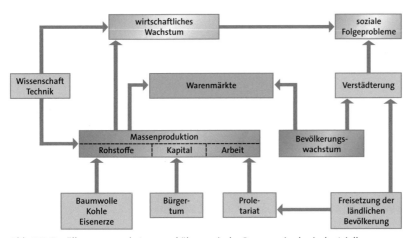

Abb. 2.5: Bevölkerungswachstum und ökonomische Prozesse in der industriellen Revolution

imitierte ausländische Vorbilder sowohl im technischen Bereich (Maschinen, Arbeitsorganisation) als auch im sozialen Bereich (Banken, Versicherungen, kaufmännische Verfahren etc.)

Die industrielle Revolution vollzog sich in Deutschland in den Jahren vor der Märzrevolution vor allem durch den **Eisenbahnbau**, in England hingegen war die **Textilindustrie** der entscheidende Leitsektor. Im Gefolge des Eisenbahnbaus kam es zu einem beträchtlichen Aufschwung der Eisen- und Stahlindustrie sowie des Kohlebergbaus und des Maschinenbaus. In den 1880er-Jahren stiegen die Elektro- und Chemieindustrie zu den Leitsektoren auf, in diesen Bereichen erlangte die deutsche Industrie auf dem Weltmarkt rasch eine führende Stellung.

Unter anderem bei der Farbenherstellung wurde der Weltmarkt fast von Deutschland monopolisiert.

Sozialökonomische Wandlungsprozesse durch die Industrialisierung

Auch in vorindustriellen Wirtschaftssystemen gab es Phasen des Wachstums und der Stagnation, Konjunkturen und Depressionen, aber diese vollzogen sich erheblich langsamer. Die Arbeit und Produktion entwickelte sich in handwerklicher oder heimgewerblicher Form. Zwei Drittel der Menschen arbeiteten in der Landwirtschaft, sie produzierten vorwiegend für den eigenen Bedarf (Subsistenzwirtschaft) und nur ein kleiner Teil gelangte auf den Markt. Das Bevölkerungswachstum war eng an die Möglichkeiten der Nahrungsmittelproduktion gekoppelt. Die Familien bilden zugleich eine Produktions- Konsumtions- und Sozialisationseinheit.

Die sozialen und politischen Auswirkungen der Industrialisierung und der Herausbildung des Kapitalismus waren ungemein vielfältig und tiefgreifend. Bereits 1845 beschrieb Friedrich Engels das Elend in den englischen Industriestädten: Wohnungselend, Hunger, schlimme sanitäre und hygieni-

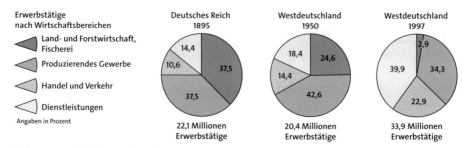

Abb. 2.6: Wandel der Sozialstruktur im 19. und 20. Jahrhundert

sche Verhältnisse sowohl in den Fabriken als auch in den Behausungen der Arbeiter, Kinderarbeit und -prostitution, Alkoholismus, Analphabetismus, überlange Arbeitszeiten, Rechtlosigkeit der Arbeiter etc. Erst in der zweiten Häfte des 19. Jahrhunderts änderten sich die Verhältnisse allmählich.

Zugleich veränderte die Industrialisierung fundamental die Arbeitsverhältnisse und die Familienstrukturen, sie beschleunigte den **Urbanisierungsprozess** und forderte eine neue Stadtplanung heraus, sie revolutionierte das Kommunikations-, Verkehrs- und Transportwesen. Im Gefolge der Industrialisierung entstanden neue Formen der Freizeit und Unterhaltung, insbesondere aber auch der Selbsthilfe der Arbeiter: Es bildeten sich – oft in der Illegalität – Interessenorganisationen, Arbeiterbildungsvereine, Konsumgenossenschaften, **Gewerkschaften** und **Arbeiterparteien**.

Das Schul- und das gesamte Bildungswesen musste im Zuge der Industrialisierung massiv ausgebaut werden; neben das Gymnasium traten nun Real- und Oberrealschulen, die auch naturwissenschaftliches Wissen vermittelten, daneben wurden Gewerbeschulen und Technische Hochschulen notwendig. Das Bankenwesen nahm einen beträchtlichen Aufschwung. Das gesamte Spektrum der Berufe wurde durch die Industrialisierung durcheinandergewirbelt, zahlreiche neue Qualifikationen waren nun gefordert, andere traditionelle wurden entwertet.

Immer stärker griff der Staat in das Arbeitsleben aus sozialpolitischen, aber auch aus fiskalischen Motiven ein. Die ersten Ansätze einer staatlichen Umweltpolitik reichen bis ins 19. Jahrhundert zurück. Die Zurückdrängung der **Kinderarbeit** durch den Staat erfolgte nicht einfach nur aus humanitären Motiven, denn durch Kinderarbeit verkrüppelte Menschen eignen sich kaum als Soldaten.

Seit 1839 war es in Preußen verboten, in Fabriken Kinder unter neun Jahren zu beschäftigen, ältere Kinder durften nicht mehr als 10 Stunden arbeiten; 1904 wurde die gewerbliche Arbeit von Kindern unter 12 Jahren verboten.

Die soziale Frage

Dieser Begriff kam in den 1840er-Jahren auf. Das soziale Elend der Unterschichten war zwar nicht grundsätzlich neu, durch die Bevölkerungsexplosion, die Industrialisierung und die damit einhergehende Urbanisierung verschärfte sich indes die Lage der Unterschichten, zumal die traditionelle familiäre Fürsorge und nachbarliche Hilfe an Bedeutung verlor. Krankheiten, Invalidität oder Alter wirkten sich immer verheerender aus. **Kennzeichen** der sozialen Frage waren weiterhin

- ⊙ überlange Arbeitszeiten von täglich 12 bis 16 Stunden,
- ⊙ Kinderarbeit,

- Massenarbeitslosigkeit,
- geringe Löhne,
- fehlende soziale Sicherung bei Krankheiten, Alter oder Invalidität,
- mangelnde ärztliche Versorgung,
- unhygienische, oft lichtlose und viel zu kleine Wohnungen in städtischen Mietskasernen oder Hinterhöfen,
- kaum Arbeitsschutzbestimmungen oder Unfallversicherungen in den Betrieben,
- Rechtlosigkeit der Arbeiter gegenüber den Unternehmern,
- neue Formen der Kleinkriminalität.

Hungerrevolten von miserabel entlohnten Menschen standen in den 1840er-Jahren auf der Tagesordnung

Das Elend dieser Menschen entlud sich z. B. 1844 im Aufstand der schlesischen Weber, der militärisch niedergeschlagen wurde, und verlieh der Märzrevolution 1848 ihre besondere Dynamik.

Ansätze zur **Linderung oder Überwindung der sozialen Frage** wurden aus je spezifischen Motiven von unterschiedlichen sozialen Gruppen und Institutionen entwickelt.

Beispiel	**Arbeiterbewegung**

Arbeiterbewegung

Die Arbeiterschaft entwickelte im 19. Jahrhundert zahlreiche Selbsthilfeeinrichtungen, die von dem Gedanken der Klassensolidarität geprägt waren: Arbeitervereinigungen, Bildungsvereine, Gewerkschaften, Arbeiterparteien, Konsumgenossenschaften u. ä. m. Diese wurden von den Unternehmern und dem Staat in der Regel verboten, sie arbeiteten daher nicht selten in der Illegalität. 1845 verfasste der Fabrikantensohn Friedrich Engels das Werk „Die Lage der arbeitenden Klasse in England", 1848 schrieb er mit Karl Marx das „Kommunistische Manifest", das zur führenden Kampfschrift der sich entwickelnden sozialistischen Arbeiterbewegung wurde. 1863 gründete Ferdinand Lasalle den „Allgemeinen Deutschen Arbeiterverein", ein Jahr später fand die Gründungsversammlung der „I. Internationalen Arbeiterassoziation" in London statt. 1869 schufen August Bebel und Wilhelm Liebknecht die „Sozialdemokratische Arbeiterpartei", aus der 1875 die „Sozialdemokratische Partei Deutschlands" hervorging, die – zumindest programmatisch – die herrschenden kapitalistischen Verhältnisse völlig umstürzen wollte.

Kirchen

Sowohl die katholische als auch die evangelische Kirche sahen in der (sozialistischen) Arbeiterbewegung eine politische Bedrohung; sie warnten dementsprechend vor „falschen Propheten". Zugleich erkannten manche

>>

Pfarrer und Bischöfe die Missstände, empfahlen den Betroffenen eine moralische Lebensführung (die freilich an ihrer soziale Lage kaum etwas änderte) und förderten soziale Einrichtungen und Bildungsinitiativen.

>> Beispiel

Unternehmer

Manche Unternehmer, die an einem festen und fachlich qualifizierten Mitarbeiterstamm interessiert waren, errichteten Werkswohnungen und bemühten sich unter anderem um Arbeitsschutzbestimmungen (→ Briefauszug von Werner von Siemens, Seite 49). Man hoffte, auf diese Weise die sozialistische Arbeiterbewegung zurückdrängen zu können.

Staatliche Maßnahmen

Es gab sozialpolitische Initiativen wie Fabrikinspektionen und die Reduktion der Frauen- und Kinderarbeit, diese sollten allerdings die „internationale Konkurrenzfähigkeit" der deutschen Industrie nicht belasten. Die Sozialgesetzgebung der 1880er-Jahre (→ Erläuterungen zum Interventionsstaat, folgendes Kapitel) galt als notwendiges Korrelat zum repressiven Sozialistengesetz (→ Kapitel 2.6 „Hochindustrialisierung und Imperialismus", Seite 68 ff.)

Vom liberalen „Nachtwächterstaat" zum modernen Interventionsstaat

Bereits in der Zeit des Absolutismus griff der Staat in das Wirtschaftsleben ein und versuchte durch verschiedene Maßnahmen (z. B. Kanal- und Straßenbauten, Förderung von Manufakturen, Peuplierungspolitik – also Bevölkerungspolitik) Handel und Gewerbe zu fördern, um damit die immens gestiegenen Staatsausgaben durch höhere Steuereinkünfte zu finanzieren. Die **merkantilistische Politik** war indes wenig erfolgreich, die Staatsbeamten verstanden nicht allzu viel vom verborgenen Spiel von Angebot und Nachfrage. Um 1800 setzte sich daher die von dem Engländer Adam Smith entwickelte wirtschaftsliberale Theorie durch, derzufolge der Staat nur die rechtlichen Rahmenbedingungen für ökonomisches Handeln zu schaffen habe, während sich das wirtschaftliche Leben und die Produktion von Gütern am besten über den Markt regulieren würden. Ein kluger Unternehmer würde nur die Waren produzieren, für die er auch Abnehmer findet und Gewinn erzielt. Für ökonomische Fehlentscheidungen wird er unmittelbar bestraft. Kurz: Es diene dem allgemeinen Nutzen, wenn jeder entsprechend seinem individuellen Nutzen handle.

Der spöttische Kampfbegriff „Nachtwächterstaat" stammt von Ferdinand Lasalle (1825–1864), der damit den Manchesterkapitalismus anprangerte.

Smith sprach von der „unsichtbaren Hand", vom Spiel zwischen Angebot und Nachfrage, das den Markt reguliere.

Die **staatlichen Reformmaßnahmen** seit 1810 waren von diesem liberalen Geist geprägt: Die Macht der Zünfte wurde eingeschränkt, Gewerbefreiheit verkündet, Agrarreformen durchgeführt, der Staat zog sich aus dem Wirtschaftsleben zurück und überließ es dem „freien Spiel der Kräfte". Viele Eisenbahnen wurden zunächst z. B. von privaten Gesellschaften gebaut und betrieben. Der Staat schützte diese Anlagen durch Polizei und Militär vor aufgebrachten Fuhrunternehmern, die ihre Arbeitsplätze und ihre Existenz durch die neue Technik bedroht sahen. Bei den **Weberaufstände**n der 1840er-Jahre griff der Staat ebenfalls nur mit seinen repressiven Instrumenten (Polizei, Militär und Justiz) ein und schützte die kapitalistische Eigentumsordnung.

Tatsächlich handelt es sich aber bei der Vorstellung von dem „freien Spiel der Kräfte" (von einer klaren Trennung von Staat und Wirtschaft) um eine Fiktion. Auch in der Phase des „Nachtwächterstaats" intervenierte der Staat wiederholt in das ökonomische Geschehen, etwa bei den Regelungen zur **Kinderarbeit**. Diese Eingriffe gewannen allerdings in der Hochphase der Industrialisierung eine neue Qualität. Der „**Interventionsstaat**" entstand in der zweiten Hälfte des 19. Jahrhunderts

In den 1880er-Jahren wurden die Kranken-, Unfall- und Rentenversicherung eingeführt, allerdings waren die Leistungen noch sehr gering.

Die **politischen Motiv**e, die den sozialstaatlichen Maßnahmen zugrunde lagen, gehen aus einer Begründung eines Gesetzentwurfs aus dem Jahr 1881 deutlich hervor:

„Dass der Staat sich in höherem Maße als bisher seiner hilfsbedürftigen Mitglieder annehme, ist nicht bloß eine Pflicht der Humanität und des Christentums, von welchem die staatlichen Einrichtungen durchdrungen sein sollen, sondern auch eine Aufgabe staatserhaltender Politik, welche das Ziel zu verfolgen hat, auch in den besitzlosen Klassen der Bevölkerung, welche zugleich die zahlreichsten und am wenigsten unterrichteten sind, die Anschauung zu pflegen, dass der Staat nicht bloß eine notwendige, sondern auch eine wohltätige Einrichtung sei. Zu dem Ende müssen sie durch erkennbare direkte Vorteile, welche ihnen durch gesetzgeberische Maßregeln zuteil werden, dahin geführt werden, den Staat nicht als eine lediglich zum Schutz der besser situierten Klassen der Gesellschaft erfundene, sondern als eine auch ihren Bedürfnissen und Interessen dienende Institution aufzufassen."

Stenographische Berichte über die Verhandlungen des Reichstags. 4. Legislaturperiode, IV. Session, Bd. 3. Berlin, 1881, Seite 228.

Staatlichen Regelungen, z. B. im Bereich der Krankenversicherung, gingen jedoch nicht selten kommunale Initiativen oder genossenschaftliche Selbsthilfeeinrichtungen etwa der Arbeiterbewegung voraus.

Aber auch manche Unternehmer erkannten, dass sozialpolitische Maßnahmen durchaus in ihrem eigenen Interesse liegen könnten. So begründet **Werner von Siemens** im Jahr 1872 die Einrichtung von Pensionskassen in einem Brief an den englischen Zweig der Firma:

„Unsere Absicht war, durch die Stiftung [einer Pensionskasse] *in der Lösung des berechtigten Teiles der sozialen Frage einen entscheidenden Schritt vorwärts zu machen und dieselbe in ihrem unvermeidlichen Fortgange dadurch wenigstens für uns ungefährlich zu machen. […] Da sich bald kein Fabrikant in Deutschland dem Anschluss an diese* [staatlichen] *Kassen wird entziehen können, selbst wenn es ihm gesetzlich gestattet bleibt, so werden die Arbeiter dies als eine Wohltat des Staates und als einen Erfolg ihrer Agitation ansehen, die Kassen werden daher nicht ein neues Band zwischen Arbeitgeber und Arbeitnehmer bilden, und die Arbeiter werden wie bisher von einer Fabrik zur andern ziehen. Es ist aber – abgesehen selbst von Streiks und anderen Arbeitsstörungen – von höchster Wichtigkeit, einen festen Arbeiterstamm zu schaffen, und zwar umso mehr, je weiter die Arbeitsteilung und die Maschinenarbeit entwickelt wird. Dies soll nun wesentlich durch unsere Pensionskasse bewirkt werden. […] Die Arbeiter rechnen sich infolgedessen schon jetzt aus, dass für jeden ca. 100 Taler Kapital vorhanden sind, die derjenige aufgibt, welcher fortgeht. Steht bei ihnen erst die Überzeugung unwandelbar fest, dass denen, die bei uns bleiben, die Sorge für ihr Alter und ihre Familie genommen ist, so werden sie dadurch fest an das Geschäft geknüpft, sie werden den Umsturztheorien der Sozialisten abhold, werden sich Streiks widersetzen und haben eigenes Interesse am Gedeihen des Geschäftes. Namentlich die Frauen werden in diesem Sinne auf sie einwirken."*

Beispiel

W. v. Siemens: Briefe. Aus einem reichen Leben. Ausgewählt u. hrsg. v. F. Heintzenberg. Deutsche Verlags-Anstalt, Stuttgart, 1953, Seite 248 ff.

Der Unternehmer und einer der führenden Begründer der Elektrotechnik, Werner von Siemens (1816–1892) nahm – aus präzis definierten unternehmerischen Interessen – die ersten sozialstaatlichen Maßnahmen des Deutschen Kaiserreichs vorweg, die ebenfalls gegen die „Wühlarbeit" der Sozialdemokraten gerichtet waren. Zugleich zeigt das Zitat, dass Unternehmen im Bereich der modernen Technologien an einer festen und gut qualifizierten Mitarbeiterschaft interessiert waren, der man im sozialen Bereich durchaus entgegenkam.

Siemens gründete 1847 die Telegraphenbau-Anstalt Siemens & Halske, die 1848 u. a. eine Telegraphenverbindung zwischen Frankfurt (Nationalversammlung!) und Berlin errichtete.

2.3 Die Märzrevolution in Deutschland und Europa

Nach dem Wiener Kongress herrschte fast überall in Europa eine Generation lang Frieden – ungewöhnlich in der europäischen Geschichte. Aber die europäischen Großmächte bekämpften die Bestrebungen nach nationaler Einheit, die in Südosteuropa, in Polen, Italien und Deutschland immer stärker wurden. Auf die demokratischen und nationalen Forderungen reagierten die Fürsten in der Regel mit harten Repressionen, bisweilen mussten die Demokraten im Untergrund handeln bzw. (wie z. B. Heinrich Heine) ins Exil gehen. Zugleich verschärfte sich die soziale Lage der Unterschichten (Pauperismus). Der Aufstand der schlesischen Weber wurde 1844 durch preußisches Militär niedergeschlagen, im Jahr 1847 gab es vielerorts Hungerrevolten.

Georg Büchner und zahlreiche andere Dichter mussten in den „Untergrund" gehen.

Als im Februar 1848 in Paris die Bevölkerung revoltierte, löste das in vielen europäischen Staaten einen Flächenbrand aus. Zentren der Revolution waren neben Paris auch Wien, Berlin, Prag, Budapest und Mailand. Bei den Aufständen in Paris ging es um die Schaffung eines demokratisch-sozialistischen Staates. Das liberale deutsche Bürgertum kämpfte hingegen für nationale Einheit und freiheitliche Verfassungen. Die Aufstände in Böhmen, Ungarn, Polen und Italien richteten sich gegen die Unterdrückung durch den Vielvölkerstaat Österreich-Ungarn, ihr Ziel war die nationale Unabhängigkeit bzw. die Anerkennung als gleichberechtigte Nation.

Für die rasche Verbindung (1848 war auch eine Kommunikationsrevolution) sorgte die Eisenbahn und die Telegraphie.

Überblick: Die Märzrevolution

Frühjahr 1848	Die Februarrevolution in Frankreich löst auch in Deutschland Unruhen aus.
13.3.1848	Metternich flieht aus Wien.
18.3.1848	Bei Barrikadenkämpfen in Berlin gibt es Tote, der König lenkt ein.
April 1848	Ankündigung von freien Wahlen zu einer Nationalversammlung durch das Frankfurter Vorparlament
1.5.1848	Wahlen zur deutschen Nationalversammlung, die am 18. Mai zusammentritt.
Sommer 1848	Die reaktionären Kräfte erstarken vielerorts, frühere Versprechungen und Reformen werden durch die Fürsten wieder zurückgenommen.
9.11.1848	Robert Blum, ein Abgeordneter der Paulskirche, wird in Wien hingerichtet.
Dez. 1848	Die Frankfurter Nationalversammlung verabschiedet die Grundrechte.
März 1849	Nach sehr langen Debatten entscheidet sich die Paulskirche für die „kleindeutsche Lösung" und verabschiedet eine Reichsverfassung.
April 1849	Der preußische König Friedrich Wilhelm IV. lehnt die ihm von der Paulskirche angetragene Kaiserkrone ab. Damit ist das Werk der Paulskirche gescheitert.
Juni 1849	Die noch nicht zurückbeorderten Abgeordneten der Nationalversammlung siedeln nach Stuttgart über („Rumpfparlament"), sie werden dort durch preußische Truppen auseinandergetrieben.

Tab. 2.2: Die Revolutionsjahre 1848–1849

In Deutschland gaben die Fürsten der Mittelstaaten in der Regel den Forderungen der liberalen Bewegung rasch nach und beriefen in ihren Staaten sogenannte Märzminister, um revolutionären Forderungen die Spitze zu brechen.

In Wien wurde der Repräsentant der Restaurationspolitik, Staatskanzler Metternich, gestürzt. Auch der preußische König Friedrich Wilhelm IV. lenkte nach dem Volksaufstand am 18./19. März ein und erließ eine Proklamation „An mein Volk und an die Deutsche Nation". Dort hieß es, Preußen gehe nun in Deutschland auf.

Am 30. März 1848 bildete sich in Frankfurt ein **Vorparlament**, das die Bildung einer **Nationalversammlung** ($\rightarrow$ Glossar, S. 229) vorbereiten sollte, welche dann am 18. Mai in der **Frankfurter Paulskirche** zusammentrat, um einen deutschen National- und Verfassungsstaat zu schaffen. Bei den Beratungen setzten sich die Verfechter der sogenannten kleindeutschen Lösung (einen deutschen Nationalstaat ohne Österreich, mit dem preußischen König als Kaiser) gegen die Befürworter einer großdeutschen Lösung (Bundesstaat Deutschland mit Österreich an der Spitze) durch. Als endlich nach zähen Verhandlungen die Frage des deutschen Staatsgebiets, die **Grundrechte** sowie eine deutsche Reichsverfassung im März 1849 verabschiedet wurden, war die Revolution längst „gescheitert". Auch in anderen europäischen Staaten, besonders blutig in Ungarn, hatte das Militär gegen die revolutionären Bestrebungen gesiegt. Der preußische König Friedrich Wilhelm IV. lehnte die ihm angetragene erbliche deutsche Kaiserwürde brüsk ab.
Allerdings war die Märzrevolution nur teilweise gescheitert. Die großen Ziele der Revolution, nationale Einheit und ein Verfassungsstaat, wurden nicht erreicht. Die Monarchen der „Ära der Reaktion" konnten aber nicht alle Ergebnisse der Revolution ignorieren.

Die Paulskirche verfügte nicht über eigene exekutive Mittel, vor allem nicht über eigenes Militär.

Forderungen der Revolutionäre

Je nach Trägergruppe variierten die Märzforderungen ganz erheblich. Als relativ repräsentativ können die „Forderungen der Nassauer" gelten, die hier ausschnittsweise zitiert werden:
„Die neueste französische Revolution, hervorgerufen durch die Treulosigkeit und Corruption der Regierung, hat Europa erschüttert. Sie klopft an die Pforten von Deutschland.
Es ist Zeit, daß Alles, was von nationaler Kraft, was von Freiheitsgefühl in der deutschen Nation ruht, zur schleunigsten Entfaltung gerufen werde.
Es ist Vieles, was die Deutschen, was namentlich der Stamm der Nassauer zu fordern berechtigt ist.

Aber die Zeit drängt, sie gestattet nicht Alles, was seit 33 Jahren versäumt worden ist, auf einmal zu ordnen.

Gleichlautende oder ähnliche Forderungen wurden vielerorts erhoben.

Folgende Forderungen aber sind es, welche sofort erfüllt werden müssen:

1. *Allgemeine Volksbewaffnung mit freier Wahl seiner Anführer, namentlich sofortige Abgabe von 2000 Flinten und Munition an die Stadtbehörde von Wiesbaden.*
2. *Unbedingte Preßfreiheit. [sic!]*
3. *Sofortige Einberufung eines deutschen Parlaments.*
4. *Sofortige Vereidigung des Militärs auf die Verfassung.*
5. *Recht der freien Vereinigung.*
6. *Öffentlichkeit, öffentliches mündliches Verfahren bei Schwurgerichten.*
7. *[...]*
8. *Sofortige Einberufung der zweiten Kammer lediglich zur Entwerfung eines neuen Wahlgesetzes, welches auf dem Hauptgrundsatz beruht, daß die Wählbarkeit nicht an einen gewissen Vermögensbesitz gebunden ist.*
9. *Beseitigung aller Beengungen der uns verfassungsmäßig zustehenden Religionsfreiheit.*

Wiesbaden, den 2. März 1848"

Nassauische Flugblätter aus den Jahren 1848–1850, Mappe 1, Nr. 1. Hessische Landesbibliothek Wiesbaden.

Auslösende Faktoren für die Revolution

- ⊚ Im Vormärz hatten sich zahlreiche oppositionelle politische Gruppierungen gebildet und programmatische Zielvorstellungen formuliert.
- ⊚ Das reaktionäre „System Metternich" war weithin verhasst, Zensur und Bespitzelung förderten die oppositionelle Haltung von liberal denkenden Bürgern.
- ⊚ Das Bürgertum forderte eine marktwirtschaftliche Ordnung, frei von staatlicher Bevormundung.
- ⊚ Durch die sogenannte Bauernbefreiung gerieten zahlreiche Angehörige der Unterschichten in große Not; die in Deutschland noch kaum entwickelte Industrie konnte vielen ehemaligen Landarbeitern oder verarmten Handwerkern und Bauern keine Arbeitsplätze bieten. Zugleich stieg – auch bedingt durch den Wegfall der früheren Heiratsbeschränkungen – die Bevölkerung stark an. Das Massenelend, der Pauperismus, artikulierte sich etwa im Aufstand der schlesischen Weber sowie in zahlreichen Hungerrevolten. Hinzu kamen dramatische Missernten in den 1840er-Jahren.
- ⊚ Stimulierend auf die deutsche Revolution wirkten sich insbesondere die Vorgänge in Frankreich aus.

Warum scheiterte die Revolution?

⊙ Die Paulskirche war mit der Aufgabe, einen liberalen Verfassungsstaat in einem völlig neu zu denkenden Staatswesen zu schaffen, nahezu überfordert. Hinzu kam ein rascher Ansehens- und Vertrauensverlust der Nationalversammlung in der Bevölkerung.

⊙ Differenzen entstanden innerhalb des bürgerlichen Lagers zwischen Republikanern und Konstitutionellen, die die Monarchie beibehalten wollten.

⊙ Die territoriale Zersplitterung Deutschlands und das Fehlen eines Zentrums machten ein koordiniertes Vorgehen der Revolutionäre unmöglich.

⊙ Die Autorität der Paulskirche gegenüber den Regierungen in Preußen und Österreich war mangelhaft, was sich unter anderem bei der militärischen Lösung der Schleswig-Holstein-Frage zeigte.

⊙ Die Verhandlungsdauer in der Paulskirche war extrem lang. Als Ergebnisse vorlagen, hatten sich die reaktionären Kräfte längst wieder festigen und dann mit militärischen Mitteln die Paulskirche und andere Einrichtungen vernichten können, zumal die Verwaltungen und das Militär überwiegend loyal zum alten System standen. Die Paulskirche selbst verfügte über keine bewaffneten Kräfte.

⊙ Die Bauern, die ihre Forderungen zum Teil recht schnell durchsetzen konnten, zogen sich aus dem politischen Geschehen rasch wieder zurück, dadurch verlor die Revolution ihre dynamische Kraft.

Viele Bauern betrieben nun wieder Wilderei, holzten unkontrolliert in den Wäldern und schikanierten die verhassten fürstlichen Förster.

Warum ist die Revolution doch nicht gescheitert, was hat sie verändert bzw. historisch-politisch bewirkt?

⊙ Die spätere Parlamentarisierung vollzog sich in Bahnen, die 1848 vorgezeichnet wurden.

⊙ Europa wuchs damals zu einem Kommunikationsraum zusammen, erstmalig fand ein gesamteuropäischer Informationsaustausch statt. Presse- und Versammlungsfreiheit hinterließen deutliche Spuren, die nicht einfach getilgt werden konnten.

⊙ Viele soziale Gruppen, auch die Frauen, wurden politisiert („Straßenpolitik").

⊙ 1848 bekam die sozialistische Arbeiterbewegung wichtige Impulse, die Gewerkschaften und die SPD traten das Erbe von 1848 an.

⊙ Aus den Fraktionen in der Paulskirche entstanden politische Gruppierungen, aus denen später Parteien hervorgingen.

⊙ Durch 1848 kam es in Deutschland zur „inneren Nationsbildung". Man erreichte zwar nicht die innere oder die nationale Einheit, wohl aber verstärkte sich das Bewusstsein, dass die „Deutschen" eine Nation bildeten.

⊙ Die Religionsfreiheit war weitgehend hergestellt.

- ⦿ Abschaffung der Feudalgesellschaft auf dem Land; die Bauernbefreiung wurde endgültig abgeschlossen.
- ⦿ Schrittweise wurden die Dörfler in den politischen Prozess einbezogen.
- ⦿ Vorbereitung einer liberalen Wirtschaftsordnung, die auch den Pauperismus des Vormärz langsam beseitigte.
- ⦿ Der Adel wurde von der Mitregierung allmählich ausgeschlossen, es entwickelte sich das moderne Staatsverständnis, das nicht mehr die unmittelbare persönliche Beziehung zwischen Untertan und „persönlicher" Obrigkeit kannte.
- ⦿ Die adligen Patrimonialgerichte verschwanden, es entschieden nicht mehr Adelige über die „Vergehen" der Revolutionäre!

Mitunter schützten Schwurgerichte auch so manchen verfolgten Revolutionär.

Diese Gegenüberstellung zeigt, dass die Revolution von 1848/49 sehr unterschiedlich gedeutet werden kann. Man stößt auf einen paradoxen Effekt: Die auch für die damaligen Akteure erstaunlichen wie beachtlichen Anfangserfolge waren nicht der Auftakt einer erfolgreichen Revolution, sondern wirkten sich vielmehr kontraproduktiv aus. Der rasche Sieg der Märzbewegung förderte mit fatalen Folgen die weitverbreitete Überschätzung der eigenen Kraft. Man gab sich der Illusion hin, dass die aktuelle Überlegenheit von Dauer sein werde. Die Widerstandskraft der Hauptgegner in Preußen und Österreich wurde völlig falsch eingeschätzt. Weiterhin polarisierten sich die sozialen und politischen Ziele der Revolutionsbewegung, das nahm der Revolution rasch ihre Schwungkraft. Die Liberalen gaben sich in der Regel mit den Märzerfolgen zufrieden, sie hofften auf die von ihnen initiierte parlamentarische Systemreform und nahmen an, dass verständnisvolle Regierungen und Verwaltungen unter liberaler Federführung diesen Prozess fortsetzen würden. Die Angst vor der unberechenbar erscheinenden Gewalt der Bauernrevolution hatte zunächst die liberalen Märzregierungen und die konservativen Regierungen dazu angespornt, die noch unerledigten Agrarreformen endlich rasch abzuschließen. Eine Fülle von Gesetzen und Verordnungen befriedigte daher die rebellierenden ländlichen Gruppen. Und bald wurde die Divergenz zwischen den strategischen Absichten der unterschiedlichen Trägergruppen sichtbar, sie vertiefte sich noch im Laufe der Revolution.

Die bürgerlichen Repräsentanten der Revolution misstrauten den (nicht selten gewaltförmigen) Protesten der ländlichen und proletarischen Unterschichten und hofften vielmehr auf die Reformwilligkeit der absolutistischen Regime, die allerdings häufig traditionelle autoritäre Lösungen bevorzugten, wie sich im Verlauf der Revolution zeigen sollte.

Überblick: Verfassungen in Deutschland

	Paulskirche	Deutsches Kaiserreich	Weimarer Republik	Grundgesetz
Staatsoberhaupt	erblicher Kaiser mit begrenzten Kompetenzen	Der preußische König ist zugleich erblicher Kaiser, der den Reichskanzler ernennt, der zugleich preußischer Ministerpräsident ist. Der Kaiser ist Präsident des Bundesrats und hat den Oberbefehl über die Armee.	Ein vom Volk gewählter Reichspräsident ernennt und entlässt die Regierung, hat den Oberbefehl über die Armee und kann in Krisenzeiten mit Art. 48 regieren.	Der Bundespräsident wird von der Bundesversammlung (Bundestag und Bundesrat) gewählt. Er ernennt auf Vorschlag des Kanzlers die Minister.
Ländervertretung	Staatenhaus: begrenzte Mitwirkung bei Gesetzgebung, Kultur- und Rechtsfragen	Der Bundesrat (Vertretung der Länder) beschließt gemeinsam mit dem Reichstag Gesetze.	Ein Reichsrat hat beschränkte Mitwirkungsrechte bei der Gesetzgebung.	Der Bundesrat ist bei der Gesetzgebung maßgeblich beteiligt, hat Vetorecht bei Gesetzen, die die Interessen und Kompetenzen der Länder betreffen.
Volksvertretung	Das Volkshaus beschließt Gesetze, den Haushalt und Verträge; Minister sind dem Volkshaus verantwortlich	Der Reichstag beschließt gemeinsam mit dem Bundesrat Gesetze und den Haushalt.	Der Reichstag, zuständig für Gesetzgebung und Haushalt, hat Mitwirkungsrechte bei Krieg und Frieden.	Der Bundestag wählt den Bundeskanzler und ist zu 50 % bei der Bundespräsidentenwahl beteiligt; Gesetzgebung und Haushalt, er hat das Recht auf ein konstruktives Misstrauensvotum.
Wahlbürger	Wahl des Volkshauses	Wahl des Reichstags	Er wählt den Reichstag und Reichspräsidenten. Es gibt Volksbegehren und Volksentscheid.	Wahl des Bundestags
Wahlrecht	allgemein, gleich, geheim für männliche Bürger ab 25	allgemein, gleich, geheim für männliche Bürger ab 25. In Preußen: Dreiklassenwahlrecht	neu: Frauenwahlrecht; allgemein, gleich, geheim für Bürgerinnen und Bürger ab 20	allgemein, gleich, geheim für Bürgerinnen und Bürger ab 21 bzw. seit 1970 ab 18
Hauptstadt	Frankfurt a. M.	Berlin	Berlin	Bonn/Berlin

Tab. 2.3: Vergleich der Verfassungen

2.4 Auf dem Weg zur Reichsgründung

Erst seit einigen Jahrzehnten wird in der historischen Forschung genauer erfasst, dass die Jahrzehnte zwischen der (gescheiterten) Märzrevolution 1848/49 und der Reichsgründung 1871 zu den *„bewegtesten und folgenreichsten"* Abschnitten zählen und als eine der *„wichtigsten Umbruchperioden"* (Hans-Ulrich Wehler) der neueren deutschen Geschichte gelten können. Die Industrielle Revolution hatte ein neuartiges Wirtschaftssystem mit beträchtlichen Folgewirkungen verankert, eine kräftige Agrarkonjunktur verbesserte die Lebensverhältnisse vor allem der Unterschichten, allenthalben wurden ständische Traditionen aufgelöst und verdrängt.

Allerdings griffen manche oktroyierten (aufgezwungenen) Verfassungen auch liberale Forderungen auf.

Nach 1849 stand die Politik der deutschen Monarchen zunächst im Zeichen der **Restauration** (→ Glossar, S. 239), die ihren praktischen Ausdruck im preußischen Dreiklassenwahlrecht und in der juristischen Aufarbeitung – also Bestrafung – der Revolutionäre fand. Die vielfältig gedemütigten Liberalen erhielten neuen Auftrieb, als der preußische Staat seine Armee vergrößern wollte, dafür aber keine Mehrheit im von den Liberalen dominierten preußischen Abgeordnetenhaus fand. Die Streitfrage war, ob das Militär in das Verfassungssystem eingebunden war oder eine völlig autonome, nur dem Monarchen untergeordnete Stellung haben sollte. Der preußische Landtag war hier nicht zu Kompromissen bereit. Im Grunde hatte dieser Konflikt zwischen Krone und Parlament eine grundsätzliche Dimension: Wer hatte die Macht im preußischen Staat, das Parlament oder die alten feudalen Eliten? Welche Rolle spielte überhaupt das Parlament, wenn es über den wichtigsten Ausgabenposten gar nicht bestimmen konnte?

Überblick: Wichtige Ereignisse von 1850 bis 1870

bis 1862	Die Jahre nach der Märzrevolution sind geprägt von dem Bemühen der Fürsten, ihre erschütterte Herrschaft neu zu stabilisieren.
1851	Der Bundestag in Frankfurt hebt die von der Paulskirche ausgearbeitete Verfassung und die Grundrechte auf.
1862	Amtsantritt Bismarcks. Preußischer Verfassungsstreit mit den Liberalen, da Bismarck ohne einen vom Abgeordnetenhaus bewilligten Etat regiert.
1864	Preußen annektiert mit österreichischer Unterstützung Schleswig.
1866	Preußen siegt bei Königgrätz über Österreich. Damit ist der „Deutsche Bund" am Ende, ebenso die Diskussion über eine „groß"- oder „kleindeutsche Lösung". In der Folgezeit annektiert Preußen die Staaten, die Österreich unterstützt hatten, u. a. Nassau, Kurhessen, Frankfurt und Hannover.
1867	Gründung des von Preußen beherrschten Norddeutschen Bundes
1870	Durch die von Bismarck zugespitzte Emser Depesche eskaliert der preußisch-französische Konflikt. Beim Krieg mit Frankreich solidarisieren sich süddeutsche Staaten mit Preußen. Im Spiegelsaal von Versailles wird 1871 das Deutsche Reich gegründet. In Deutschland herrscht nationale Euphorie.

Tab. 2.4: 1850–1870

In dieser Situation wurde **Otto von Bismarck** als Ministerpräsident berufen. *„Mit der Verwendung dieses Mannes"* – so der Liberale v. Rochau – *„ist der schärfste und letzte Bolzen der Reaktion von Gottes Gnaden verschossen."* Bismarck scheute auch vor einem Verfassungsbruch nicht zurück und regierte einige Jahre ohne verfassungsgemäß abgestimmten Haushalt, mit Pressezensur und Entlassung von nicht absolut loyalen Staatsbeamten.

Bismarck wird häufig der Vorwurf gemacht, er habe innenpolitische Schwierigkeiten durch militärische außenpolitische Erfolge zu überspielen versucht. Tatsächlich hat Bismarck diese **Verfassungkrise** erst einmal mit Erfolg „ausgesessen". In den drei **Hegemonialkriegen** (→ Glossar, S. 230) (die auch als „Einigungskriege" bezeichnet werden) 1864, 1866 und 1870/71 kam es schließlich zu einer Allianz zwischen preußischer Expansionspolitik und liberaler Nationalbewegung, während die Linksliberalen (Fortschrittspartei) gegen Bismarcks autoritär-obrigkeitsstaatliche Politik opponierten. Bismarck gelang es, das Mittel des Krieges dreimal in einer rational beherrschten und diplomatisch abgeschirmten Weise einzusetzen. Er nahm also nur ein kalkulierbares Außenrisiko auf sich. Auf diese Weise wurde die Lebensdauer des alten Regimes verlängert und anstehende Grundsatzentscheidungen in die Zukunft hinein aufgeschoben. Dem informellen Bündnis mit der kleindeutschen Nationalbewegung – so Hans-Ulrich Wehler –, *„ihrer Dynamik und Schwungkraft als innenpolitischem Machtfaktor, ihrer Mobilisierung der national enthusiasmierbaren Öffentlichkeit ist es auch zuzuschreiben, dass mit den großpreußischen Zielen zugleich die Nationalstaatsbildung realisiert wurde."*

Otto von Bismarck (1815–1898) war von 1862–1890 preußischer Ministerpräsident, 1867–1871 Bundeskanzler im Norddeutschen Bund und 1871–1890 Reichskanzler im Deutschen Reich.

friß, Vogel, oder stirb!

Abb. 2.7: Karikaktur aus dem Kladderatdatsch, 1878: Friss, Vogel, oder stirb. Auf dem Messer steht „Auflösung". Reichskanzler Bismarck „füttert" den Reichstag mit einem Ausnahmegesetz. – bpk - Bildagentur für Kunst, Kultur und Geschichte

Bismarck akzeptierte die informelle Allianz mit der liberalen Bewegung. Diese Politik schien den Konservativen verdächtig. Sie argwöhnten, dass der neue Nationalstaat den traditionellen Staat bedrohen könnte und sie meinten, dass Bismarck auf diese Weise Liberalismus und Demokratie zum Durchbruch verhelfen könnte. Dies würde einem späten Sieg der Revolution von 1789 oder 1848 auch in Preußen gleichkommen. Tatsächlich kann das 1871 gegründete Deutsche Reich keineswegs – trotz seines modernen Wahlrechts (s. u.) – als demokratisch bezeichnet werden. Die Macht des Reichstags war hierfür viel zu eng begrenzt.

Tatsächlich musste der Reichstag seine Macht mit dem von den Reichsfürsten und vor allem mit dem von Preußen beherrschten Bundesrat teilen. Wesentliche parlamentarische Rechte wurden dem Reichstag vorenthalten. Insbesondere war der Reichstag nicht an der Regierungsbildung beteiligt (heute wählt der Bundestag aus seiner Mitte den Bundeskanzler!); die Möglichkeiten zur parlamentarischen Kontrolle der Regierungsarbeit war noch bis 1918 eng begrenzt. Erst als sich die Niederlage des Deutschen Reichs im Ersten Weltkrieg deutlich abgezeichnet hatte, kam es zu einer Reform des Parlamentarismus und zu einer Verantwortlichkeit der Regierung gegenüber dem Parlament.

Realpolitik

Realpolitik meint eine Politik, die sich eng an den als real anerkannten Bedingungen und Möglichkeiten orientiert. Sie zielt auf rasche Entscheidungen, die auf eine breite Akzeptanz in der öffentlichen Meinung rechnen kann. Religiöse oder ethische Werteentscheidungen spielen dabei nur eine geringe Rolle.
Der Begriff wurde von Reichskanzler Bismarck anlässlich des Krieges gegen Österreich (1866) geprägt, als Preußen im Bündnis mit Italien Österreich und die mit ihm verbündeten deutschen Staaten besiegte. Bismarck setzte damals bei König Wilhelm I. durch, Österreich nicht durch Gebietsabtretungen oder Entschädigungen zu demütigen, um sich die Möglichkeiten für ein späteres Bündnis mit Österreich gegen Frankreich offenzuhalten: „Wir haben nicht eines Richteramtes zu walten, sondern deutsche Politik zu treiben."
In demokratietheoretischer Perspektive wird die Bindung der Realpolitik an demokratische Mitentscheidung als problematisch akzentuiert. Realpolitik benötigt eine breite öffentliche Zustimmung. Ausgewogene realpolitische Entscheidungen und eine langfristig angelegte Politik können sich indes kaum aus der rasch wechselnden öffentlichen Zustimmung ableiten.

2.5 Das Deutsche Kaiserreich (1871–1918)

Gründung und strukturelle Probleme

Am 18. Januar 1871, kurz nach dem Sieg über Frankreich, wurde das Deutsche Kaiserreich von den deutschen Fürsten im Spiegelsaal von Versailles gegründet. Bismarcks Kalkül, dass sich durch einen Krieg gegen den „Erbfeind" die deutsche Kleinstaaterei überwinden lasse, war damit aufgegangen. Allerdings war dies kein Erfolg der liberalen Bewegung, sondern eine Einigung unter 22 Monarchen und einigen Freien Städten. Dies spiegelte sich auch in der Verfassung des Kaiserreichs wider: Das Deutsche Reich war ein Bündnis der Fürsten, es beruhte auf der plebiszitären Zustimmung des Volkes und auf der Überlegenheit der preußischen Waffen. Dementsprechend war das Deutsche Reich eine Mischung aus militaristischem Obrigkeitsstaat mit demokratischen Elementen und einer Oligarchie von Bundesfürsten.

Aber nicht nur die Anhänger einer nationalliberalen Deutschlandidee applaudierten dieser restaurativen, mittelalterlich anmutenden Kaiserherrlichkeit. Zahlreiche Denkmalsenthüllungen ordneten die gegenwärtigen Verhältnisse in die Tradition einer mythologisierten großen deutschen Vergangenheit ein. Die nationale Euphorie wurde allerdings getrübt durch eine Wirtschaftskrise im Jahr 1873 und eine nachfolgende ökonomische Depression. Linksliberale und Sozialdemokraten kritisierten indes die Staatsgründung „von oben" und mussten für diese Meinungsäußerung Haftstrafen hinnehmen.

1873 kam es zu einem Börsenkrach, viele in der „Gründerzeit" (nach 1871 gegründeten) Firmen brachen wieder zusammen.

Überblick: Innenpolitik des Deutschen Kaiserreichs

1871	Der „Kulturkampf" gegen die katholische Kirche beginnt.
1875	Aus dem Zusammenschluss des Allgemeinen Deutschen Arbeitervereins (Lassalle-Richtung) mit der 1869 in Eisenach gegründeten SDAP entsteht die Sozialistische Arbeiterpartei Deutschlands (Vorsitz Bebel).
1878	Das Sozialistengesetz verbietet sozialdemokratische Parteiorganisationen (bis 1890).
1883	Der Reichstag beschließt die Einführung der gesetzlichen Krankenversicherung, weitere sozialstaatliche Gesetze folgen.
1888	Wilhelm II. wird Kaiser (bis 1918).
1899/1908	Zulassung von Frauen zum Universitätsstudium
1914	Beginn des ersten Weltkriegs
1918	Verfassungsänderung im Deutschen Reich: Einführung der parlamentarischen Monarchie
3.11.1918	Beginn der Matrosenmeuterei in Kiel, es bilden sich Arbeiter- und Soldatenräte in vielen deutschen Städten.
9.11.1918	Thronverzicht Wilhelms II, Ausrufung der Republik, Bildung eines „Rats der Volksbeauftragten"
1918	allgemeines, gleiches und geheimes Wahlrecht (auch für Frauen) ab 21 Jahren in Deutschland

Tab. 2.5: Innenpolitik des Deutschen Kaiserreichs

Das neu gegründete Reich rückte rasch auf in die Reihe der ökonomisch führenden Großmächte, auch bedingt durch die beachtlichen Reparationszahlungen des besiegten Frankreich. Zahlreiche Firmengründungen und der historistische Pomp von neuen Stadtteilen legen davon ein beredtes Zeugnis ab. Wiesbaden, das von **Wilhelm II.** jährlich besucht wurde, avancierte zur „Weltkurstadt". Wenn sich der Kaiser in der Stadt aufhielt, wurden Schulklassen abkommandiert, die bei seinem täglichen Ausritt Spalier stehen und ihm applaudieren durften. Das Deutsche Reich inszenierte sich gern wie eine Operette, in der Uniformen einen hohen Stellenwert einnahmen. Carl Zuckmayer hat dies in seiner erfolgreichen Komödie **„Der Hauptmann von Köpenick"** verspottet. Der spätere Kaiser Wilhelm II. liebte theatralische Selbstinszenierungen mit vielfältigsten Fantasieuniformen. Darüber mochte man vielleicht milde lächeln, tatsächlich blieb es nicht bei militärischen Spielereien. Aus Sorge vor Rachegelüsten Frankreichs, das den Verlust von Elsass-Lothringen nicht verschmerzt hatte, knüpfte Reichskanzler Bismarck ein dichtes Netz von Verträgen, das Frankreich politisch isolieren sollte, an eine Aussöhnung mit dem Kriegsgegener von 1870/71 wollte man ohnedies nicht denken.

Das Osmanische Reich zerfiel zusehends, das löste vielerlei konfliktreiche Begehrlichkeiten bei den Großmächten aus.

Während einer Krise im Orient stellte Bismarck Überlegungen über die außenpolitische Situation des Deutschen Reiches an. Im sogenannten **Kissinger Diktat** hat er die grundlegende Konzeption, die zentralen Leitsätze seiner Politik festgelegt. Dieses Kissinger Diktat vom Juni 1877 gilt als zentrales Dokument zum Verständnis der Bismarck'schen Außenpolitik nach der Reichsgründung:

„Ein französisches Blatt sagte neulich von mir, ich hätte ,le cauchemar des coalitions' (Albtraum der Bündnisse); diese Art Alb wird für einen deutschen Minister noch lange, und vielleicht immer, ein sehr berechtigter bleiben. Koalitionen gegen uns können auf westmächtlicher Basis mit Zutritt Österreichs sich bilden, gefährlicher vielleicht noch auf russisch-österreichisch-französischer; eine große Intimität zwischen zweien der drei letztgenannten Mächte würde der dritten unter ihnen jederzeit das Mittel zu einem sehr empfindlichen Drucke auf uns bieten. In der Sorge vor diesen Eventualitäten, nicht sofort, aber im Lauf der Jahre, würde ich als wünschenswerte Ergebnisse der orientalischen Krisis für uns ansehen:

1. *Gravitierung der russischen und der österreichischen Interessen und gegenseitigen Rivalitäten nach Osten hin,*

2. *der Anlass für Russland, eine starke Defensivstellung im Orient und an seinen Küsten zu nehmen, und unseres Bündnisses zu bedürfen,*

3. *für England und Russland ein befriedigender Status quo, der ihnen dasselbe Interesse an Erhaltung des Bestehenden gibt, welches wir haben,*
4. *Loslösung Englands von dem uns feindlich bleibenden Frankreich wegen Ägyptens und des Mittelmeers,*
5. *Beziehungen zwischen Russland und Österreich, welche es beiden schwierig machen, die antideutsche Konspiration gegen uns gemeinsam herzustellen, zu welcher zentralistische oder klerikale Elemente in Österreich etwa geneigt sein möchten."*

zit. nach Michael Stürmer: Bismarck und die preußisch-deutsche Politik 1871–1890. dtv, München, 1970, Seite 100 f.

Die Bismarck'sche Bündnispolitik folgte diesen Leitgedanken.

1879 schloss das Deutsche Reich mit dem Vielvölkerstaat Österreich-Ungarn den Zweibund, 1887 folgte der Rückversicherungsvertrag mit Russland, der im Falle eines französischen Angriffs die russische Neutralität zusicherte. Bismarck wollte um jeden Preis die brisante Situation eines Zweifrontenkriegs vermeiden.

Die Bestimmungen des Zweibunds und des Rückversicherungsvertrags schlossen sich gegenseitig aus. Der Sinn der Verträge bestand eher darin, dass der Vertragsfall erst gar nicht eintrat.

Allerdings haben Bismarcks Nachfolger diesen Vertrag im Jahr 1890 nicht verlängert. Nach Bismarcks Entlassung (1890) nahm der junge Kaiser Wilhelm II. verstärkt Einfluss auf die Politik („persönliches Regiment"). Wilhelm II. wollte politische Handlungsfreiheit nach allen Seiten und keine einengenden

Überblick: Außenpolitik des Deutschen Kaiserreichs

1878	Auf dem Berliner Kongress werden Rumänien, Serbien, Montenegro und Bulgarien als selbstständige Staaten von den Großmächten anerkannt.
1879	Deutschland schließt Zweibund mit Österreich-Ungarn.
seit 1881	Beginn der systematischen Kolonisierung Afrikas
1882	Dreibund mit Österreich-Ungarn und Italien, Frankreich wird dadurch weiter isoliert.
1887	Rückversicherungsvertrag mit Russland
1890	Dieser Vertrag wird nach Bismarcks Entlassung als Reichskanzler nicht verlängert.
1894	Zweibund zwischen Frankreich und Russland
1904	Frankreich und England bilden eine Entente Cordiale und verständigen sich bei ihren kolonialen Konflikten.
28. 6. 1914	Die Ermordung des österreichischen Thronfolgers Franz Ferdinand und seiner Frau Sophie in Sarajewo führt zum Ersten Weltkrieg.
1917	Unbeschränkter U-Boot-Krieg; Kriegseintritt der USA auf Seiten der Alliierten. In Russland beendet die Februarrevolution die Zarenherrschaft. Die bolschewistische Partei unter Lenin und Trotzkij stürzt die provisorische Regierung. Bürgerkrieg bis 1921.
1918	„Vierzehn Punkte" des amerikanischen Präsidenten Wilson, Friede von Brest-Litowsk mit Russland

Tab. 2.6: Außenpolitik des Deutschen Kaiserreichs

Selbstverpflichtungen, die dem deutschen Streben nach „Weltpolitik" und „Weltgeltung" hinderlich sein könnten. Deutschland hoffte auf ein Bündnis mit England, das mit Frankreich wegen mancher kolonialer Verwicklungen zerstritten war. Allerdings war England durch die diplomatisch höchst ungeschickt vorangetriebene deutsche Weltmachtpolitik und insbesondere durch den mit gewaltigem Aufwand durchgeführten Bau einer **Schlachtflotte** irritiert, zumal Deutschland zu keinen vertraglichen Begrenzungen seiner Rüstungsanstrengungen bereit war.

Tatsächlich kam es zu einer Annäherung Russlands an Frankreich und 1904 gar zu einer Verständigung zwischen England und Frankreich (**Entente Cordiale**) über koloniale Ansprüche (auf Ägypten und Marokko). Nachdem sich Russland mit England über Herrschaftsinteressen in Afghanistan und China verständigt hatten, schloss sich Russland in der **Triple Entente** England und Frankreich an. Die Bündniskonstellation von 1914 bildete sich lange vor dem Kriegsausbruch heraus. Deutschland fühlte sich von feindlichen Mächten „eingekreist".

Auch die innenpolitische Bilanz Bismarcks fällt widersprüchlich aus: Während Bismarck nach dem Einigungsprozess behutsam taktierte und dadurch die deutsche Stellung international sichern wollte sowie wiederholt als „ehrlicher Makler" bei internationalen Konflikten (etwa der Balkanfrage) agierte, kannte er in der Innenpolitik nur undifferenziert „Freund" und „Feind". Der katholischen Kirche und der Zentrumspartei stand Bismarck mit unverhohlenem Misstrauen gegenüber, sie galten als „romhörig" und nicht als national verlässlich. Ein struktureller Hintergrund für den Kulturkampf war der rigide Umgang des Deutschen Reichs mit seinen nationalen Minderheiten, den Millionen polnischen (in der Regel katholischen) Zuwanderern, den Welfen und Elsässern, denen eine nationale Unzuverlässigkeit zugeschrieben wurde. Die staatlichen Maßnahmen während des Kulturkampfs vergifteten nachhaltig das innenpolitische Klima.

Staatliche Maßnahmen gegen die katholische Kirche während des Kulturkampfs

Zahlreiche Priester und Bischöfe waren während des Kulturkampfs inhaftiert.

- Kanzelparagraph: Geistliche, die bei der Ausübung ihres Amtes von der Kanzel staatliche Angelegenheiten „in einer den öffentlichen Frieden gefährdenden Weise" kommentieren, werden mit Amtsentlassung und Gefängnis bedroht.
- Der Kirche wird die geistliche Schulaufsicht entzogen, sie wird nun vom Staat übernommen.
- Verbot des Jesuitenordens

- „Kulturexamen": Pflicht für Priester, an deutschen Hochschulen zu studieren
- Einführung der Zivilehe

Ähnlich schroff war Bismarcks Haltung zur sich formierenden **Arbeiterbewegung**, also den Arbeitervereinen, den Gewerkschaften und insbesondere der Sozialdemokratie. Ein (misslungenes) Attentat auf den Kaiser wurde den Sozialdemokraten (den „vaterlandslosen Gesellen") in die Schuhe geschoben. Bei internen Beratungen beschwor der Innenminister Gefahren: *„in der abnehmenden Achtung vor der Autorität; in der Familie, in der Gemeinde, im Staate, überall tritt Opposition nicht als berechtigte Kritik, sondern als Auflehnung gegen menschliches und göttliches Gesetz, unter Verhöhnung der Religion auf."* In der allgemeinen Erregung ließ der Reichskanzler den Reichstag auflösen und mit der neuen Mehrheit wurde das **Sozialistengesetz** (→ Glossar, S. 241) verabschiedet, das die SPD und die mit ihr verbundenen Arbeitervereine verbot. Bismarck beschwor den Reichstag, indem er der Sozialdemokratie den Charakter einer feindlichen Armee attestierte, die die Eigentumsordnung umstürzen wolle. Allerdings durften die Sozialdemokraten nach der Verabschiedung des Gesetzes weiterhin an den Reichstagswahlen teilnehmen. Das Gesetz blieb von 1878–1890 in Kraft.

> Allerdings verstärkte das Sozialistengesetz die innerparteiliche Solidarität und festigte daher die junge Partei.

Mit den **Sozialgesetzen** seit 1883 (Krankenversicherungsgesetz, Unfallversicherungsgesetz, Altersicherungsgesetz) wollte Bismarck das Proletariat an den bestehenden Staat binden. Diese Gesetze, deren Leistungen zunächst noch sehr gering waren, aber in der Folgezeit erweitert wurden, gelten weithin als vorbildlich. Allerdings nahm – entgegen Bismarcks Kalkül – der Stimmenanteil für die Sozialdemokraten fast kontinuierlich zu, bis die SPD in den Reichstagswahlen von 1912 zur stärksten Reichstagsfraktion wurde.

Im Kaiserreich vollzogen sich vor allem in der Phase der **Hochindustrialisierung** seit 1880 dramatische technische Modernisierungsprozesse, z.B. in der chemischen, optischen und der Maschinenbauindustrie, bei der Wasserver- und -entsorgung, der Entwicklung der Elektrizität, der Physik und Medizin, wodurch z.B. die Säuglingssterblichkeit stark zurückging.

Deutsche Hochschulen galten weltweit als vorbildlich, deutsche Gelehrte errangen viele Nobelpreise. Zahlreiche Städte wuchsen rasch an, in den verschiedenen Wohnquartieren bildete sich die Klassengesellschaft mit ihren tiefen sozialen und auch geschlechtsspezifischen Gegensätzen ab.

Besonders starken politischen Einfluss hatten freilich nicht die Repräsentanten des modernen Deutschland, sondern die Interessenvertreter der Großagrarier, die sich erfolgreich um eine Schutzzollpolitik bemühten, die Vertreter der Schwer- und Rüstungsindustrie, aber auch die alten adeligen Eliten sowie die Offiziere, die im Verband mit den zahlreichen „Vaterländischen Verbänden" wie dem **Alldeutschen Verband** → Seite 78 eine aggressive Außenpolitik befürworteten und für Deutschland einen „Platz an der Sonne" forderten. Sie galten als Verkörperung preußischer Tradition und Tugenden, sie trugen erheblich zur Militarisierung des öffentlichen Lebens bei und sahen in den demokratischen Forderungen der Linksliberalen sowie der Sozialdemokraten eine „Verwestlichung" und „Verweichlichung" des „Volkskörpers", der insbesondere vor dem „gefährlichen Gift" der Juden geschützt werden müsse. **Antisemitismus** (→ Glossar, S. 221) wurde bereits im Kaiserreich zu einer weithin selbstverständlichen Norm. Technische und wissenschaftliche Modernisierungprozesse und autoritäre Einstellungsmuster und Normen prallten im Deutschen Kaiserreich hart aufeinander. Diese Gegensätze blieben auch noch in der Weimarer Republik lebendig und trugen maßgeblich zu ihrer inneren Schwäche bei.

Die Verfassung des Deutschen Kaiserreichs (1871–1919)

Vorbild für die Reichsverfassung war die Verfassung des Norddeutschen Bunds.

Bereits nach den ersten militärischen Erfolgen im deutsch-französischen Krieg 1870 setzten die Verhandlungen zwischen dem Norddeutschen Bund und einigen süddeutschen Staaten über die politische Einigung ein. Die Verfassung wurde 1871 vom Deutschen Reichstag verabschiedet. Das Deutsche Reich entstand durch eine „Revolution von oben", entsprechend bekannten sich in der Präambel der Verfassung die Fürsten zum Zusammenschluss ihrer Länder.

Der Bundesrat, die Vertretung der Länder, hatte demzufolge weitreichendere Kompetenzen als der Reichstag, der in allgemeinen, gleichen, direkten und geheimen Wahlen gewählt wurde und lediglich Mitbestimmungsrechte bei der Gesetzgebung und beim Budget hatte. Militärausgaben (also ca. 80 % des Budgets) wurden vom Reichstag pauschal für mehrere Jahre bewilligt (Septennat). Die Sitzungen des Bundesrats waren nicht öffentlich. Er beschloss gemeinsam mit dem Reichstag über den Etat und die Gesetze und konnte bestimmten Amtshandlungen des Kaisers zustimmen. Das Königreich Preußen hatte im Bundesrat eine Sperrminorität.

Eine Politik gegen die Interessen Preußens war somit nicht möglich, allerdings auch keine Politik gegen den Reichstag. Der Bundesrat verlor im Laufe der Zeit an politischer Bedeutung.

Im Deutschen Kaiserreich, einer konstitutionellen Monarchie, lag die Führung beim Kaiser, der zugleich preußischer König und oberster Kirchenherr der evangelischen Kirche war. Der Kaiser hatte das Recht zur Eröffnung und Auflösung des Reichstags, damit hatte er ein entscheidendes Druckmittel gegenüber dem Reichstag in der Hand. Der Kaiser bestimmte und ernannte den Reichskanzler, der zugleich preußischer Ministerpräsident und Vorsitzender des Bundesrats war. Reichskanzler und Reichsregierung waren nicht dem Parlament, sondern dem Kaiser verantwortlich, das heißt, der Reichstag konnte die Regierung kritisieren, hatte aber keinen Einfluss auf deren Zusammensetzung. Obgleich das Deutsche Reich eine föderalistische Struktur hatte, lagen die wichtigen Kompetenzen beim Reich: Außenpolitik und Militär, Sozial-, Zoll-, Wirtschafts- und Außenhandelspolitik, Rechtswesen.

Kennzeichnend für das Kaiserreich und im Laufe der Zeit für viele Menschen immer bedrückender war der Widerspruch zwischen der demokratischen Struktur (Reichstag) und monarchischer Machtvollkommenheit. Erst in den letzten Kriegstagen des Ersten Weltkriegs vor der Kapitulation stimmte der Kaiser einer Demokratisierung der Reichsverfassung zu. Am 28. Oktober 1918 erlangte der Reichstag weitere Befugnisse, insbesondere wurde die parlamentarische Verantwortlichkeit des Reichskanzlers eingeführt. Das Parlament sollte also auf die Zusammensetzung der Reichsregierung Einfluss nehmen können.

Die Monarchie konnte Wilhelm II. mit dieser Reform aber nicht mehr retten.

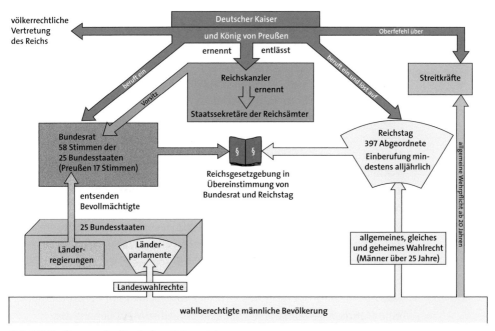

Abb. 2.8: Verfassung des Deutschen Kaiserreichs

Rolle und Charakter der Parteien im Deutschen Kaiserreich

Der Reichskanzler und die Reichsregierung wurden im Kaiserreich nicht durch das Parlament gewählt, sondern vom Kaiser bestimmt. Die Parteien waren somit von der Regierungsverantwortung ausgeschlossen. Dies prägte den Charakter der Parteien.

Abb. 2.9: Die Parteien im Deutschen Kaiserreich

Militarismus im Alltagsleben

Das Militär genoss im kaiserlichen Deutschland ein hohes Ansehen. Militärisches Gepränge und Auftreten, Uniformen und Paraden bestimmten häufig und vielerorts das öffentliche und gesellschaftliche Leben. Wer nicht in Armee oder Flotte „gedient" hatte, war kein „richtiger Mann". Wer eine Karriere machen wollte, musste über ein Reserveoffizierspatent verfügen, es bot überdies bessere Voraussetzungen bei der Partnerwahl und bei Heiraten. In der Schule wurden Kriegshelden gefeiert, die Kriegs- oder Veteranenverbände waren in der Öffentlichkeit ständig präsent, sie pflegten nicht nur das Andenken an Krieg und Soldatenleben, sondern gestalteten zahllose Feiern, errichteten Denkmäler, besetzten Straßen und Plätze, die sehr häufig nach „Kriegshelden" benannt wurden.

Besonders populär war der „Sedantag" am 2. September, der an die französische Niederlage und die Gefangennahme Napoleon III. erinnerte.

Armee und Flotte genossen sogar eine verfassungsrechtliche Sonderstellung. Dem Kaiser stand bei Gesetzesvorlagen für das Militärwesen ein Vetorecht zu. Bei militärischen Entscheidungen besaß der Kanzler als der verantwortliche Leiter der Reichspolitik nicht das Recht, gehört zu werden.

Welche prekären Auswirkungen das haben konnte, zeigte sich an einem Vorfall 1913 in der elsässischen Garnisonstadt Zabern. Nach Schlägereien zwischen Bürgern und Soldaten hatte der befehlshabende Offizier unter Missachtung aller Rechtsvorschriften kurzerhand 28 Zaberner Bürger vorübergehend festnehmen lassen. Er wurde deswegen vor einem Kriegsgericht angeklagt, aber von diesem freigesprochen. Als sich daraufhin in der Öffentlichkeit heftiger Protest erhob, nahm sogar der Kaiser den Offizier in Schutz. Als auch der Reichskanzler von Bethmann Hollweg im Reichstag den selbstherrlichen Übergriff des Offiziers zu beschönigen versuchte, sprach eine Mehrheit des Parlaments der Regierung ihre Missbilligung aus.

„Die Zaberner Affäre war symptomatisch, weil der Kaiser und sein Regierungschef der Wahrung der militärischen Autorität den Vorrang vor dem Schutz des bürgerlichen Rechtsstaates gaben."

Joachim Rohlfes: Staat und Nation im 19. Jahrhundert. Stuttgart, 2008. Seite 115.

Der Kaiser nimmt die Gratulation der Ahlbecker Kinder zu seinem Geburtstag auf der Schloßbrücke entgegen.

A.Grohs.phot.

4686
Verlag von
GUSTAV LIERSCH & Cọ̃
BERLIN S.W.

Abb. 2.10: Der Militarismus prägte die Gesellschaft tief. Matrosenanzüge waren beispielsweise fester Bestandteil der Kindermode. Hier grüßen die Kinder „militärisch". Festumzug zum Kaisergeburtstag. Berlin, 27.1.1913. Foto von Alfred Grohs. – akg-Images

2.6 Hochindustrialisierung und Imperialismus

Die Zweite Industrielle Revolution und
die Herausbildung des Interventionsstaates

Mit dem Durchbruch der Elektrotechnik begann um 1880 eine zweite Industrialisierungsphase; die dritte Phase setzte erst in den 70er-Jahren des 20. Jahrhunderts mit der Mikroelektronik ein. Die Elektrotechnik ermöglichte die Elektrifizierung des öffentlichen und privaten Raums, des Nahverkehrs, der Straßenbahnen. Damit entwickelte sich während der stürmischen Urbanisierungsphase ein Verkehrsmittel, mit dem auch größere Entfernungen zwischen Wohnung und Arbeitsplatz rasch bewältigt werden konnten. Etwa zeitgleich wurde das Glühlicht eingeführt. Fernsprecher ermöglichten eine raschere Kommunikation. Der „leise" Elektromotor war der „lauten" und klobigen Dampfmaschine in mehrfacher Hinsicht überlegen. Komplizierte und gefährliche Transmissionen wurden damit überflüssig. Viele Arbeiten, die bislang mit Muskelkraft ausgeführt wurden, konnten nun mit der mobilen Kraftquelle erleichtert werden. Zahlreiche Elektrogeräte veränderten die Hausarbeit. Das Zeitalter der Motorisierung – der Verbrennungsmotor und die Zündkerze (Bosch) wurden entwickelt – setzte ein und kennzeichnend für den Automobilbau war es seit dem frühen 20. Jahrhundert, dass hierzu rasch die modernste und rationellste Produktionstechnologie, das Fließband, eingesetzt wurde. Die Massenproduktion von Gütern des privaten Bedarfs wurde ebenso ermöglicht wie die für die Kriegsführung. Nach der Mitte des 19. Jahrhunderts erlebten der Maschinenbau und die chemische Industrie einen Siegeszug ohnegleichen. Um 1900 stellten deutsche Firmen z. B. 90 % der Weltproduktion an synthetischen Farben her. Eine große Rolle spielte ferner die Produktion von Kunstdünger, von pharmazeutischen Produkten, aber auch von Sprengstoffen. Seit 1885 war es nun grundsätzlich möglich, Operationen keimfrei durchzuführen. 1895 wurde die Röntgenstrahlung entdeckt und 1898 durch Marie Curie das Radium. Die Zweite Industrielle Revolution veränderte die Arbeitswelt, den Alltag der Menschen und die Umwelt innerhalb einer Generation tiefgreifend.

Diese naturwissenschaftlichen und technologischen Entwicklungen wären aber kaum möglich gewesen ohne den beispiellosen Ausbau des staatlichen Bildungssystems in der zweiten Hälfte des 19. Jahrhunderts. Die Zweite Industrielle Revolution war mit einer ungeheuren Steigerung der industriellen Produktion verknüpft. Sie schuf beträchtliche Umweltveränderungen und -probleme und ging schließlich auch mit einem Wandel des Staats vom

Die Fließbandfertigung gab es bereits im Spätmittelalter beim Schiffsbau oder im 19. Jahrhundert in amerikanischen Schlachthöfen, in Deutschland bei der Herstellung von „Kaffee Hag", Henry Fords Innovation lag vor allem in der Perfektionierung dieser Fertigungsweise.

„Nachtwächterstaat" zum Interventionsstaat einher. Der bürokratisierten, zunehmend in Kartellen organisierten Industrie stand nun ein ebenfalls sich rationalisierender und damit auch spezialisierender staatlicher Apparat gegenüber. Dieser Apparat erweiterte ständig seine Aufgaben und Funktionen und nahm eine neue Rolle gegenüber den Menschen, der Arbeitswelt und der industriellen Produktion ein. Staatliche Aufgaben erschöpften sich dabei keineswegs allein in Kontrolle und Repression gegenüber den Untertanen, vor allem der Unterdrückung der gefürchteten sozialistischen Arbeiterbewegung. Der Staat griff vielmehr auch kontrollierend, reglementierend und organisierend in eine Fülle von Lebens- und Arbeitsbereichen ein, etwa im Bereich der Umwelt, der Infrastruktur, ins Arbeitsleben und in den Sozial- und den Bildungsbereich.

Kurz vor der Jahrhundertwende spottete der liberale Reichstagsabgeordnete und Bankier Georg v. Siemens: *„Der Glaube an die Notlage der deutschen Landwirtschaft ist nationale Anstandspflicht".* Tatsächlich sah es der Staat seit der Hochindustrialisierung und angesichts größerer Wirtschaftskrisen seit 1873 als seine Aufgabe an, die deutsche Landwirtschaft vor der ausländischen Konkurrenz zu schützen. In dieser Funktion des Staates kommt ein fundamentaler Strukturwandel staatlicher Wirtschaftspolitik zum Ausdruck, der Wandel vom liberalen „Nachtwächterstaat" zum modernen Interventionsstaat.

Bei der Schutzzollpolitik kam es 1879 zu einem „Bündnis von Roggen und Eisen", gegen das Votum der Liberalen und Sozialdemokraten.

Für diesen Wandel gibt es eine Reihe von Gründen: Angesichts der hohen Dynamik der industriellen Produktion ging es nun auch darum, unerwünschte Folgen des Wachstums zu kontrollieren und in gesellschaftlich akzeptierte Bahnen zu lenken, die nicht nur den Unternehmerinteressen entsprachen, sondern auch den politischen Interessen des herrschenden Regimes. Mit dem wirtschaftlichen Wachstum waren heftige Konjunkturschwankungen verbunden und Entwicklungsunterschiede zwischen den einzelnen Branchen, aber auch zwischen verschiedenen Regionen mit ihren besonderen, für eine industrielle Expansion günstigen oder ungünstigen Rahmenbedingungen. So hatte sich z.B. das Ruhrgebiet zu einem riesigen industriellen Ballungszentrum entwickelt. Der Osten Deutschlands hinkte der industriellen Entwicklung weit hinterher. Hier herrschte noch eine Landwirtschaft vor, die der ausländischen Konkurrenz nicht gewachsen war. Hier waren noch adlige Großgrundbesitzer sozial und politisch tonangebend, deren Interessen in Berlin leichter Gehör fanden als die Interessen anderer Produzenten.

Ziel der interventionistischen Politik war es, das west-östliche Wohlstandsgefälle durch eine gezielte Infrastrukturpolitik zu verringern. Dem diente ein regionaler Finanzausgleich, der an den modernen Länderfinanzausgleich erinnert. Bismarck versuchte auch, den gesamten Schienenverkehr des Deutschen Reichs zu verstaatlichen. Dies misslang, aber die Verstaatlichung des preußischen Eisenbahnwesens konnte Bismarck durchsetzen, womit sich der Staat gewaltige finanzielle Mittel und ein Machtinstrument sicherte.

Der Staatsinterventionismus zeigte sich schließlich auch in der Subventionierung des Exports, etwa beim Aufbau exportorientierter Dampferlinien. Hinzu kam, dass sich die Unternehmen in Verbänden und Kartellen zusammenschlossen, um kollektiv ihre Interessen beim Parlament, bei der staatlichen Bürokratie oder unmittelbar beim Reichskanzler oder Kaiser vorzutragen. Auch die Unternehmer hatten erkannt, dass für sie politischer Einfluss entscheidend sein kann. Die Folgen lassen sich an der folgenden Tabelle ablesen.

Bereits 1848 wurde in der Paulskirche lebhaft und engagiert über den Bau einer deutschen Flotte debattiert.

Zollsätze (in Mark/100 kg)

	Weizen	Roggen	Hafer	Braugerste
1880	1,00	1,00	1,00	0,50
1885	3,00	3,00	1,50	1,50
1887	5,00	5,00	4,00	2,25
1891	3,50	3,50	2,80	2,00
1906	5,50	5,00	5,00	4,00

nach H.-U. Wehler: Deutsche Gesellschaftsgeschichte. Beck, München, 1995, Bd. 3, Seite 652

Tab. 2.7: Erfolge des deutschen Agrarprotektionismus 1879–1913

Von dieser Schutzzollpolitik profitierten naturgemäß die oft adligen Großagrarier, etwa durch die Verdopplung ihrer Einkünfte. Die Verbraucher hingegen mussten höhere Preise für Nahrungsmittel bezahlen – ein schlagendes Beispiel dafür, welche Interessenpolitik im Kaiserreich betrieben wurde.

Ziel interventionistischen staatlichen Handelns war es aber auch, systemgefährdenden politischen Kräften vorzubeugen, etwa durch sozialstaatliche Maßnahmen (z. B. Kranken-, Renten- und Unfallversicherung, Umweltschutzauflagen, Gewerbeinspektionen, Arbeitsschutzmaßnahmen). In diesem Zusammenhang entwickelte sich neben den wirtschaftlichen Interessenorganisationen und -verbänden eine staatliche Bürokratie.

Daneben entfaltete sich seit 1870 immer stärker die organisierte Arbeiterbewegung, die zwar vom Staat aufs Schärfste bekämpft wurde, die aber ihre Interessen (Arbeitszeit, Lohnforderungen, Anerkennung der Gewerkschaften etc.) immer stärker zur Geltung zu bringen wusste. Doch erst unter den demokratischen Verhältnissen in den 20er-Jahren des 20. Jahrhunderts konnten sozialstaatliche Maßnahmen (z. B. die Arbeitslosenversicherung) deutlich ausgeweitet werden.

Mit der Entwicklung zum Interventionsstaat war indes eine Schwächung des Parlaments verbunden, denn immer mehr Entscheidungen wurden von „sachkundigen" Verbandsfunktionären mit der staatlichen Bürokratie ausgehandelt und vorentschieden.

Imperialistische Politik

Fraglos setzt eine imperialistische Politik eine mehr oder minder industrialisierte Wirtschaft und Gesellschaft, modernes Militär, Infrastruktur und Kommunikationstechnologien voraus. Diese Voraussetzungen waren in den Jahrzehnten vor der Jahrhundertwende 1900 in vielen europäischen Staaten, aber auch in den USA und Japan gegeben. Die Jahrzehnte zwischen 1870 und 1914 werden allgemein als die Epoche des Imperialismus bezeichnet, in der die entwickelten Nationen die gesamte Erde unter sich aufteilten. Da die USA vor allem Mittel- und Südamerika als ihren Einflussbereich betrachteten und dort keine fremde Einmischung duldeten, teilten sich die europäischen Mächte Afrika und Asien auf, während Österreich-Ungarn auf dem Balkan eine imperialistische Politik betrieb.

Auf der Berliner Afrika-Konferenz 1884/85, zu der Bismarck eingeladen hatte, teilten die Großmächte Afrika unter sich auf.

Überall dort, wo die Einflusssphären imperialistischer Mächte aufeinanderstießen, kam es zu latenten oder auch handfest ausgetragenen Konflikten zwischen den beteiligten Kolonialmächten, etwa zwischen England und Frankreich in Afrika oder zwischen Japan und Russland in Asien. Diese Konflikte mündeten schließlich in den Ersten Weltkrieg, der von vielen nationalistisch gesinnten Intellektuellen – nachdem zahlreiche Interessengegensätze und internationale Krisen nur halbherzig und unbefriedigend beigelegt worden waren oder untergründig weiterschwelten – als „reinigendes Gewitter" begrüßt wurde.

Als Motive für imperialistische Politik gelten:
- Zugriff auf Rohstoffe für eigene Industrie
- Sicherung von Absatzmärkten und Einflusszonen
- billige Arbeitskräfte
- Siedlungsgebiete für eine wachsende Bevölkerung
- rassistisch motiviertes Sendungsbewusstsein und Missionierungsideen
- nationales Prestigestreben

Im wissenschaftlichen Konzept vom „Sozialimperialismus" werden ökonomische, sozialpsychologische, ideologische und politische Motive verklammert: Der Historiker Hans-Ulrich Wehler versteht darunter eine „direkte-formelle" oder „indirekte-informelle" Herrschaft (die sich auf lokale Potentaten stützt), die sich unter dem sozialen Druck der Industrialisierung vollzieht, die beträchtliche innenpolitische und ökonomische Spannungen hervorgebracht hat. Außen- oder weltpolitische imperialistische „Erfolge" können von inneren Problemen ablenken, Demokratisierungsbemühungen abwehren und die konkreten sozialen und politischen Interessen der Massen durch außenpolitische Ambitionen und den damit verknüpften nationalen Prestigegewinn ablenken. Seit es Nationalstaaten gibt, vereinen bekanntlich Kriege die Menschen hinter ihrer politischen Führung, obwohl diese kaum die Interessen der Unterprivilegierten im Blick hat.

Dementsprechend grassierte die Begeisterung für koloniale imperialistische Unternehmungen in vielen entwickelten Nationen und lenkte erfolgreich von ungerechten sozialen und undemokratischen Verhältnissen im eigenen Land ab. Kolonialpolitik legitimierte schließlich auch die stark ansteigenden Rüstungsausgaben, im Deutschen Reich insbesondere die gewaltigen Ausgaben für den Bau einer Schlachtflotte, die jedoch im Ersten Weltkrieg kaum zum Einsatz kam. Die Flottenbegeisterung erfasste nicht nur intellektuelle und nationalistische Kreise, sondern auch die sogenannten kleinen Leute bis in die Arbeiterschaft hinein.

Von Wilhelm II. sind handschriftliche Skizzen über verschiedene Kampfschiffe überliefert.

Zieht man – ausgehend von den euphorischen Erwartungen der kolonialen Propaganda – eine Bilanz, so fällt diese, zumindest für das Deutsche Reich, ziemlich ernüchternd aus. Der finanzielle Aufwand stand in keinem Verhältnis zu den geringen Erträgen.

Für Deutschland war, volkswirtschaftlich betrachtet, die **Kolonialpolitik** (→ Glossar, S. 232) eine Fehlkalkulation, zumal die Kosten für die militärische Niederschlagung von Aufständen etwa in Deutsch-Südwest- und Deutsch-Ostafrika sowie in China beträchtlich waren. Der Import nach und der Export aus den Kolonien spielten nur eine untergeordnete Rolle. Allenfalls einige Betriebe, Financiers oder Reedereien schlugen Kapital aus dem Kolonialgeschäft. Ebenso hatten die Kolonien keine Bedeutung als Siedlungsland. Bereits im frühen 20. Jahrhundert stieg die Nachfrage nach Arbeitskräften in Deutschland stark an, sodass Deutschland vom Auswanderungsland (im 19. Jahrhundert – vor allem Amerikaauswanderung) zum Einwanderungsland wurde. Allenfalls einige „verkrachte Existenzen" wanderten in die Kolonien aus. Auch wenn es in einigen deutschen Kolonien zu einer recht rigiden rassistischen Eingeborenenpolitik und Kolonialverwaltung kam, so unterschied sich diese nicht grundsätzlich von der Politik anderer Kolonialmächte. In der wissenschaftlichen Diskussion umstritten ist die (langfristige) Wirkung der imperialistischen Politik für die betroffenen Kolonien, hier gehen die Meinungen weit auseinander. Auf der einen Seite wird die nicht nur sozial und psychologisch, sondern auch politisch wie ökonomisch folgenreiche Entwürdigung der Menschen (bis hin zur Versklavung) in den Kolonien und die kulturelle Entfremdung hervorgehoben oder angeprangert, die einseitige Ausrichtung der kolonialen Infrastruktur an den Interessen der Kolonialmächten sowie die Zerstörung von einheimischen Wirtschaftsstrukturen, an deren Stelle häufig ökonomisch und ökologisch problematische Monokulturen (z. B. Baumwolle, Kakao, Kaffee) entstanden. Ferner wird die Ausbeutung von wichtigen Bodenschätzen hervorgehoben und die einseitige Abhängigkeit der weniger entwickelten Länder vom Weltmarkt betont. Die gegenwärtige Unterentwicklung vieler Länder der sogenannten Dritten, Vierten oder Fünften Welt wird zurückgeführt auf exogene Faktoren und in diesem Zusammenhang auf die Zeit des Imperialismus bzw. der kolonialen Ausbeutung. Auf der anderen Seite werden die politischen, ökonomischen und sozialkulturellen Innovationen, die damit einhergingen, in den Vordergrund gestellt.

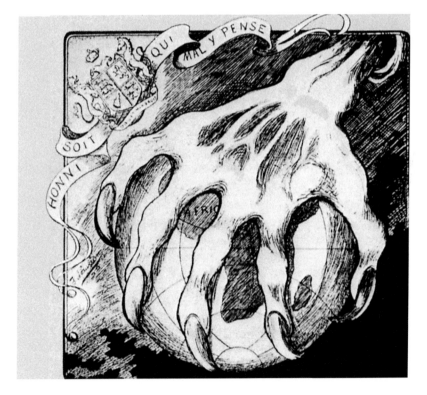

Abb. 2.11: Französische Karikatur aus dem Jahre 1899, die den englischen Imperialismus aufs Korn nimmt. Übersetzung: „Verachtet sei, wer schlecht darüber denkt."

Die „positiven Importe" der westlichen Welt

- ⊙ Der Import eines modernen Staats mit seiner Gesetzgebung, Verwaltung und Justiz, seinem Militär und Bildungswesen.
- ⊙ Zu den soziokulturellen Hinterlassenschaften des Kolonialismus gehören neue gesellschaftliche Gruppen wie Arbeiter und Unternehmer, Lehrer und Freiberufler, Beamte und Berufssoldaten und deren gemeinsames Milieu, die moderne Großstadt.
- ⊙ Einführung eines Verkehrs- und Kommunikationswesens westlichen Zuschnitts.
- ⊙ Schaffung neuer Rollen für die Frauen, die nicht selten mit Emanzipation von den bisherigen Verhältnissen verbunden sind.
- ⊙ Ein wesentlicher Import der Kolonialmächte sind Naturwissenschaft und Technik, Medizin und Ökonomie, die auf Ideen und Ideologien wie Rationalismus und Individualismus, Rechtsstaatsprinzip und Menschenrechten beruhen. Die Rede von der „Europäisierung der Erde" als Inbegriff der Hinterlassenschaft des Kolonialismus ist zwar richtig, aber nur noch im historischen Sinne (Wolfgang Reinhard).

vgl. W. Reinhard: Kleine Geschichte des Kolonialismus. Kröner, Stuttgart, 2008, Seite 380 ff.

Kolonialmächte vor 1914	⊙ Belgien: große Bereiche des Kongo
	⊙ Deutschland: Deutsch-Südwestafrika (Namibia), Kamerun, Togo, Ostafrika (Tansania), Kiautschou, Teile Neugineas und kleinere Inseln im Pazifik
	⊙ Frankreich: Algerien, Tunesien, große Teile Westafrikas, Teile des Kongo, Madagaskar, Bahrain, Teile von Indochina, Teil von Guayana
	⊙ Großbritannien: große Teile von Afrika, Britisch-Indien mit Pakistan und Bangladesch, Ceylon, Teile Burmas, Malaysia, Honkong, Australien, Neuseeland,Kanada, Teile von Guyana
	⊙ Italien: Teile Somalias, Libyen, Eritrea
	⊙ Japan: Korea, Port Arthur, Süd-Mandschurei, Taiwan
	⊙ Niederlande: Indonesien, Teil Guayanas
	⊙ Portugal: Angola, Mosambik, Macao
	⊙ Russland: eroberte im ausgehenden 19. Jahrhundert vor allem an seiner Südgrenze riesige Territorien
	⊙ Spanien: Spanisch-Marokko
	⊙ USA: Puerto Rico, Panamakanal, Hawaii, Philippinen, erweitert im 19. Jahrhundert sein Territorium nach Westen (Indianerland)

2.7 Kriegsausbruch – Kriegsschuld

Kriegsursachen

Der Erste Weltkrieg wird bisweilen in Anlehnung an eine
Formulierung des amerikanischen Diplomaten George F.
Kennan als „Urkatastrophe des
20. Jahrhunderts" bezeichnet.

◉ Er führte zum Zusammen-
bruch großer Reiche wie des
Vielvölkerstaats Österreich-
Ungarn sowie zum Unter-
gang des Osmanischen
Reichs.

◉ Nach der Oktoberrevolution
1917 bildete sich das kommunistische Machtsystem
heraus, das vor allem während und nach dem Zweiten
Weltkrieg die Weltpolitik
maßgeblich bestimmen
sollte.

◉ Die demokratische Ordnung
war in vielen europäischen
Staaten nach dem Ersten Weltkrieg äußerst instabil; in vielen Ländern
Europas bildeten sich in den 20er-Jahren des 20. Jahrhunderts autoritäre
oder faschistische Bewegungen heraus.

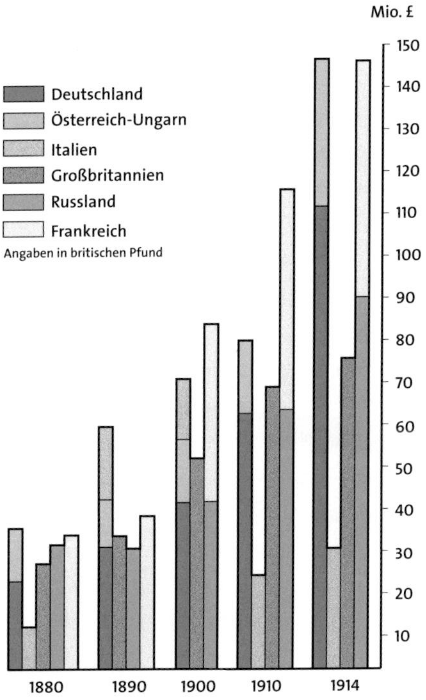

Mio. £

Deutschland
Österreich-Ungarn
Italien
Großbritannien
Russland
Frankreich
Angaben in britischen Pfund

Abb. 2.12: Zunahme der Rüstungsausgaben im
Zusammenhang der Bündnisse

Die Fortschrittseuphorie, die noch das 19. Jahrhundert kennzeichnete (industrielle Revolution, Ausbildung von Nationalstaaten, Parlamentarisierung und Demokratisierung, Verbesserungen in der materiellen Situation
vieler Menschen, technischer und medizinischer Fortschritt) wich nach dem
Kriegsausbruch angesichts der ungeahnten Zerstörungskraft des Krieges
einer pessimistischen Deutung der Epoche. Wie kam es nun zum Ersten
Weltkrieg, welche Staaten bzw. welche historisch-politischen Entwicklungen können dafür besonders verantwortlich gemacht werden?

Die wissenschaftliche
Literatur über die
„Kriegsschuldfrage" ist
nicht mehr übersehbar. Früher gab es bei
Friedensverträgen das
„Tabula-rasa"-Prinzip,
das die Erkundung von
Kriegsschuld und die
Bestrafung der Besieg-
ten ausschloss.

Das Attentat von Sarajewo

Der Mord am österreichischen Thronfolger Erzherzog Franz Ferdinand und seiner Frau Sophie durch einen serbischen Freischärler besaß eine besondere Brisanz. Er dramatisierte die Spannungen zwischen Serbien und dem österreichischen Vielvölkerstaat. Serbien förderte die südslawischen Freiheitsbewegungen im Vielvölkerstaat und bedrohte daher Österreich-Ungarn in seiner Existenz.

Erzherzog Franz Ferdinand hatte die Gleichberechtigung der slawischen Völker in Österreich vorbereitet, nach seiner Thronbesteigung wäre den slawischen Freiheitsbestrebungen und damit der serbischen Politik der Boden entzogen worden.

In Berlin hoffte man, dass ein rascher österreichischer Vergeltungsschlag gegen Serbien den Krieg lokalisieren und den Ausbruch eines europäischen Krieges verhindern könnte. Würde Deutschland seinen österreichischen Verbündeten energisch unterstützen, wie das mit der Blankovollmacht geschah, dann würde Russland vielleicht nicht seinem serbischen Verbündeten zu Hilfe kommen.

Ferner hoffte man in Berlin, dass England und Frankreich nicht wegen Serbien in den Krieg ziehen und daher ihren russischen Verbündeten im Zaum halten würden.

Tatsächlich aber trat die Automatik der Bündnissysteme schier unaufhaltsam in Bewegung. Russland hatte ebenso wie Frankreich und Deutschland massiv aufgerüstet und war nicht zum Einlenken bereit, Deutschland riet Österreich zu energischem Handeln gegen Serbien.

Der noch nicht volljährige Attentäter Gavrilo Princip wurde zu 20 Jahren Festungshaft verurteilt. Er starb an den unerträglichen Haftbedingungen in der Kleinen Festung in Theresienstadt.

Unbestreitbar war das **Attentat von Sarajewo** (28. Juni 1914) nur der Anlass, der die bereits wirksamen internationalen Konflikte verschärfte. Bereits seit der Phase des Hochimperialismus nahm die Rivalität unter den europäischen Großmächten zu, diese Rivalität wurde gefördert durch einen nationalistischen Chauvinismus und insbesondere durch das Wettrüsten und durch das deutsche Kriegsflottenbauprogramm seit 1898. Diese Rüstungspolitik hatte einen klaren Kampfauftrag gegen rivalisierende Staaten, insbesondere gegen England, zugleich aber auch eine innenpolitische Dimension: Sie verknüpfte nationalistische Energien mit der Identifikation mit der „nationalen Mission" einer deutschen Weltpolitik, sollte also von Demokratisierungs- und Parlamentarisierungsforderungen ablenken. Zugleich verbargen sich hinter dem Flottenenthusiasmus konkrete materielle industrielle Interessen. Tatsächlich spielte aber die mit gigantischem materiellen Aufwand entwickelte deutsche Schlachtflotte im Ersten Weltkrieg militärisch kaum eine Rolle.

Konfliktverschärfend wirkten auch die vor dem Ersten Weltkrieg gebildeten Bündnissysteme, vor allem der Dreibund (Deutschland, Österreich-Ungarn, Italien) sowie die Triple-Entente (Frankreich, England, Russland), deren Politik sich von sozialdarwinistischen Überlegungen (Überlebenskampf, Recht des Stärkeren) leiten ließ.

Während die große Mehrheit der Politiker und Historiker in der Weimarer Republik an dem Mythos einer defensiven Außenpolitik des Deutschen Kaiserreichs festhielt, um eine Revision des Versailler Vertrags zu begründen

Abb. 2.13: Veränderungen auf dem Balkan 1908–1913

und zu verfolgen, wandelten sich die Auffassungen hinsichtlich des deutschen Anteils an der Kriegsschuld seit den 1960er-Jahren. Nun setzte sich immer stärker die These durch, dass die deutsche Außenpolitik des Kaiserreichs und die anderen europäischen Mächte keineswegs in den Krieg „hineingeschlittert" seien, sondern dass vor allem Deutschland ein expansives Kriegszielprogramm verfolgte und in der Julikrise 1914 alle Verständigungsofferten ignorierte, vielmehr seinem Verbündeten Österreich-Ungarn durch eine Blankovollmacht volle Rückendeckung für ein aggressives Vorgehen gegen Serbien gewährte. Während der Julikrise 1914 schien die deutsche Politik alles zu unterlassen, was vielleicht die internationalen Konflikte eindämmen könnte. Im Gegenteil: Die deutsche Führung trat die „Flucht nach vorn" an, denn ein rascher und möglichst bald zu führender Präventivkrieg schien der militärischen und politischen Führung im Jahr 1914 günstiger als einige Jahre später, denn dann seien die Kriegsgegner noch besser gerüstet.

So formulierte bereits General v. Moltke 1912: „Ich halte einen Krieg für unvermeidlich und: je eher, desto besser".

Politisch-ideologische Kriegsvorbereitung

Alldeutscher Verband (1894–1939)
Der nationalistische Alldeutsche Verband hatte ungefähr 40 000 Mitglieder aus gehobenen sozialen Schichten und dem Adel. Er entfaltete vor allem bis 1918 eine erhebliche politisch-ideologische Wirkung.
Ihm standen andere Verbände nahe:
- Kolonialverband,
- Wehrvereine,
- Reichsverband zur Bekämpfung der Sozialdemokratie,
- Flottenverein (1 Mio. Mitglieder).

Ideologie und politische Ziele
- Völkische und imperialistische: Deutsche benötigen Kolonien als „Lebensraum".
- Kriege sind lebensnotwendig, alles Militärische wird bejaht, die Flottenaufrüstung ist notwendig für das deutsche Volk.
- Opferbereitschaft, Gehorsam und Untertanengeist sind hohe Tugenden.
- Förderung der „deutschen Weltgeltung"
- Ablehnung und Bekämpfung von Demokratie und insbesondere der sozialdemokratischen Partei
- Forderung einer Hegemonial- und Annexionspolitik in Europa, Afrika und im Nahen Osten
- Fremdes Volkstum und insbesondere Juden bedrohen den „deutschen Volkskörper".

Diese Ideologien und politischen Ziele waren über den Alldeutschen Verband hinaus vor allem im bürgerlichen Lager verbreitet. Sie verloren ihre Überzeugungskraft auch nicht durch die Niederlage im Ersten Weltkrieg.

Wesentliche Ziele des alldeutschen Programms wurden später vor allem von den **Nationalsozialisten** aufgegriffen, sie bildeten eine politisch folgenreiche Brücke zwischen der traditionellen und der „modernen" rassistisch motivierten nationalsozialistischen Groß- und Weltmachtpolitik.

Die rassistischen Ideologeme, mit denen die Studenten, die künftigen sozialen und politischen Eliten des späteren Nationalsozialismus, erfüllt und geprägt waren, wurden bereits im Deutschen Kaiserreich hervorgebracht. Sie kamen im „Dritten Reich" ungehindert zur Geltung. Die Wurzeln für die imperiale Politik der Nationalsozialisten liegen bereits im Kaiserreich.

2.8 Krieg und Frieden im 19. Jahrhundert

Sicherung des Status quo

Nach dem Sieg über Napoleon suchten die europäischen Großmächte Preußen, Österreich, Russland und England auf dem Wiener Kongress (1814/15) nach Lösungen für eine dauerhafte europäische Friedensordnung, die den (monarchischen) Status quo sichern sollte. Da das besiegte Frankreich durch das Verhandlungsgeschick Talleyrands einbezogen wurde, ging es nicht um ein Diktat der Siegermächte, sondern um einen Konsens unter den fünf europäischen Großmächten (**Pentarchie**), die damit freilich über das Schicksal der mittleren und kleinen Staaten mitentschieden. Den Staaten ging es keineswegs um eine Wiederherstellung vorrevolutionärer Verhältnisse, wie die Epochenbezeichnung „**Restauration**" nahelegt, sondern um die Sicherung der aktuellen machtpolitischen Verhältnisse. Und da nach Auffassung der Zeitgenossen das Unheil der letzten Jahrzehnte seine Ursache in der Revolution von 1789 hatte, galt es, alle künftigen revolutionären Bestrebungen im Keim zu ersticken, denn Revolutionen würden zu blutigen Exzessen und Kriegen führen.

Dieser Frieden innerhalb der Pentarchie hielt immerhin bis zum Krimkrieg 1853–1856.

Zugleich ging es um die Sicherung des europäischen Gleichgewichts, ein Ziel, das insbesondere die englische Politik seit langem vertrat (**Balance of Power,** → Glossar, S. 222). Dazu sollte Frankreich seinen Einfluss in bestimmten Territorien von Italien und Deutschland verlieren. Künftige Grenzveränderungen sollten nur mit Zustimmung aller Großmächte möglich sein.

Gleichwohl bestanden einige Konfliktherde weiter. Die nationale Frage war weder in Deutschland, Polen oder Italien geklärt, vielmehr wurden die entsprechenden sozialen und nationalen Bewegungen repressiv unterdrückt. Ebenfalls ungeklärt blieb – zumal in Russland, Preußen und Österreich – die Verfassungsfrage. Demokraten galten in diesen Staaten noch lange als zu bekämpfende Revolutionäre oder gar als Terroristen. Ungeklärt blieben die nationalstaatlichen Interessen auf dem Balkan. Infolge der krisenhaften Entwicklung im Osmanischen Reich („Kranker Mann am Bosporus") bildeten sich hier im 19. Jahrhundert mehrere Nationalstaaten. Allerdings lösten Grenzstreitigkeiten zahlreiche Konflikte aus, die auch noch im ausgehenden 20. Jahrhundert zu Kriegen führten. Diese Balkankonflikte können als eine zentrale Ursache für den Ausbruch des Ersten Weltkriegs gelten.

Trotz vieler offener Probleme schuf der Wiener Kongress eine europäische Ordnung, die weitgehend bis 1848 stabil blieb, zumal sie keinen inneren politischen, geschweige denn einen demokratischen Wandel zuließ. Insofern wies diese Ordnung keineswegs in die Zukunft, im Gegenteil. Erst in der zweiten Hälfte des 19. Jahrhunderts öffneten sich diese Großmächte den drängenden Problemen der neuen wirtschaftlichen, sozialen und politischen Verhältnisse.

Krieg und Frieden seit 1848

Revolutionen wurden seit den französischen Hegemonialbestrebungen nach 1789 mit Kriegen assoziiert. Daher waren die Revolutionäre von 1848 überrascht, dass es, sieht man von regionalen und lokalen militärischen Konflikten ab (vor allem in Ungarn), 1848 nicht zu größeren europäischen Kriegen kam. Alle Großmächte hatten auf ihre Weise die Revolution niedergeschlagen. In der zweiten Hälfte setzte sich das neue Paradigma „Realpolitik" (→ Seite 49) durch: Diese Politik verfolgte die Stärkung der eigenen militärischen, ökonomischen und politischen Machtposition, sei es durch politisch-militärische Bündnisse oder durch das Ausnutzen von günstigen Kräftekonstellationen. Damit entstand die Angst, plötzlich ohne fremde Hilfe einer überlegenen feindlichen Koalition gegenüberstehen zu können. Das musste Russland im Krimkrieg (1854–56) erleben, als sich die europäischen Großmächte mit dem Osmanischen Reich gegen russische Ambitionen auf dem Balkan und im Orient zusammenschlossen und dem ökonomisch und technisch rückständigen Russland eine bittere Niederlage zufügten. Russland suchte später diese Schmach durch seine rasche koloniale Expansion in Zentralasien (Kasachstan, Tadschikistan, Turkmenistan etc.) zu kompensieren; allerdings geriet Russland auf diese Weise in Zentralasien in Konflikt mit England, das dort eigene koloniale Interessen verfolgte. Erst kurz vor dem Ausbruch des Ersten Weltkriegs wurden diese Kolonialkonflikte zwischen Russland und England beigelegt.

Die ungarische Unabhängigkeitsbewegung wurde 1849 durch russische, kroatische und österreichische Truppen niedergeschlagen.

Erst einige Jahre nach der Revolution von 1848 kam es in den europäischen Großmächten zu einem zögerlichen Arrangement mit den nationalliberalen Bewegungen. Damit wuchsen nationalstaatliche Egoismen beträchtlich an. Bismarck verband in dieser Zeit preußische Großmachtpolitik geschickt mit nationalstaatlichen Interessen, die mit einer gewissen Liberalisierung einherging. Der Krieg als Mittel der (Innen-)Politik galt allgemein als legitim, die drei sogenannten **Einigungskriege** (→ Glossar, S. 227), die Preußen 1864, 1866 und 1870/71 führte, können dafür als Beispiel gelten. Innenpolitische Konflikte konnten damit überdeckt werden, auch der innenpolitische Gegner konnte sich mit den nationalen Zielen des kriegsführenden Staates arrangieren. Der deutsch-französische Krieg von 1870/71, bei dem eine breite Öffentlichkeit manipulativ mobilisiert wurde, kann dafür als Paradebeispiel gelten. Die anschließende Militarisierung des öffentlichen Lebens durch zahllose und vom Staat geförderte Aktivitäten von Sänger-, Schützen- oder Kriegervereinen mit ihren unzähligen pompösen Denkmalsenthüllungen und öffentlichen Aufmärschen war auch eine Voraussetzung für den Ersten Weltkrieg. Kriege wurden in der Folgezeit nur noch mit einer gigantischen Massenmobilisierung, mit einer entsprechenden öffentlichen Massenmanipulation möglich. Diese Notwendigkeit einer massenmedialen Rechtfertigung und Inszenierung von Kriegen dauert bis in die unmittelbare Gegenwart an.

Vor allem das neue Medium Film heroisierte Kriegshandlungen, besonders populär wurden die Fridericus-Filme, in denen der „Alte Fritz" die Schlachten gewann.

In der Weimarer Republik und in der Zeit des „Dritten Reichs" folgte die **Heroisierung und Ästhetisierung von Gewalt**.

In der zweiten Hälfte des 19. Jahrhunderts blieben die Konfliktlinien in Europa tendenziell gleich, aber die Konfliktbereitschaft war angesichts der zunehmenden Großmachtfantasien gestiegen. Die nationale Einigung Italiens (1861) und Deutschlands (1871) vollzog sich jeweils in kriegerischen Bahnen. Mit der Gründung des mächtigen Deutschen Kaiserreichs war der Nationalstaatsprozess in Mitteleuropa abgeschlossen; zugleich verschob sich aber auch das europäische Gleichgewicht, zumal Deutschland rasch zur stärksten kontinentalen Wirtschafts- und Militärmacht avancierte. Die nun entstandenen Nationalstaaten bildeten ein zentrales wie bedrohliches Element der politischen Identitätsstiftung und wurden bei breiten sozialen Schichten zur Projektionsfläche politischer Wünsche und Fantasien von nationaler Größe. Sozialdarwinistische Vorstellungen, nun übertragen auf die Politik der alten und jungen Nationalstaaten, legitimierten die Rivalität um Kolonien, Ressourcen und politische Macht. Aggressive nationale Selbst- und Fremdbilder (Stereotype), popularisiert durch die Massenpresse, dienten der inneren Integration sowie der feindlichen Abgrenzung von „minderwertigeren" Nationen.

Bündnispolitik

Bismarcks **Kissinger Diktat** von 1877 (→ Seite 60) reflektiert die neue Konstellation. Für Bismarck musste das gefährliche und auf Revanche sinnende Frankreich politisch isoliert werden. Die Interessengegensätze zwischen den anderen europäischen Mächten sollte das junge Deutsche Reich bündnispolitisch nutzen. Die Bismarck'sche Bündnispolitik, die unter seinen Nachfolgern nicht fortgesetzt werden sollte, ging von der Prämisse aus, dass der Bündnisfall gar nicht erst eintrete, denn der deutsche Geheimvertrag mit Russland stand im Widerspruch zum Abkommen mit England, Italien und

Österreich. Während der Vertrag mit Russland eine wohlwollende deutsche Haltung zur russischen Balkan- und Orientpolitik versprach, wollte der andere gerade eine weitere Einflussnahme Russlands in diesen Regionen verhindern.

Die deutsche **Schutzzollpolitik** seit der ökonomischen Krise von 1873 zeigte, dass die nationalen Egoismen eine friedliche Lösung von politisch-ökonomischen Streitfragen kaum ermöglichten.

Weltmachtpolitik

Verschärft wurden die europäischen Konflikte durch den Wettlauf nach Kolonien seit den 70er- und 80er-Jahren des ausgehenden 19. Jahrhunderts. Kolonialbesitz galt als Ausweis nationaler Geltung und Prestige. Hier wollte keine Nation zurückstehen. Zugleich konnte diese imperialistische Politik von inneren sozialen und politischen Problemen, die in der Phase der Hochindustrialisierung hervortraten, ablenken (Sozialimperialismus).

Um 1900 entluden sich daher zwischen den Großmächten zahlreiche Konflikte um koloniale Ansprüche:

⊙ 1898: militärische und politische Konflikte zwischen den USA und Spanien ⊙ 1900: **Boxer-Aufstand** in China – hier wirkten die europäischen Großmächte noch zusammen. ⊙ 1899–1902: England und die südafrikanische Burenrepublik ⊙ 1904–1905: russisch-japanischer Krieg	Beispiel

Die Nachfolger von Reichskanzler Bismarck gingen von einem unüberbrückbaren kolonialpolitischen Gegensatz zwischen England und Frankreich (vor allem in Afrika) sowie von einem Gegensatz zwischen England und Russland in Zentralasien aus. Allerdings gelang dem Deutschen Reich keine politische Annäherung an England, dem die deutsche Groß- und Weltmachtpolitik verdächtig und für englische Interessen gefährlich erschien. Durch die deutsche Schlachtflottenpolitik wurden die Beziehungen zwischen England und Deutschland noch weiter vergiftet, während sich England und Frankreich annäherten (**Entente Cordiale**, 1904) und Russland sich mit England über koloniale Differenzen in Zentralasien verständigte. Damit entstand die für Deutschland verhängnisvolle Konstellation von 1914.

1907 entstand die Triple Entente, als Russland der Entente Cordiale beitrat.

Die Priorität, die dem nationalen Groß- und Weltmachtstreben eingeräumt wurde, rückte das staatengemeinschaftliche Element in den Hintergrund. Auf den beiden **Haager Friedenskonferenzen** von 1899 und 1907 wurden zwar Regeln für kriegsführende Parteien, aber keine Instrumente zur Kriegsvermeidung oder zur Deeskalation bei zwischenstaatlichen Konflikten entwickelt.

Die aggressive Politik Österreichs auf dem Balkan (1908 Annexion von Bosnien und Herzegowina), unterstützt durch das Deutsche Reich, verschärfte die internationalen Spannungen. Ein gesamteuropäischer Krieg schien vielen Politikern in den Jahren vor 1914 unvermeidbar, also wurde das Wettrüsten verschärft, um potenzielle Kriegsgegner abzuschrecken. Tatsächlich aber forcierte diese Politik des Wettrüstens den Ausbruch des Ersten Weltkriegs, bei dem dann die seit längerem bestehenden Bündnisse wirksam wurden. 1914 ging es vor allem nur noch darum, andere Mächte angesichts der eigenen Rüstung von einem Kriegseintritt abzuschrecken bzw. dem anderen die Kriegsschuld zuzuschieben. In der Phase von Nationalstaaten galten nun andere Prinzipien als in der Zeit nach der Französischen Revolution, als sich die europäischen Großmächte um einen Konsens der feudalen Eliten bemühten.

Die amerikanische Außenpolitik im 19. Jahrhundert

Die amerikanische Politik spielte in diesem machtpolitischen Konzert nur eine Nebenrolle. 1823 verkündete der amerikanische Präsident **Monroe** die **Doktrin**, *„dass die amerikanischen Kontinente infolge des freien und unabhängigen Standes, den sie angenommen haben und behaupten, hinfort nicht als Gegenstände für die künftige Kolonisation durch irgendwelche europäischen Mächte zu betrachten sind. [...] Wir haben niemals an den Kriegen der europäischen Mächte teilgenommen [...] und es verträgt sich nicht mit unserer Politik, daran teilzunehmen. [...] Wir sind deshalb den freundlichen Beziehungen, die zwischen den Vereinigten Staaten und jenen Mächten bestehen, die aufrichtige Erklärung schuldig, dass wir irgendwelchen Versuch von ihrer Seite, ihr System auf irgendeinen Teil dieser Halbkugel auszudehnen, als gefährlich für unseren Frieden und unsere Sicherheit betrachten würden."*

Die USA fühlten sich auch weltweit politisch isoliert, zumal sie als einzige Nation ein liberales Modell etabliert hatten.

Schlagwortartig verkürzt lautet also die Leitidee: „**Amerika den Amerikanern**". Die amerikanische Außenpolitik schien damit der Empfehlung von George Washington zu folgen, sich aus den europäischen Konflikten herauszuhalten. Tatsächlich aber unterstützten die USA die mittel- und südamerikanischen Staaten bei der Abwehr von europäischen Interventionen und verfolgten dabei ihre eigenen Interessen – auch als sie Japan 1853/54 militärisch zwangen, ihre Märkte für amerikanische Waren zu öffnen.

Am Ende des 19. Jahrhunderts beteiligten sich auch die USA beim Wettlauf der Industrienationen um die Aufteilung der Welt, der sich leicht mit der sozialdarwinistisch geprägten Vorstellung des *Manifest Destiny* (dem spezifisch amerikanischen **Sendungsbewusstsein** und „Erziehungsauftrag") vereinbaren ließ. Die amerikanische Außenpolitik wurde zunehmend vom imperialistischen Zeitgeist geprägt.

Viele Amerikaner interpretierten ihre staatliche Expansion als einen „göttlichen Auftrag", um ihre Zivilisation bis an den Atlantik zu verbreiten.

Beispiel

1898 brachten die USA, als sie einen kubanischen Aufstand gegen das spanische Mutterland unterstützten, **Kuba** in ihren Einflussbereich, ferner Puerto Rico, Guam und die Philippinen, und schließlich wurden noch Hawaii und Teile Samoas annektiert.

Beim **Boxer-Aufstand** (→ Glossar, S. 224) im Jahr 1900 verfolgten die Amerikaner ihre *Open Door Policy* („Politik der offenen Tür"), sie erzwangen sich also einen Zugang zu asiatischen Märkten, die ihnen bisher verschlossen waren. Dem diente auch der Bau des **Panamakanals** (fertiggestellt 1914). Um dieses Projekt zu realisieren, zettelten die USA einen Aufstand gegen Kolumbien an.

Anlass für den kriegsentscheidenden Eintritt der USA in den Ersten Weltkrieg im Jahr 1917 war die deutsche Wiederaufnahme des uneingeschränkten U-Boot-Krieges, eine Maßnahme, die sich auch gegen neutrale Staaten richtete, sowie die Bündnisverhandlungen der deutschen Reichsregierung mit Mexiko und Japan, die sich gegen die USA richteten.

Das amerikanische Eingreifen war letztlich ökonomisch motiviert, zugleich wollten sich die USA einen Einfluss auf die Regelung der Nachkriegsordnung sichern.

Der Verlauf des Ersten Weltkriegs

Der **Schlieffenplan** (→ Glossar, S. 241) von 1905/1906 entwickelte eine Strategie, die im Falle eines Zweifrontenkriegs angewandt werden sollte: Starke deutsche Armeen sollten über Luxemburg und Belgien von Norden her nach Frankreich vorstoßen und das französische Heer auf die Grenzen in den Vogesen und zur Schweiz hin zurückwerfen und vernichten. „Scheinangriffe" auf die stark befestigten Festungen Verdun und andere an der deutsch-französischen Grenze sollten die französischen Truppen dort binden. Erst dann sollte der Angriff auf Russland beginnen. Doch die Umklammerung – und damit die rasche Entscheidung im Westen – misslang. Bald nach Kriegsbeginn (1.8.1914) brachen unerwartet rasch russische Truppen in Ostpreußen ein, wo sie nach anfänglichen Erfolgen von deutschen Armeen unter General von Hindenburg und dessen Stabschef, General von Ludendorff, bei Tannenberg und den Masurischen Seen zurückgeschlagen wurden.

Abb. 2.14: Vor Verdun verwundeter deutscher Soldat, 1916 – akg-Images

Im **Westen** wandelte sich der Angriff in einen **Stellungskrieg**, die Heere verschanzten sich in Schützengräben und kämpften unter gewaltigem Material- und Menscheneinsatz Jahre hindurch um wenige Quadratkilometer Erde, ohne dass einem der Gegner der Durchbruch gelang. Giftgaseinsatz verursachte auf allen Seiten gewaltige Verluste, aber keine militärischen Gewinne. Bereits 1914 gingen die deutschen Kolonien verloren. Die deutsche Hochseeflotte konnte erst 1916 vor dem Skagerrak eingesetzt werden, ohne jedoch eine Entscheidung herbeizuführen. Der uneingeschränkte U-Boot-Krieg, 1917 auf Betreiben der deutschen militärischen Führung erklärt, erreichte sein Ziel, England niederzuringen, nicht. Dagegen führte er zum (kriegsentscheidenden) Kriegseintritt der USA (1917).

Bereits 1915 wurde durch ein deutsches U-Boot der Passagierdampfer Lusitania versenkt, was amerikanische Proteste auslöste und zur Einstellung des uneingeschränkten U-Boot-Krieges führte.

Im März 1918 schloss Russland – infolge der Oktober-Revolution 1917 – mit den Mittelmächten den **Frieden von Brest-Litowsk**. Allerdings mussten deutsche Truppen entgegen den Erwartungen der deutschen Heeresführung an der Ostfront bleiben. Nach einer letzten Offensive der Deutschen im Westen musste die Front vor den Alliierten zurückgenommen werden. Die Fronten der übrigen Mittelmächte brachen zusammen. Im August 1918 erklärte die Oberste Heeresleitung (OHL) die Fortführung des Krieges endlich als aussichtslos, sodass die Reichsregierung auf Verlangen der OHL um Waffenstillstand bitten musste. Dies kam einer totalen Kapitulation gleich und leitete den Frieden von Versailles (Juni 1919) ein. Am 9. November 1918 brach in Deutschland im Anschluss an die Marinemeuterei die Revolution aus, der Kaiser musste seinen Rücktritt erklären. Allerdings kam in Deutschland sehr rasch die Legende auf, das Heer sei „im Felde unbesiegt" gewesen, erst die streikenden Arbeiter der „Heimatfront" und die Arbeiterrevolution 1918 hätten dem Heer einen „Dolchstoß" von hinten versetzt und die „siegreichen" Truppen zum Rückzug gezwungen (**Dolchstoßlegende,** → Glossar, S. 226).

Im März 1917 wurde Zar Nikolaus II. durch eine bürgerlich-liberale Revolution zur Abdankung gezwungen, doch die neue russische Regierung setzte den Krieg gegen die Mittelmächte fort, obgleich sich in der russischen Armee starke Auflösungserscheinungen zeigten. In dieser Zeit kehrte Lenin aus seinem schweizerischen Exil mit deutscher Hilfe nach Russland zurück und gewann mit der Parole „Frieden um jeden Preis" und „Alles Land den Bauern" immer mehr Anhänger in der kriegsmüden Bevölkerung. Nach der bolschewistischen Oktoberrevolution 1917 bot Lenin den Krieg führenden Staaten einen Frieden ohne Annexionen unter Berücksichtigung des Selbstbestimmungsrechts der Völker an. Die deutsche Oberste Heeresleitung stellte extrem hohe Forderungen, in die Lenin schließlich einwilligte, um Frieden zu erlangen. Russland musste die Unabhängigkeit von Finnland, Estland, Livland, Kurland, Litauen, Polen, Ukraine, Georgien und anderen Gebieten anerkennen und verlor damit wertvolle Territorien. Dieser Diktat- oder Gewaltfriede von Brest-Litowsk trug auch zur harten Haltung der Siegermächte im Versailler Vertrag 1919 bei; der Vertrag von Brest-Litowsk wurde bereits im November 1918 für nichtig erklärt.

Friede von Brest-Litowsk 1918

2.9 Revolution in Russland

Russland war um 1900 noch ein extrem rückständiges Land, der Zar herrschte autokratisch, eine Geheimpolizei spürte oppositionelle Demokraten auf und verfolgte diese. Die orthodoxe Kirche hatte einen großen Einfluss, die Leibeigenschaft der Bauern wurde erst in der Mitte des 19. Jahrhunderts aufgehoben, nur wenige Teile waren industrialisiert, ein selbstbewusstes Bürgertum existierte kaum.

Im Krieg gegen Japan (1904/5) musste Russland eine demütigende Niederlage hinnehmen. Als 1905 eine Gruppe von Arbeitern dem Zaren eine Denkschrift überreichen wollte, in der sie ihre schlimmen Lebensbedingungen darstellten, wurden sie von der kaiserlichen Garde beschossen und auseinandergetrieben. Die nachfolgenden Demonstrationen und Streiks zwangen den Zaren, eine Volksvertretung (Duma) zuzulassen, die an der Gesetzgebung beteiligt werden sollte. Allerdings war das Wahlsystem extrem ungerecht: es begünstigte die sozial Privilegierten.

| Zar |
| Adel |
| Großgrundbesitzer |
| Offiziere |
| hohe Beamte |
| hoher Klerus |
| 42 % des Grundbesitzes |

| Militär, Beamte, Kirche |
| Großbürger |
| Kleinbürger |

| Großbauern (Kulaken) |
| (15 % der Bauern) |
| 21 % des Grundbesitzes |
| Mittelbauern, Kleinbauern |
| (rund 70 – 80 % der Bevölkerung) |
| 37 % des Grundbesitzes |

| Proletariat |
| (ca. 2 % der Bevölkerung) |

Abb. 2.15: Bevölkerungsstruktur und politisch-ökonomische Rückständigkeit Russlands im 19. Jahrhundert

Das Wahlrecht ähnelte dem preußischen Dreiklassenwahlrecht, dementsprechend hatten die russischen Sozialdemokraten kaum Sitze in der Duma.

- ◉ In Russland war die Verkehrs- und Bildungsinfrastruktur (auch geographisch und klimatisch bedingt) extrem unterentwickelt.
- ◉ Im russischen Zarenreich gab es weder Aufklärung noch ein politisch selbstbewusstes Bürgertum.
- ◉ Die orthodoxe Kirche (mit dem Zar und dem Patriarchen an der Spitze) war an politischen, sozialen und kulturellen Innovationen und Reformen nicht interessiert, die autokratische Struktur blieb bis ins frühe 20. Jahrhundert bestehen.
- ◉ In der schmalen Schicht des (städtischen) Bürgertums gab es kaum politische Reformbestrebungen.
- ◉ Die Masse der rückständigen Bauern war unpolitisch, um 1900 lag die Analphabetenrate unter den Erwachsenen bei 76 %.
- ◉ Es gab wenig industrielle Zentren.

Die zögerlichen **Wirtschaftsreformen** wurden durch den Eintritt Russlands in den Ersten Weltkrieg unterbrochen. Die Lage der Arbeiter und der Soldaten verschlechterte sich im Krieg in katastrophaler Weise. Nachdem sich die kaiserliche Garde im Frühjahr 1917 weigerte, auf demonstrierende Menschen zu schießen, trat Zar Nikolaus II. zurück. Dadurch wurde die Macht der Duma gestärkt. Daneben entstand aber auch ein basisdemokratisch gewählter Sowjet (= Rat), der von den Petrogradern – St. Petersburg war 1914 umbenannt worden – Arbeitern und Soldaten gewählt wurde. Die von den Bauern erhoffte Neuverteilung des Landes blieb zunächst aus. Die neue provisorische Regierung unter dem Ministerpräsidenten Kerenskij führte aber den Krieg weiter.

Mit der Parole „Frieden, Land und Brot" gewann der aus dem schweizer Exil zurückgekehrte **Lenin** rasch die von den Maßnahmen der provisorischen Regierung enttäuschten Massen. Am 25. Oktober (nach westlicher Rechnung also am 7. November) wurde Kerenskij durch einen präzise organisierten Putsch des Petrograder Sowjet unter der Führung Trotzkijs entmachtet. Die Macht übernahmen nun die **Bolschewiki** (→ Glossar, S. 223), also der radikale Flügel der russischen Arbeiterpartei.

Alexander Kerenskij (oder Kerenski) (1881–1970) war zwischen Februar und Oktober 1917 russischer Ministerpräsident.

Leo Trotzkij beurteilte 1924 die politische Situation und Lenins Handlungsmotive im Jahr 1917: *„Wenn wir die Macht nicht im Oktober ergriffen hätten, dann hätten wir sie überhaupt nicht ergriffen. Unsere Kraft vor dem Oktober bestand in dem ununterbrochenen Zustrom der Masse, die glaubte, dass diese Partei das tun werde, was die anderen nicht getan hatten. Wenn sie in diesem Augenblick auf unserer Seite ein Schwanken gesehen hätten, ein Zaudern, ein Missverhältnis zwischen Wort und Tat, dann wäre sie im Verlauf von zwei, drei Monaten von uns abgeströmt wie vordem von den Sozialrevolutionären und Menschewiki. Die Bourgeoisie hätte eine Atempause erhalten und sie ausgenutzt, um Frieden zu schließen. [...] Das eben war es, was Lenin zum Greifen klar erkannte."*

Leo Trotzkij: Über Lenin. Neuer Deutscher Verlag, Berlin, 1924, Seite 73

Ganz anders urteilen Historiker über die russische Revolution und die Zukunftsaussichten Russlands nach dem Ende des Zarismus, z. B. Hans-Heinrich Nolte: *„Sicher – im staatsrechtlichen Sinn war es eine Revolution, als der Zar am 3. [16.] März 1917 abdankte. Im sozialen und politischen Sinn aber war es ein Zusammenbruch, der Politikfelder [...] freigab, ohne dass jemand da war, der sie neu ordnete. Keine Partei (schon gar nicht die damals kleine Partei der Bolschewiki) hat diesen Zusammenbruch geplant oder bewirkt – der Zarismus selbst hat ihn herbeigeführt, indem er sein Potenzial überforderte und damit deutlich machte, wie begrenzt es eigentlich war. [...] Gerade weil durch ihn eigentlich nichts mehr entschieden wurde, hinterließ der Zusammenbruch des Zarismus eine Gesellschaft, in der plötzlich alles möglich schien. [...] Russland war unentschieden, offen für viele Möglichkeiten von Zukunft."*

H. H. Nolte: Kleine Geschichte Russlands. Reclam, Ditzingen, 1998, Seite 166 f.

Um rasch einen Frieden schließen zu können, verließ Russland die Kriegsallianz mit England und Frankreich und schloss im März 1918 mit Deutschland einen **Separatfrieden in Brest-Litowsk** (→ Seite 87). Deutschland legte Russland sehr harte Friedensbedingungen auf, Russland sollte u. a. wertvolle und fruchtbare Landesteile abtreten. Allerdings wurde dieser Vertrag durch den Versailler Vertrag (1919) wieder aufgehoben.

Zu den ersten Maßnahmen der Sowjetregierung gehört das „Dekret über den Frieden" vom 26.10. [8.11.] 1917:

„Die Arbeiter- und Bauernregierung, die durch die Revolution vom 24. bis 25. Oktober geschaffen wurde und die sich auf die Sowjets der Arbeiter-, Soldaten- und Bauerndeputierten stützt, schlägt allen Krieg führenden Völkern und ihren Regierungen vor, sofort Verhandlungen über einen gerechten demokratischen Frieden zu beginnen. [...] Ein solcher Friede ist nach Auffassung der Regierung ein sofortiger Friede ohne Annexionen [das heißt ohne Aneignung fremder Territorien, ohne gewaltsame Angliederung fremder Völkerschaften] *und ohne Kontributionen* [erzwungene Abgaben].*
[...] Die Regierung schlägt allen Regierungen und Völkern aller Krieg führenden Länder vor, sofort einen Waffenstillstand abzuschließen. [...]*
Die Provisorische Arbeiter- und Bauernregierung Russlands, die dieses Friedensangebot an die Regierungen und an die Völker aller Krieg führenden Länder richtet, wendet sich gleichzeitig insbesondere an die klassenbewussten Arbeiter der drei fortgeschrittensten Nationen der Menschheit und der größten am gegenwärtigen Kriege beteiligten Staaten: England, Frankreich und Deutschland. Die Arbeiter dieser Länder haben der Sache des Fortschritts und des Sozialismus die größten Dienste erwiesen [...], sie werden die ihnen jetzt gestellte Aufgabe der Befreiung der Menschheit von den Schrecken des Krieges und seinen Folgen begreifen [...]"

W. Lautemann u. a. (Hg.): Weltkriege und Revolutionen 1914–1945. bsv, München, 1975, Seite 80 f.

Bereits 1917 wurde die russische Geheimpolizei, die Tscheka, geschaffen, deren Aufgabe die Bekämpfung der Opposition und Konterrevolution war.

Unmittelbar nachdem die **Bolschewiki** (→ Glossar, S. 223) die Macht errungen hatten, wurde ein weiteres Dekret über die entschädigungslose Enteignung der Grundbesitzer sowie über die Landverteilung an die Bauern erlassen. Das im Januar 1918 gewählte Parlament, in dem die Bolschewiki aber nur ein Viertel der Sitze hatten, wurde von Lenin gewaltsam aufgelöst. Geheimpolizei und Arbeitermilizen sicherten rasch die Macht vor politischen Gegnern. Diese bildeten eine „Weiße Armee" gegen die Bolschewiki. Die antirevolutionäre „Weiße Armee" wurde von England, Frankreich, Japan und den USA unterstützt. In dem bis 1921 dauernden Bürgerkrieg konnte sich schließlich die von Leo Trotzkij geführte „Rote Armee" durchsetzen.

Während des Bürgerkriegs wurden die großen Industriebetriebe verstaatlicht, der Zar und seine Familie sowie Angehörige der alten Eliten wurden ermordet, die Kommunistische Partei setzte sich auch gegenüber den „basisdemokratischen" Sowjets, den Räten, durch. 1921/22 herrschte in Russland eine bittere Hungersnot, zumal die Industrie kaum produzierte und der Weltkrieg und der Bürgerkrieg weite Teile des Landes verwüstet hatten. Um die Produktion wieder in Gang zu bringen, nahm Lenin Abstand vom Kriegskommunismus und ließ in der Landwirtschaft, der Kleinindustrie und im Handel wieder Privatbesitz zu („Neue Ökonomische Politik"), damit sich das geschundene Land wieder erholen konnte.

1922, nach dem Sieg über die „Konterrevolution" (also die „Weiße Armee", die durch westliche Staaten unterstützt wurde), wurde die föderal strukturierte Sowjetunion geschaffen. Allerdings hatte die Zentrale der Kommunistischen Partei in Moskau bald allein die Macht. Während Trotzkij und seine Anhänger auf die Weltrevolution hofften, strebte Stalin den Aufbau des Sozialismus zunächst nur in der UdSSR an. In dem nun folgenden Machtkampf zwischen Trotzkij und Stalin (Lenin war seit 1921 schwer erkrankt) konnte sich Stalin durchsetzen, der nun die Anhänger seines Widersachers Trotzkij brutal verfolgte und schließlich auch liquidierte. Stalin und seine Anhänger besetzten zügig alle politischen Schlüsselstellungen. Für alle Misserfolge des Aufbaus des Sozialismus wurden in der Folgezeit die tatsächlichen oder vermeintlichen Anhänger Trotzkijs verantwortlich gemacht und später auch nach Schauprozessen, bei denen sie ihre Schuld nach brutaler Folter „eingestanden", liquidiert.

Flankiert von Terrormaßnahmen erlebte die Sowjetunion unter der Führung von Stalin einen dramatischen Industrialisierungsprozess. Lenin hatte in der „Neuen Ökonomischen Politik" 1921 noch Privatbesitz und Marktwirtschaft in der Landwirtschaft, der Kleinindustrie und im Kleinhandel zugelassen. Nun wurde vom Zentralkomitee der KPdSU eine beschleunigte Industrialisierung beschlossen. Der erste Fünfjahresplan (1928) sah eine Steigerung der gesamten Produktion um 168 % vor, wobei insbesondere die Schwerindustrie (und kaum die Konsumgüterindustrie) ausgebaut werden sollte.

Durch die wirtschaftlichen Erfolge der Neuen Ökonomischen Politik (NEP) stieg wieder die Autorität der kommunistischen Partei. Die NEP wurde 1927 beendet

Als zu Beginn der 1930er-Jahre in der jungen Sowjetunion erneut Hungersnöte ausbrachen, verfügte Stalin die **Kollektivierung der Landwirtschaft**. Privatbesitz an Grund und Boden wurden nun völlig abgeschafft, die Bauern mussten sich Staatsgütern (Sowchosen) oder kollektiv bewirtschafteten Gütern (Kolchosen) anschließen. Bauern, die nicht dazu bereit waren, wurden zwangsweise kollektiviert. Diese schlachteten nun ihr Vieh ab, was die

Hungersnot noch dramatisierte. Millionen von ehemaligen selbstständigen Bauern (Kulaken) wurden in Arbeitslager deportiert. Gleichwohl hob sich langsam der Lebens- und vor allem der Bildungsstandard der Bevölkerung. Der Anteil der Arbeiter und Angestellten nahm stark zu und der Rückstand zu den westeuropäischen Industriestaaten verringerte sich.

	1880	1900	1913	1928	1938
Großbritannien	73,3	100,0	127,2	135	181
USA	46,9	127,8	298,1	533	528
Deutschland	27,4	71,2	137,7	158	214
Frankreich	25,1	36,8	57,3	82	74
Russland	24,5	47,5	76,6	71	152
Italien	8,1	13,6	22,5	37	46
Japan	7,6	13,0	25,1	45	88

Aus: Paul M. Kennedy, Aufstieg und Fall der großen Mächte. Ökonomischer Wandel und militärischer Konflikt von 1500 bis 2000, Fischer Verlag, Frankfurt/Main, 1989, Seite 311.

Tab. 2.8: Industrielle Kapazitäten im Vergleich – Index: Großbritannien 1900 = 100

Überblick

Das lange 19. Jahrhundert hatte die Verhältnisse in Europa und der gesamten Welt fundamental verändert. Die Leitbegriffe hierzu sind: Industrialisierung, Urbanisierung, Nationalstaatsbildung, Kolonialismus und Globalisierung. Bedingt durch die agrarische Revolution und ihren Ertragssteigerungen konnten erheblich mehr Menschen überleben. Durch die industrielle Produktionsweise kam es zu einer dramatischen Effizienzsteigerung und höherer Produktivität. Generell stieg der Wohlstand an. Diese Produktivitätssteigerungen und auch die differenziertere Arbeitsteilung erforderten eine höhere Qualifikation der Menschen, mithin eine breite Ausdifferenzierung des Bildungssystems. Die Aufgaben des Staates weiteten sich im 19. Jahrhundert ganz erheblich aus, damit entstand eine dichte Bürokratie und ein erneuter Schub von Sozialdisziplinierung, der einerseits mehr demokratische Freiheit, andererseits auch mehr staatliche Kontrolle bedeutete. Die politischen und kulturellen Partizipationschancen der Menschen veränderten sich in dieser Epoche grundlegend.

Weimarer Republik und „Drittes Reich"

Welche Chancen eröffneten sich mit der Demokratie, mit welchen Problemen war sie behaftet? Warum scheiterte die erste deutsche Demokratie und warum konnte sich der National- sozialismus durchsetzen: Das „Dritte Reich" konnte sich erstaun- lich rasch etablieren und seine Macht festigen, außerdem fand es in der Bevölkerung eine breite Zustimmung. Zugleich wurden in dieser Zeit unvorstellbare Verbrechen verübt, an denen zahl- reiche Menschen, nicht nur „überzeugte" Nationalsozialisten, aktiv beteiligt waren. Wie konnte es zu diesem „Zivilisations- bruch" kommen?

3.1 Novemberrevolution und demokratischer Neubeginn

Kriegsende und Revolution

Im letzten Kriegsjahr 1918 brachen alle Widersprüche des Kaiserreichs auf, die bis dahin durch die propagandistisch geförderte patriotische Hochstim- mung überdeckt worden waren. Das Kaiserreich war am Ende – militärisch, politisch und sozial. Bis kurz vor Kriegsende war die Bevölkerung im Glau- ben belassen worden, dass die deutsche Armee unbesiegbar sei, an eine Niederlage wollte keiner so recht denken. Noch im Frühjahr 1918 hatte die Reichsregierung der bolschewistischen Regierung in Russland den **Frieden von Brest-Litowsk** aufgezwungen, der neben beachtlichen Gebietsabtre- tungen an das Deutsche Reich auch die Beherrschung großer Gebiete des ehemaligen zaristischen Russlands vorsah. Dieser „Raubfriede" von Brest- Litowsk, inspiriert von alldeutschen Groß- und Weltmachtfantasien, sollte ein Vorbild für den späteren Friedensvertrag von Versailles werden, bei dem die Siegermächte äußerst harte Maßnahmen für Deutschland beschlossen.

Als am 28. September 1918 die OHL die Reichsregierung ultimativ zu einem Waffenstillstand aufforderte, da die Fronten kaum mehr zu halten seien und die Niederlage unmittelbar bevorstehe, waren große Teile der Bevölkerung völlig bestürzt. Der erst kurz zuvor ernannte Reichskanzler Prinz Max von Ba- den richtete am 3. Oktober ein Waffenstillstandsgesuch an den amerikani-

Max von Baden (1867–1929) sollte als Liberaler die Verhandlungen mit den Alliierten erleichtern.

schen Präsidenten Woodrow Wilson. Nach einem längeren Notenwechsel mit den Alliierten wurde dann klar, dass die Westmächte auf einer bedingungslosen Kapitulation und auf einer Abdankung des Monarchen bestanden – ein Schock für die deutsche Öffentlichkeit.

Überblick: Die Weimarer Republik

Ende Oktober 1918	Die Matrosenmeuterei in Kiel und Wilhelmshaven weitet sich rasch aus. In vielen Städten werden Arbeiter- und Soldatenräte gebildet, die die exekutive Gewalt übernehmen.
9. 11. 1918	In Berlin wird die Abdankung des Kaisers bekannt gegeben und die Republik durch Philipp Scheidemann (SPD) ausgerufen. Kurz danach proklamiert Karl Liebknecht (Spartakusbund) die freie sozialistische Republik. Der Reichskanzler Prinz Max von Baden ernennt Friedrich Ebert (SPD) zum Regierungschef, der mit dem Reichswehrgeneral Groener ein geheimes Abkommen zur „Aufrechterhaltung der Ordnung" vereinbart. Arbeiteraufstände u. a. in Berlin werden von Freikorps niedergeschlagen.
19. 1. 1919	Bei den Wahlen zur Nationalversammlung erringen SPD, DDP und Zentrum gemeinsam eine Dreiviertelmehrheit.
6. 2. 1919	Die Nationalversammlung in Weimar wählt Friedrich Ebert zum Reichspräsidenten. Die bayerische Räterepublik wird im Frühjahr militärisch niedergeschlagen.
Juni 1919	Die Reichsregierung wird durch ein alliiertes Ultimatum gezwungen, den Versailler Vertrag zu unterzeichnen. Empörung in Deutschland; in der Folgezeit: politische Morde an „Erfüllungspolitikern"
1920	Revoltierende Freikorps putschen unter Führung von Kapp und Lüttwitz.
1921	Die Alliierten drohen im „Londoner Ultimatum" mit der Besetzung des Ruhrgebiets, wenn das Deutsche Reich nicht seinen Reparationsverpflichtungen nachkommt. Die Reichsregierung treibt die seit 1914 verfolgte inflationäre Geldpolitik weiter, um dem Ausland die Zahlungsunfähigkeit des Deutschen Reichs zu demonstrieren.
1922	Vertrag von Rapallo zwischen Deutschland und der Sowjetunion
1923	Arbeiteraufstände in Hamburg, Sachsen und Thüringen; in München scheitert der „Marsch nach Berlin" von Hitler und seinen Gefolgsleuten bereits an der Feldherrnhalle.
1924	Dawes-Plan regelt Reparationsfrage (wird 1929 durch den Young-Plan abgelöst)
1925	Wahl des ehemaligen Generalfeldmarschalls Paul von Hindenburg zum Reichspräsidenten als Nachfolger des verstorbenen Friedrich Ebert. Vertrag von Locarno: Deutschland erkennt seine Westgrenzen an.
1926	Aufnahme Deutschlands in den Völkerbund
1929	„Schwarzer Freitag" – Börsenkrach an der New Yorker Börse, Beginn der Weltwirtschaftskrise
1930	Erdrutschartiger Stimmenzuwachs der NSDAP bei den Reichstagswahlen (107 Mandate); Beginn der Phase der Präsidialkabinette: Brüning (1930 bis Mai 1932), von Papen (Mai bis Dezember 1932), General von Schleicher (Dezember 1932 bis Januar 1933)
1931	Bildung der „Harzburger Front": Bündnis unter anderem zwischen NSDAP, DNVP und Stahlhelm
1932	Bei den Reichspräsidentenwahlen unterliegt Hitler Hindenburg.
31. 7. 1932	Höhepunkt der Massenarbeitslosigkeit: 6 Millionen Arbeitslose in Deutschland; bei den Reichstagswahlen erreicht die NSDAP 37 % der Stimmen und wird damit stärkste Partei; diese und die folgenden Wahlen finden unter bürgerkriegsähnlichen Umständen statt.
6. 11. 1932	Bei den Reichstagswahlen erreicht die NSDAP nur noch 33 % der Stimmen.
4. 1. 1933	Geheimtreffen zwischen Hitler und von Papen in Köln; Papen trägt Hitler die Kanzlerschaft an.
1933	Hindenburg ernennt Hitler zum Reichskanzler, die Nationalsozialisten feiern dies als „Machtergreifung". Hitler bildet mit der DNVP ein „Kabinett der nationalen Erhebung".

Tab. 3.1: Die Weimarer Republik

Reichskanzler Prinz Max von Baden hatte erstmals Repräsentanten der gemäßigten Mehrheitssozialdemokratie in sein Kabinett aufgenommen. Diese forderten eine vollständige Parlamentarisierung im Deutschen Reich, die dann auch am 28. Oktober 1918 in Kraft trat. Nun war die Stellung des Reichstags bedeutender geworden, denn er hatte Einfluss auf den Reichskanzler, der jetzt zu seiner Amtsführung das Vertrauens des Parlaments benötigte. Zeitgleich wurde in Preußen das jahrzehntelang von der **Arbeiterbewegung** (→ Glossar, S. 222) erbittert bekämpfte **Dreiklassenwahlrecht** (→ Glossar, S. 226) abgeschafft, aber all dies konnte nicht mehr die Stellung des Kaisers retten, der in den Kriegsjahren beträchtliche Autoritätseinbußen erlitten hatte.

> Die politische Macht war während des Krieges weitgehend an die Oberste Heeresleitung abgetreten worden.

Auch die Leidensfähigkeit und -bereitschaft eines großen Teils der Bevölkerung war schließlich völlig erschöpft. Die alliierte Seeblockade hatte die Versorgung der Bevölkerung erheblich beeinträchtigt. Fast in jeder Familie gab es Verwundete oder gar Kriegstote.

Als die Kriegsmarine in den letzten Kriegstagen zu einem letzten „ehrenvollen" (aber militärisch und politisch völlig sinnlosen) Gefecht gegen die überlegene britische Flotte auslaufen wollte, meuterten Marinesoldaten. Die Verhaftung der meuternden Soldaten ließ die Stimmung eskalieren, und am 4. November war Kiel in den Händen der Aufständischen. Dieser Aufstand weitete sich wie ein Steppenbrand aus, große Teile der Arbeiterschaft schlossen sich ihm an. Arbeiter und Soldaten wählten daraufhin in vielen Städten einen **Arbeiter- und Soldatenrat** (→ Glossar, S. 222), der nun die Macht übernahm. Gegen den Widerstand des Kaisers erklärte der Reichskanzler Prinz Max von Baden am 9. November die Abdankung des Kaisers und ernannte unmittelbar darauf den Parteiführer der MSPD, Friedrich Ebert, eigenmächtig zum Regierungschef.

Ebert übernahm dieses Amt in einer äußerst schwierigen Situation: Die bisherige politische Ordnung war vollständig delegitimiert, die Reichsmark durch die inflationäre Kriegsfinanzierung zerrüttet, das Heer in Auflösung begriffen. Ein Rat der Volksbeauftragten, zusammengesetzt aus Vertretern der MSPD und USPD, hatte die Regierungsgewalt übernommen. Der Kaiser war nach Holland geflüchtet, General Ludendorff nach Schweden und die Reichswehrführung bedrängte Ebert, den „Bolschewismus" in Deutschland zu bekämpfen, dann würde auch die Reichswehr Ebert unterstützen (**Ebert-Groener-Bündnis**). Die militärische Führung war an der Aufrechterhaltung der Staatsautorität interessiert, aber nicht an einer neuen republikanischen Ordnung. Ebert bewegte sich in eine folgenreiche Abhängigkeit von der alten und zugleich neuen militärischen Führung, die sich keinesfalls

> Der wenig charismatische, aber politisch verlässliche Friedrich Ebert suchte rasch die Zusammenarbeit mit den alten Eliten, um die neue Demokratie auf eine breite Basis zu stellen.

in ein demokratisches System integrieren wollte. Die Unterzeichnung des Waffenstillstandes überließ das Militär den neuen Machthabern, die nun mit der Schmach der Kriegsniederlage identifiziert wurden. Bald behaupteten die Repräsentanten der Reichswehr, dass die Arbeiterschaft der kämpfenden Truppe in den Rücken gefallen sei und dieser damit den Sieg geraubt hätte (**Dolchstoßlegende**; → Glossar, S. 226). Urheber der Dolchstoßlegende war Hindenburg, der in einem Untersuchungsausschuss des Reichstages auf die Verantwortung der Arbeiterschaft für die Kriegsniederlage verwies. Die Kriegsindustrie war auf Friedensproduktion umzustellen, Millionen von Kriegsversehrten waren zu unterstützen. Ebert beschwor „Ruhe und Ordnung" – und schon bald erledigten diese Aufgabe die sogenannten **Freikorps** (→ Glossar, S. 229), die den Krieg im Innern gegen den innenpolitischen Gegner, die politische Linke, fortführten.

> Selbst der Reichspräsident Ebert durfte öffentlich als „Vaterlandsverräter" denunziert werden.

Die innere Zerissenheit der Weimarer Republik, die Spaltung der Arbeiterbewegung, die scharfe Trennung in sich gegenseitig erbittert bekämpfende Lager hatte ihre Ursache auch in der Novemberrevolution, als die neue Regierung gemeint hatte, sich auf die alten monarchistisch orientierten militärischen Eliten stützen zu müssen.

Die neue politische Führung versäumte es 1918/19, die alten Eliten des Kaiserreichs und deren politische Ziele und Wertvorstellungen zu delegitimieren sowie das Personal in Justiz, Universitäten und Verwaltung durch neues Führungspersonal auszutauschen. Man hoffte vielmehr, sie für die neue Ordnung gewinnen zu können. Zugleich stand der Sozialdemokratie das „Negativbeispiel" Russland vor Augen, wo Bürgerkrieg, Chaos und Diktatur herrschten. Zwar galt 1918/19 das alte System als hinreichend diskreditiert, doch die monarchistisch und autoritär gesinnten Schulräte und Richter, die Professoren, Offiziere und die Polizeipräsidenten blieben in ihren Ämtern. Mit dieser Hypothek war die Weimarer Republik vom ersten Tag an belastet, eine zentrale Ursache für ihre innere Schwäche und für ihr späteres Scheitern.

> Thoedor Plievier (bis 1933 Plivier) veröffentlichte schon 1932 einen „Tatsachenroman" mit dem Titel „Der Kaiser ging, die Generäle blieben".

Bereits wenige ·Tage nach dem Novemberumsturz kam es zu einer weitreichenden Vereinbarung zwischen den Gewerkschaften und den Unternehmerverbänden im sogenannten **Stinnes-Legien-Abkommen**. Um der Sozialisierungsforderung der Gewerkschaften entgegenzutreten, waren die Unternehmer zu einem beachtlichen Entgegenkommen bereit: Die **Gewerkschaften** wurden als „berufene Interessenvertretung" der Arbeiter und als Tarifpartner anerkannt, der achtstündige Arbeitstag wurde bei vollem Lohnausgleich eingeführt. Damit gaben die Arbeitgeber einer alten Forderung der

Arbeiterbewegung nach. *„Sämtliche aus dem Heeresdienst zurückkehrenden Arbeitnehmer haben Anspruch darauf, in die Arbeitsstelle sofort nach Meldung wieder einzutreten, die sie vor dem Kriege innehatten."* In Betrieben mit mehr als 50 Beschäftigten sollte ein „Arbeiterausschuss" eingerichtet werden, aus dem sich dann der Betriebsrat entwickelte. Allerdings wurden manche dieser Zugeständnisse in der Folgezeit wieder teilweise zurückgenommen.

Teile der Arbeiterschaft waren mit diesem Kompromiss wenig einverstanden und forderten weitere Schritte hin zur Überwindung der kapitalistischen Eigentumsordnung.

Neue Parteienlandschaft

Bereits im Kaiserreich existierten die Zentrumspartei und die **Sozialdemokratie**, von der sich allerdings während des Krieges (1917) die **USPD**, die Unabhängigen Sozialdemokraten, abspaltete. Sie wollten die „Burgfriedenspolitik" der SPD nicht mehr unterstützen, also die Zustimmung zu den Kriegskrediten. In den ersten Jahren der Weimarer Republik wuchs die USPD rasch zu einer Massenpartei an, ein Teil der USPD vereinigte sich Ende 1920 mit der 1918/19 gegründeten KPD, die auf diese Weise von einer Splitter- zur Massenpartei wurde.

Während der Revolution formierte sich auch die übrige Parteienlandschaft teilweise neu. Die oppositionellen politischen Parteien des Kaiserreichs (SPD, Zentrum, Fortschrittspartei – die bereits 1917 für einen Verständigungs-, nicht für einen „Siegfrieden" eingetreten waren) trugen und verteidigten maßgeblich die neue politische Ordnung. Das Parteienbündnis aus SPD, Zentrum und DDP wird als **Weimarer Koalition** bezeichnet.

Die „Weimarer Koalition" verlor aber rasch die breite Zustimmung der Bevölkerung.

Deutsche Demokratische Partei (DDP)

Sie entstand aus der ehemaligen Fortschrittlichen Volkspartei sowie aus Teilen der Nationalliberalen und bekannte sich zur demokratischen Republik; gegen monopolitische Strukturen in der Wirtschaft sollten staatliche Sozialisierungsmaßnahmen möglich sein. Ihre Anhängerschaft, die in der Weimarer Republik rasch schmolz, rekrutierte sich aus dem besitz- und bildungsbürgerlichen Schichten, aus Angestellten und Beamten. Auch der jüdische Bevölkerungsteil wählte stark diese Partei, in der der verbreitete Antisemitismus keinen Platz hatte. Die DDP war bis 1930 (wie auch die Zentrumspartei) an nahezu allen Regierungen beteiligt. Der spätere Bundespräsident **Theodor Heuss** gehörte dieser Partei (die sich später in „Staatspartei" umbenannte) an.

Deutsche Volkspartei (DVP)

Sie bildete den rechten Flügel des Liberalismus und wurde vor allem durch ihren überragenden Führer **Gustav Stresemann** (der während des Weltkriegs noch ein Vertreter eines expansionistischen „Siegfriedens" war) zusammengehalten. Ihre Anhänger waren überwiegend städtische, mittelständisch-bürgerliche Schichten. Sie wurde von der Großindustrie massiv finanziell und politisch unterstützt. Zur Republik nahm die DVP eine schwankende Haltung ein, Teile der Partei hingen stark einer monarchistischen Ordnung an. Die DVP war an zahlreichen Regierungen bis 1930 beteiligt.

Gustav Stresemann war kurzzeitig Reichskanzler (1923), in seiner Zeit als Außenminister galt er aber als „heimlicher Reichskanzler". Ihm gelang mit dem **Locarno-Vertrag** (→ Glossar, S. 234) 1925, der die Anerkennung der Westgrenze Deutschlands beinhaltete und eine Grenzrevision im Westen ausschloss, die Aussöhnung mit Frankreich. Ein „Ostlocarno" mit Polen lehnte Stresemann allerdings – wie auch zahlreiche führende Repräsentanten der Weimarer Republik – vehement ab. Mit der Locarno-Politik erreichte Stresemann die Aufnahme Deutschlands in den Völkerbund (1926).

Deutschnationale Volkspartei (DNVP)

In dieser Partei schlossen sich Anhänger der Deutschkonservativen und Freikonservativen des Kaiserreichs zusammen, die sich kurzfristig auch in der Deutschen Vaterlandspartei versammelt hatten. Sie unterschied sich programmatisch wenig von der DVP, allerdings war bei ihr der protestantische Bevölkerungsteil stärker repräsentiert. Sie forderte eine monarchische Staatsspitze innerhalb der demokratischen Ordnung. Sie beschwor die Bewahrung der „Seele unseres Volkes" und lobte den Militärdienst als „Jungbrunnen". Protestantische Eliten des Kaiserreichs waren in der DNVP stark vertreten, aber auch Interessenvertreter der Landwirtschaft und Industrie. Antisemitische Orientierungen gehörten in dieser Partei zu einer selbstverständlichen Norm. An Reichsregierungen war sie kaum beteiligt. Die DNVP schloss 1931 mit der NSDAP die „Harzburger Front" – die allerdings 1932 an der Kandidatenfrage für die Wahl des Reichspräsidenten wieder zerbrach – und bildete mit der NSDAP die Präsidialregierung von 1933.

Die Weimarer Reichsverfassung

Weimar galt als Ort, der besonders die achtenswertesten Traditionen Deutschlands repräsentierte.

Die Nationalversammlung (Konstituierung am 6. Februar 1919) trat im ruhigen Weimar zusammen, um nicht unter dem Druck der Straße (in Berlin wurde der Spartakusaufstand vom Militär und Freikorps zusammengeschossen) beraten zu müssen. Es sollte eine neue Verfassung entwickelt werden, und weiterhin war die Haltung zum Friedensvertrag zu verhandeln. Die Weimarer Koalition (SPD/DDP/Zentrum) verfügte in der Nationalversammlung über eine komfortable Dreiviertelmehrheit. Die Nationalversammlung wählte Friedrich Ebert zum Reichspräsidenten und Philipp Scheidemann (SPD) zum ersten Ministerpräsidenten.

Der Verfassungsentwurf des liberalen Verfassungsrechtlers Hugo Preuß sah eine zentralistische Ordnung vor (im Gegensatz zur föderalen Struktur des Kaiserreichs und der späteren Bundesrepublik). Der neu geschaffene Reichsrat hatte im Wesentlichen nur eine beratende Funktion. Der Reichstag wurde im Gegensatz zu seiner schwachen Stellung im Kaiserreich erheblich aufgewertet, neben der Gesetzgebung oblag ihm die Kontrolle der Regierung. Er wurde nach allgemeinem, gleichem und geheimem Wahlrecht gewählt; es galt das Verhältniswahlrecht, die Sitze wurden also nach dem Stimmenanteil bei den Wahlen vergeben.

Das Wahlrecht sah erstmals in Deutschland auch das Frauenwahlrecht vor.

Als Gegengewicht zum Reichstag wurde der **Reichspräsident** (Amtszeit sieben Jahre, Wahl durch das Volk) mit weitreichenden Befugnissen ausgestattet. Er erhielt mit **Artikel 48** die sogenannte Diktaturgewalt, das heißt, im Fall eines Ausnahmezustands konnte der Reichspräsident gesetzähnliche Notverordnungen erlassen, die allerdings vom Reichstag wieder aufgehoben werden konnten. Der erste Reichspräsident Ebert machte von diesem Recht

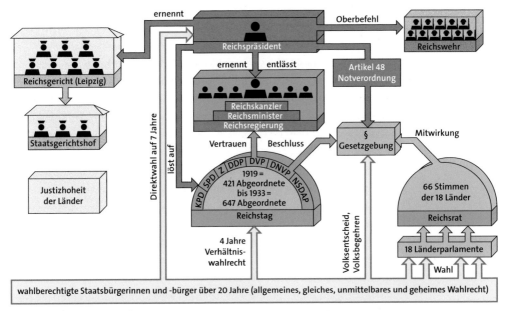

Abb. 3.1: Die Weimarer Verfassung

ausgiebig Gebrauch, allerdings, anders als sein Nachfolger Hindenburg, im verfassungsgemäßen Sinne. Ferner hatte der Reichspräsident den Oberbefehl über die Armee und Art. 25 räumte ihm das Recht der Reichstagsauflösung ein. Auch dieses Instrument nutzte Hindenburg in den Jahren 1930, 1932 und 1933. In dieser starken Stellung, in dieser Machtausstattung des Reichspräsidenten drückte sich ein Misstrauen gegenüber einer „Parlamentsherrschaft" aus, der Reichspräsident wurde daher auch als „Ersatzkaiser" apostrophiert.

Die Reichsverfassung räumte dem Wahlvolk die Möglichkeit von **Volksbegehren und Volksentscheid** ein. Allerdings erlangte keiner von den insgesamt sieben Gesetzesentwürfen in der gesamten Zeit der Weimarer Republik, die auf diese Weise in Kraft gesetzt werden sollten, eine Mehrheit. Volksbegehren und Volksentscheide wurden vielmehr von der DNVP, NSDAP und KPD als Anlass für eine hemmungslose Demagogie gegen die demokratische Ordnung genutzt. Die Verfassung enthielt – allerdings erst in ihrem Schlussteil – auch den Katalog der klassischen **Grund- und Menschenrechte** (→ Glossar, S. 235).

Die Weimarer Reichsverfassung sah auch eine Reihe von sozialen Grundrechten vor.

Nicht selten werden in historischen Darstellungen die strukturellen Mängel der Weimarer Reichsverfassung für das Scheitern der Weimarer Demokratie verantwortlich gemacht. Dabei wird allerdings übersehen, dass eine Sperrklausel wie etwa die 5-%-Hürde oder eine andere Ausgestaltung der Verfassung den Aufstieg und die „Machtübernahme" der NSDAP nicht verhindert hätten. Die Weimarer Republik ist nicht primär daran gescheitert, weil ihre Verfassung teilweise unglückliche Regelungen (übermächtige Stellung des Reichspräsidenten, Art. 25 und 48) vorsah.

Tipp

Diese tatsächlichen (oder vermeintlichen) Verfassungsmängel der Weimarer Demokratie stellen beliebte Prüfungsthemen dar. Hier bietet sich ein Vergleich mit der Verfassung des Kasierreichs an und ein Vergleich mit der der Bundesrepublik. Das Staatsoberhaupt der Weimarer Republik hatte indes sehr weitreichende Befugnisse, vergleichbar der des Kaisers im Kaiserreich. Im Kaiserreich konnte kein Gesetz gegen den Willen des Kaisers verabschiedet werden, auch nicht, wenn Preußen im Bundesrat dagegen stimmte, allerdings war eine Gesetzgebung auch nicht gegen den Reichstag möglich, es musste also ein Ausgleich zwischen diesen drei Organen gefunden werden. In der Weimarer Republik wurde das Parlament und damit die Parteien aufgewertet, zum Leidwesen der Konservativen, die die „organische Einheit" des Reichs durch die Parteien gefährdet sahen und autoritäre Lösungen präferierten. Weimar ist wohl weniger wegen seiner „Verfassungsmängel" gescheitert, sondern weil konservative Eliten die Demokratie grundsätzlich bekämpften und das Parlament aushebeln wollten.

3.2 Außenpolitische Belastungen

Der Friedensvertrag von Versailles

Politische Bestimmungen über Europa

⊙ Gebietsabtretungen Deutschlands: Moresnet an Belgien; Elsass-Lothringen an Frankreich; Posen, Westpreußen, Teile von Ostpreußen und Hinterpommern an Polen; Hultschiner Ländchen an die Tschechoslowakei; Danzig wird freie Stadt; Memelland an die Alliierten

⊙ Abstimmungsgebiete: Eupen-Malmedy, Schleswig, Oberschlesien, Teile West- und Ostpreußens, Saargebiet nach 15 Jahren

⊙ Entmilitarisierte Zonen: Art. 42. Es ist Deutschland untersagt, auf dem linken Ufer des Rheines und auf dem rechten Ufer westlich einer 50 Kilometer breiten Linie Befestigungen beizubehalten oder anzulegen.

⊙ Art. 45: Als Ersatz für die Zerstörung der Kohlengruben in Nordfrankreich und als Anzahlung der Wiedergutmachung tritt Deutschland die Kohlengruben im Saarbecken an Frankreich ab.

⊙ Art. 49: Nach Ablauf von fünfzehn Jahren soll die Bevölkerung des Saargebietes entscheiden, unter welche Souveränität sie zu treten wünscht. Bis dahin wird die Saar dem Völkerbund unterstellt.

⊙ Art. 80: Deutschland erkennt die Unabhängigkeit Österreichs an, es sei denn, dass der Rat des Völkerbundes einer Abänderung zustimmt.

Der Versailler Vertrag wurde von den Zeitgenossen als „Schandvertrag", „Diktatfriede", „Schmachfriede" oder „Raubvertrag" u.ä. geschmäht.

Teil IV. Deutsche Rechte außerhalb Deutschlands

⊙ Art. 119: Deutschland verzichtet zugunsten der alliierten Mächte auf alle seine Rechte bezüglich seiner überseeischen Besitzungen.

Teil V. Bestimmungen über Landheer, Seemacht und Luftfahrt

⊙ Totale Abrüstung Deutschlands. Es ist nur ein leichtbewaffnetes Heer von 100 000 Mann erlaubt. Kriegsverbrecher – unter anderen der Kaiser – sollen an alliierte Gerichte ausgeliefert werden.

Teil V. Wiedergutmachungen

⊙ Art. 231: Die alliierten Regierungen erklären, und Deutschland erkennt an, dass Deutschland und seine Verbündeten als Urheber für alle Verluste und Schäden verantwortlich sind, die die alliierten Regierungen und ihre Staatsangehörigen infolge des Krieges, der ihnen durch den Angriff Deutschlands und seiner Verbündeten aufgezwungen wurde, erlitten haben.

- Art. 233: Der Betrag der Schäden, deren Wiedergutmachung Deutschland schuldet, wird durch einen interalliierten Ausschuss festgesetzt. Außer den Reparationen in Geld werden große Materiallieferungen vorgeschrieben.
- Art. 428: Um die Durchführung des Vertrages sicherzustellen, werden die deutschen Gebiete westlich des Rheins und die Brückenköpfe Mainz–Wiesbaden, Koblenz, Köln, Kehl besetzt gehalten.
- Art. 429: Nach fünf Jahren wird Köln geräumt, nach zehn Jahren Koblenz, nach fünfzehn Jahren Mainz, Kehl und das übrige besetzte deutsche Gebiet.
- Abstimmungsgebiete: 1920 Schleswig I. (nördliche Zone): 75 % für Dänemark. Schleswig II. (südliche Zone): 80 % für Deutschland. Bezirk Allenstein: 98 % für Deutschland. Bezirk Marienwerder: 92 % für Deutschland.
- 1921 Oberschlesien: Obwohl sich 60 % der Stimmen und 55 % der Gemeinden für ein Verbleiben im Reich aussprachen, wird Oberschlesien durch den Obersten Rat der Alliierten geteilt. 91 % des Kohlenvorrats fallen an Polen. 1935 Saargebiet: 91 % für ein Verbleiben in Deutschland.

Am 18. Januar 1871 war im Spiegelsaal von Versailles das Deutsche Kaiserreich proklamiert worden – eine Demütigung für Frankreich. Am 18. Januar 1919 begannen am gleichen Ort die Beratungen über einen Friedensvertrag, jetzt wurde über Deutschland und über eine neue Nachkriegsordnung verhandelt. Die führenden Repräsentanten waren **Woodrow Wilson**, **Lloyd George**, der englische Premierminister, und **Georges Clemenceau**, der französische Ministerpräsident. Deutschland war in Versailles kein gleichberechtigter Verhandlungspartner, die deutsche Delegation fungierte gewissermaßen nur als Beobachter.

Im Gegensatz zu Deutschland war Frankreich durch den Krieg stark zerstört worden.

Die Alliierten hatten unterschiedliche Interessen. Durch den Wegfall der deutschen Kolonien war für England ein Konkurrent auf den Weltmeeren und im Welthandel verschwunden. England wollte eine zu große Schwächung Deutschlands vermeiden, um das Gleichgewicht auf dem Kontinent zu erhalten, die USA sahen das ähnlich. Frankreich hingegen drang auf eine nachhaltige Schwächung Deutschlands, es war ferner an einer Kontrolle über die deutschen Industrieregionen an Rhein und Ruhr interessiert. Und schließlich betrieb Frankreich die Wiederherstellung eines starken Polen als Bollwerk gegen den Bolschewismus wie als Bündnispartner gegen Deutschland. Diese französischen Sicherheitsinteressen konnten sich in Versailles im Wesentlichen durchsetzen. Zu wenig bedacht wurde bei den Verhandlungen, dass ein solcher Friedensvertrag bereits den Keim für künftige Konflikte in sich barg.

Als die Vertragsbedingungen in Deutschland bekannt wurden, war in weiten Kreisen der Bevölkerung die Entäuschung bzw. die Empörung groß: Man hatte auf die **14 Punkte von Wilson** (→ Glossar, S. 244) und auf einen Verhandlungsfrieden vertraut und erlebte nun eine schroffe Diskrepanz von Friedenserwartungen und Friedensbedingungen, die man als Unrecht, Diktat oder Schmach deutete. Versuche der Reichsregierung, wenigstens den Kriegsschuldartikel 231 und die Bestimmungen über die Auslieferung von „Kriegsverbrechern" zu streichen, wurden sofort zurückgewiesen. Deutschland sollte unterschreiben, ansonsten würden die Kampfhandlungen fortgesetzt werden. Nahezu alle politischen Kreise in Deutschland lehnten den Vertrag kategorisch ab. Vor allem für die politische Rechte bot der Vertrag Material für eine hemmungslose Hetze gegen die junge Demokratie und die sie tragenden Parteien.

Reichspräsident Ebert fragte allen Ernstes bei den Generälen nach, ob Deutschland die Kampfhandlungen wieder aufnehmen könnte, die Generäle verneinten dies.

Zur Beurteilung des Versailler Vertrags

Tatsächlich verhinderten die Friedensbedingungen eine politische Verständigung und eine vertrauensvolle Zusammenarbeit von Siegern und Besiegten. Die vor und durch den Krieg noch verschärften internationalen Spannungen und Konflikte wirkten weiter und vergifteten die Beziehungen. Die traditionellen Feindbilder aus der Zeit vor 1918 wurden nicht abgebaut, sondern in die neue Epoche transportiert.

Aus heutiger Perspektive fällt die Würdigung des Vertrags allerdings anders aus als durch die Zeitgenossen: Das Deutsche Reich war zwar militärisch besiegt, aber es gab eine Reihe von Optionen, die den Versailler Vertrag in einer anderen Optik erscheinen lassen:

- Deutschland behielt einen Großteil seines Staatsgebiets und war nach wie vor eine wirtschaftliche und – auf längere Sicht – auch militärische Großmacht. Der Völkerbund schloss zwar zunächst Deutschland (und Russland bzw. die spätere Sowjetunion) als Mitglieder aus, er bildete aber auch einen Garant der deutschen Sicherheit.
- Da Deutschland nun durch den Wegfall der Kolonien auf den Kontinent beschränkt war, konnte es seine angespannten Beziehungen zu England verbessern.
- Die neuen Staaten im Osten und Südosten Europas boten für die deutsche Wirtschaft ein weites Betätigungsfeld, das sich auch politisch nutzen ließ.
- Der politische Aktionsradius der Weimarer Republik war wesentlich weiter als der des Deutschen Kaiserreichs, denn die engen Bindungen an den Vielvölkerstaat Österreich hatten auch politische Optionen blockiert.
- Eine Verbesserung der Beziehungen zu Russland war möglich.

Es gab durchaus Voraussetzungen und Möglichkeiten für den Wiederaufstieg des Deutschen Reiches zu einer europäischen Großmacht. Es konnte eine Mittlerrolle zwischen der Sowjetunion und dem Westen spielen. „*Die Chancen für eine flexibel geführte Diplomatie waren zwar nicht für den Moment, wohl aber langfristig gesehen im Vergleich zur Situation von vor 1914 nicht schlechter, sondern weitaus besser. [...] Diese weitreichenden und durchaus die Optionsmöglichkeiten deutscher Außenpolitik erweiternden Perspektiven wurden in Deutschland jedoch nur von den wenigsten erkannt.*"

Wolfgang Michalka, in: U. Scholz, Deutschland im 20. Jahrhundert. Schroedel, Braunschweig, 2006, Seite 25.

Die Inflation von 1914 bis 1923 – Ursachen und Folgen

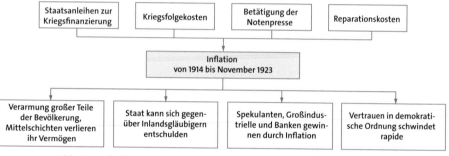

Abb. 3.2: Inflation

Streit um die Reparationen

Der Streit vor allem um die Reparationszahlungen eskalierte in den Folgejahren und mündete schließlich in die Besetzung des Ruhrgebiets durch belgische und französische Truppen (1923). Die deutsche Regierung rief die Bergarbeiter zum passiven Widerstand auf, das heißt, die Bergleute sollten die Arbeit für die Besatzungstruppen verweigern und keine Kohle für den „Feind" fördern. In dieser Zeit verlor die Reichsmark durch die Hyperinflation völlig ihren Wert als Zahlungsmittel. Bereits in den Jahren zuvor hatte die Reichsregierung das Mittel der Inflation eingesetzt, um den Alliierten die deutsche Zahlungsunfähigkeit zu demonstrieren. Die Inflation zerstörte das Vertrauen vor allem der bürgerlichen Mittelschichten in die Republik, die Löhne der Arbeiterschaft verloren ihren Wert, während umgekehrt Sachwertebesitzer und Unternehmen von der Inflation profitierten.

Unter Vermittlung der USA und umfangreicher finanzieller amerikanischer Unterstützung wurde Ende 1923 ein neuer Reparationszahlungsplan entwickelt (Dawes-Plan) und zugleich die deutsche Währung durch die Einführung der Rentenmark stabilisiert.

Durch die Inflation konnte Deutschland seine gigantischen Kriegsschulden mühelos durch Pfennigbeträge begleichen.

Locarno-Vertrag

Die Annahme des Dawes-Plans durch das Deutsche Reich ermöglichte einen wirtschaftlichen Aufschwung, sie eröffnete zugleich die Chancen einer Verständigung mit Frankreich. Im schweizerischen Kleinstädtchen Locarno trafen sich 1925 die führenden europäischen Staatsmänner (Deutschland, Belgien, Italien, England, Frankreich, Tschechoslowakei und Polen), um die **Locarno-Verträge** (→ Glossar, S. 234) zu beraten und zu unterzeichnen. Darin verpflichteten sich Deutschland, Belgien und Frankreich gegenseitig, die gemeinsamen Grenzen zu akzeptieren und keine Kriege miteinander zu führen. Die Unverletzlichkeit dieser Grenzen sollten England und Italien garantieren. Frankreich versicherte als Gegenleistung, keine weiteren Versuche zu unternehmen, das Rheinland unter seine Kontrolle zu bringen. Dieser Gewaltverzicht führte dazu, dass die alliierten Besatzungstruppen aus dem Ruhrgebiet abgezogen werden konnten. Durch dieses gegenseitige Entgegenkommen wurde der Beitritt Deutschlands zum Völkerbund ermöglicht (1926).

Allerdings war mit der Anerkennung der durch den Versailler Vertrag festgelegten Westgrenze Deutschlands keine Anerkennung der deutschen Ostgrenzen verbunden, lediglich ein Verzicht auf eine gewaltsame Revision. Ein Jahr nach Locarno bekräftigten die Sowjetunion und das Deutsche Reich im „**Berliner Vertrag**" (1926) die bereits 1922 in Rapallo vereinbarte Neutralität Deutschlands im Falle eines polnisch-sowjetischen Konflikts. Damit verschlechterte sich die polnische Lage erheblich, und Deutschland demonstrierte den Westmächten, dass es sich nicht als Bollwerk gegen den Bolschewismus instrumentalisieren ließ. Dies war ein erneuter Ausdruck der traditionellen russisch/sowjetischen wie deutschen antipolnischen Ressentiments, die sich noch im **Hitler-Stalin-Pakt** (1939, → Seite 138 ff., → Glossar, S. 230), in erheblich zugespitzterer, aggressiverer Form zeigen sollten. Deutschland konnte durch Locarno einen Zugewinn an außenpolitischem Bewegungsspielraum verbuchen, allerdings war man noch weit von einem Geist friedlicher Partnerschaft nach allen Seiten entfernt.

Der erst kurz zuvor (1925) gewählte Weltkriegsgeneral und Monarchist Hindenburg unterschrieb die Locarno-Verträge und demonstrierte auch sonst seine Loyalität zur demokratischen Ordnung. Aber auch in seinem Präsidialamt wurden Plä-

Außenminister Stresemann und sein französischer Kollege Briand erhielten für ihre Friedensbemühungen 1926 den Friedensnobelpreis

Vertrag von Locarno 1925
- ■ Sicherheits-, Rhein- oder Westpakt (Garantie der Westgrenze F – DR)
- ■ Schiedsverträge
- ■ Defensivabkommen: Frankreich garantiert Sicherheit für Polen und Tschechoslowakei

Abb. 3.3: Der Vertrag von Locarno (1925) regelte Grenz- und Streitschlichtungsfragen im Nachkriegseuropa durch eine Reihe unterschiedlicher Abkommen

ne geschmiedet, wie eine neue Ordnung ohne Parteiendemokratie und vor allem ohne Sozialdemokraten aussehen könnte. Der gegen Polen gerichtete Berliner Vertrag mit der bolschewistischen Sowjetunion entsprach traditionellen militärischen Optionen und Planungen. Bereits in der Weimarer Zeit wurde von militärischen Planungsstäben (die sich jeder Kontrolle durch demokratische Institutionen entzogen hatten) detailliert ein Aufmarsch gegen Polen vorbereitet, der dann zehn Jahre später praktisch umgesetzt wurde.

Militarismus und Konservative Revolution

Mit der Novemberrevolution 1918 waren das militaristische Denken und entsprechende Wertvorstellungen sowie Mentalitäten des Kaiserreichs nicht überwunden, im Gegenteil: Die militärischen Optionen der Reichsregierungen (**Revisionspolitik**; → Glossar, S. 240) entsprachen einer gesellschaftlichen Grundstimmung. Nicht nur die Reichswehr hatte einen fast allgemein akzeptierten Sonderstatus ähnlich wie im Kaiserreich erlangt, sondern auch in der Gesellschaft war Gewalt zur Lösung von sozialen Konflikten weithin akzeptiert. Die verschiedenen Parteien hatten sich Parteiarmeen aufgebaut, die teilweise mehr Mitglieder hatten als die Parteien selbst: die KPD den

Politisch-ideologische Konflikte wurden in der Weimarer Republik im Alltag weniger intellektuell, sondern mit den Fäusten ausgetragen.

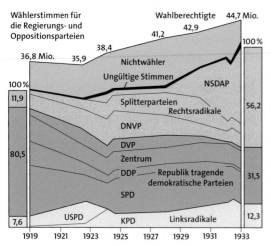

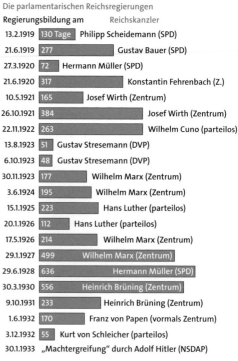

Abb. 3.4: Die Reichstagswahlen und die Reichsregierungen der Weimarer Republik

„Rotfrontkämpferbund", die SPD das „Reichsbanner Schwarz-Rot-Gold", die DNVP den „Stahlhelm" und die NSDAP die SA. Diese uniformierten und in militärähnlichen Formationen auftretenden Kampfverbände prägten und durchdrangen den politischen Alltag, die zahlreichen Wahlveranstaltungen und Aufmärsche zu den zahlreichen politischen Veranstaltungen. Demonstrationen in geschlossenen Formationen gehörten zum Alltag, und dabei ging man handgreiflichen Auseinandersetzungen mit dem politischen Gegner nicht aus dem Weg.

Freikorps

Diesen Kult der Gewalt, diese Ästhetisierung von „harter Körperlichkeit" pflegten insbesondere die zahlreichen **Freikorps** (→ Glossar, S. 229). Freikorps entstanden in Deutschland zuerst während der Befreiungskriege gegen das napoleonische Frankreich. Sie stellten keine regulären staatlichen Truppen dar, sondern Freiwilligenverbände, die sich meist aus Bürgern und Studenten mit ausgeprägter nationaler Gesinnung zusammensetzten. Nach Ende des Ersten Weltkriegs bildeten sich erneut Freikorps aus den rückkehrenden Soldaten. Ihnen war das zivile Leben nach den Kriegsjahren fremd, zugleich waren sie schockiert von dem Zusammenbruch der Monarchie und der Kriegsniederlage, die sie nicht hinnehmen wollten. Sie schlossen sich daher, zumal sie oft erwerbslos waren, zu Freiwilligenverbänden zusammen. In den Freikorps versammelten sich aber auch junge Männer, die sich um das vielfältig heroisierte Fronterlebnis betrogen sahen und nun Krieg auf eigene Rechnung spielten.

Bei Arbeiterunruhen und Aufständen im Reich setzte die neue Reichsregierung unter Friedrich Ebert für den Straßenkampf Freikorps ein, sie waren maßgeblich bei der Niederschlagung linker Putschversuche beteiligt, etwa beim Berliner Januaraufstand 1919, bei dem auch die prominenten KPD-Gründer **Rosa Luxemburg** und **Karl Liebknecht** von Soldaten der „Garde-Kavallerie-Schützen-Division" ermordet wurden. Zahlreiche politische Morde (u. a. an Walter Rathenau oder Mathias Erzberger) gehen auf das Konto von Freikorps. Die Justiz der Weimarer Republik ahndete diese von rechts begangenen Morde in der Regel sehr milde, was die Arbeiterschaft verbitterte.

Mit Unterstützung Großbritanniens kämpften Freikorps 1919 im Baltikum gegen sowjetrussische Truppen; 1920/21 in Oberschlesien gegen polnische Truppen – dort gab es 1921 eine Volksabstimmung über die staatliche Zugehörigkeit des Gebiets und eine Mehrheit von fast 60 Prozent votierte für den

Viele Jugendliche, die 1918 ihre Väter als „abmontierte Besiegte" heimkommen sahen, wollten diese „Kränkung" nicht hinnehmen und führten daher den Krieg auf ihre Weise bei den Freikorps fort.

Verbleib beim Deutschen Reich. Polnische Freischärler begannen daraufhin am 3. Mai 1921 – unterstützt von französischen Besatzungstruppen – einen bewaffneten Aufstand, um den Anschluss an Polen gewaltsam durchzusetzen.

Die Alliierten beschlossen nach einer Empfehlung des Völkerbunds das ostoberschlesische Industrierevier an Polen zu übertragen. Deutschland behielt den zwar flächenmäßig größeren, jedoch eher agrarisch strukturierten Teil des Abstimmungsgebiets.

Die von der Reichsregierung um militärische Hilfe gegen die Putschisten ersuchte Reichswehr verhielt sich hier „neutral": „Reichswehr schießt nicht auf Reichswehr".

Der Versailler Vertrag gestattet dem Deutschen Reich nur noch ein Heer von 100 000 Mann. Die Freikorps hätten also aufgelöst werden müssen. Gegen die geplante Entwaffnung gab es erbitterten Widerstand. Im März 1920 kam es zum **Kapp-Lüttwitz-Putsch** (→ Glossar, S. 232), der aber durch einen Generalstreik der Arbeiterschaft rasch zusammenbrach. Für das Scheitern des Staatsstreichs war die Weigerung der Ministerialbürokratie, den Anordnungen Kapps Folge zu leisten, ebenso entscheidend. Beim **Hitler-Putsch** 1923 in München spielten die Freikorps wieder eine zentrale Rolle.

Einige Mitglieder der Freikorps wurden in die Reichswehr übernommen, andere schlossen sich paramilitärischen Verbänden wie dem Stahlhelm, der SA oder SS an. Eine Reihe von Mitgliedern und Führungspersönlichkeiten der NSDAP waren Mitglieder in Freikorps, z. B. Ernst Röhm, der spätere Führer der SA. Die Freikorps bekämpften die neue demokratisch-parlamentarische Ordnung, sie verklärten das „Fronterlebnis" und huldigten einem Kult der Gewalt, der die Weimarer Republik kennzeichnete.

Der Einfluss, den die Parteiarmeen und die Freikorps auf die Politik ausübten, ist nicht gering zu veranschlagen. Sie waren Ausdruck entschlossener „männlicher Tatkraft", militaristischer Mentalitäten und Denkmuster. Das hierarchisch strukturierte System von Befehl und Gehorsam galt ihnen als selbstverständlich, ihr politisches Denken war von schlichten Freund-Feind-Schemata geprägt.

Die Karte rechts demonstriert, dass derartige autoritäre Strömungen kein genuin deutsches Phänomen waren: In vielen europäischen Staaten hatten sich seit den 1920er-Jahren autoritäre Systeme ausgebreitet.

Demokratien und Diktaturen in Europa (1917–1939)

Hochgebildete junge Intellektuelle und Schriftsteller wie etwa Ernst Jünger oder Oswald Spengler propagierten bereits in den 1920er-Jahren eine „**Konservative Revolution**". Die Novemberrevolution und ihre Ergebnisse sollten wieder rückgängig gemacht werden. Man träumte von einer Gesellschaft und autoritären Ordnung, in der – ganz sozialdarwinistisch – das „Gesunde" und „Starke" tonangebend war. Für die liberale Ordnung, für die Parteiendemokratie und den Parlamentarismus hatte man nur Hohn und Spott übrig, sie wurden auch für die Kriegsniederlage verantwortlich gemacht. Nur eine „gesunde Volksgemeinschaft" könne das „Krebsgeschwür" des liberalen Parlamentarismus ausrotten, ein künftiger Krieg werde die Schmach von Versailles tilgen.

Beileibe nicht alle dieser jungen Intellektuellen sympathisierten mit der als plebejisch empfundenen NSDAP.

Insbesondere im Bildungsbürgertum und an Universitäten waren derartige Denkmuster verbreitet. Anhänger der „Konservativen Revolution" wurden

Abb. 3.5: Demokratien und Diktaturen in Europa (1917–1939)

während der Zeit der Präsidialregime zu Redenschreibern und Beratern einflussreicher Politiker. Bei den Ideologen der Konservativen Revolution machte die NSDAP reichhaltige Anleihen. Allerdings waren vielen Anhängern einer „Konservativen Revolution" die SA und die Demagogie der NSDAP (insbesondere ihr fanatischer Antisemitismus) zu primitiv und zu rüpelhaft.

Abb. 3.6: Wahlplakate der NSDAP: links, dieses Plakat ist bezeichnend für das Selbstverständnis der NSDAP: Die Partei beruft sich auf den Geist der Weltkriegsarmee. Die Revision des Kriegs-Ergebnisses wird in Aussicht gestellt. – akg-Images. Rechts, 1932 wird stark auf die Person Hitlers abgestellt.

3.3 Die Weltwirtschaftskrise und der Aufstieg der NSDAP

Die Weltwirtschaftskrise

Als am 25. Oktober 1929 die Kurse an der New Yorker Börse ins Bodenlose stürzten (**Schwarzer Freitag,** → Glossar, S. 241), war das der Beginn einer bislang beispiellosen Wirtschaftskrise, die nicht nur die USA, sondern auch die Volkswirtschaften in zahlreichen europäischen und lateinamerikanischen Ländern betraf.

Kleinere Kurskorrekturen nach unten nach jahrelangen Kurssteigerungen lösten Panikverkäufe an den Börsen aus, die die Kurse rasch stark fallen ließen.

Ausländische (vor allem amerikanische) Anleger zogen nun ihr seit 1923/24 in Deutschland investiertes Kapital zurück und verursachten damit eine folgenreiche Bankenkrise, die wiederum zahlreiche Firmen in Schwierigkeiten brachte. Produktionskürzungen und Entlassungen waren die Folge. Zugleich schotteten sich die von der ökonomischen Krise betroffenen Länder gegenseitig ab, was den Welthandel dramatisch schrumpfen ließ. Die Zahl der Arbeitslosen stieg stark an, die staatlichen Etats wurden durch geringere Steuereinnahmen und höhere Transferzahlungen massiv belastet. Die Folge war, dass sozialstaatliche Leistungen drastisch zulasten der Arbeitslosen reduziert wurden. Dies wiederum minderte die Kaufkraft und die Nachfrage, der Konsumrückgang führte erneut zur Drosselung der Produktion und damit zu weiteren Entlassungen – ein Teufelskreis, der die Wirtschaftskrise seit 1930 zu einer existenziellen Bedrohung für viele Menschen machte.

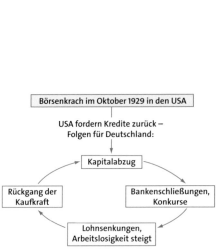

Abb. 3.7: Auswirkungen des amerikanischen Börsenkrachs in Deutschland

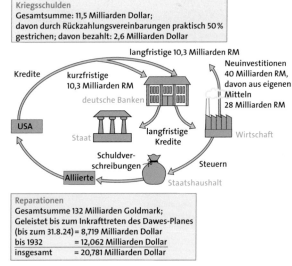

Abb. 3.8: Internationaler Finanzkreislauf vor und nach der Weltwirtschaftskrise

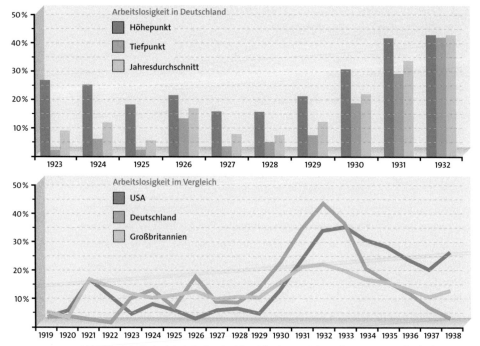

Abb. 3.9: Arbeitslosigkeit in Deutschland (in Prozent der erfassten Gewerkschaftsmit-glieder) und durchschnittliche Jahresarbeitslosigkeit in den USA, in Deutschland und Großbritannien (in Prozent); die Angaben sind nur bedingt vergleichbar, da die Arbeits-losenzahl in den verschiedenen Ländern auf unterschiedliche Weise erhoben wurde.

nach: E.C. Schöck: Arbeitslosigkeit und Rationalisierung, 1977, Seite 166; und Dietmar Petzina: Arbeits-losigkeit in der Weimarer Republik; in: W. Abelshauser (Hg): Die Weimarer Republik als Wohlfahrtsstaat. (VSWG-Beihefte, Band 81), Franz Steiner Verlag, Stuttgart 1987, Seite 242 (Tabelle 2).

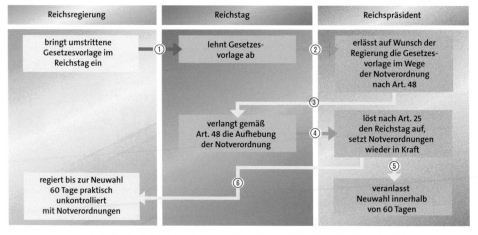

Abb. 3.10: Die Präsidialregierungen beruhten auf der Kombination der Art. 48 und 25 der Weimarer Verfassung. Durch Androhung und gegebenenfalls Anwendung beider Artikel wurde das Parlament als Entscheidungszentrum ausgeschaltet.

Ökonomische Konzepte, wie einer derartigen Depression begegnet werden könnte, existierten damals noch nicht, vielmehr wurde die Wirtschaftskrise zunächst als eine der bekannten zyklischen Krisen interpretiert. Das Ausmaß der Katastrophe wurde erst allmählich erfasst, ohne dass ökonomische Lösungsmodelle verfügbar waren. Die staatliche Wirtschaftspolitik unter Reichskanzler Heinrich Brüning verschlimmerte die Situation noch. Brünings Ziel war es, eine inflationäre Geldpolitik zu vermeiden, denn die Inflation von 1914–1923 hatte unter anderem weite Teile des Mittelstands in eine existenzielle Krise gebracht und das Geldvermögen der bürgerlichen Zwischenschichten vernichtet. Brüning erhöhte einige Steuern und senkte die staatlichen Ausgaben, um einen ausgeglichenen Haushalt zu erreichen und die internationale Konkurrenzfähigkeit Deutschlands zu sichern. Brüning förderte auf diese Weise die Krise („Deflationspolitik"). Er wollte den Siegermächten damit auch die Zahlungsunfähigkeit des Deutschen Reichs demonstrieren, um eine Befreiung von den noch ausstehenden Reparationsforderungen zu erreichen. Kleinere Kurskorrekturen nach unten nach jahrelangen Kurssteigerungen lösten Panikverkäufe an den Börsen aus, die die Kurse rasch stark fallen ließen. Tatsächlich wurde im Jahr 1932 dem Deutschen Reich die weiteren Reparationszahlungen erlassen. Brüning konnte jedoch daraus kein politisches Kapital mehr für sich schlagen: Er war bereits vorher von Hindenburg als Reichskanzler entlassen worden.

> Im Juli 1932 wurde Deutschland auf einer Konferenz in Lausanne die Zahlung von weiteren Reparationsleistungen erlassen.

Während der Weltwirtschaftskrise suchten in Deutschland die konservativen Eliten in Politik und Wirtschaft verstärkt nach Wegen und Möglichkeiten, die sozialpolitischen Errungenschaften der Novemberrevolution wieder rückgängig zu machen und ein antiparlamentarisches autoritäres Regime zu errichten. Der Boden dafür war von den Intellektuellen der „Konservativen Revolution" vorbereitet worden.

Das 1930 von Hindenburg etablierte **Präsidialkabinett** (→ Glossar, S. 238) von **Heinrich Brüning**, das im Parlament über keine Mehrheit verfügte, regierte mit dem Notverordnungs- und **Ausnahmeparagraphen 48** der Weimarer Reichsverfassung – obgleich ein solcher Ausnahmezustand nicht vorlag, denn der Reichstag konnte zusammentreten und Beschlüsse treffen. Die Wirtschaftskrise wurde also genutzt, um ein autoritäres politisches System jenseits einer parlamentarischen Demokratie zu errichten.

> In der traditionellen Deutung gab die Weltwirtschaftskrise der Weimarer Republik den Todesstoß, andere westliche Staaten blieben jedoch demokratisch.

Diese Deutung der Etablierung der Präsidialregime der letzten Jahre der Weimarer Republik hat sich in den letzten Jahrzehnten in der historischen Forschung weithin durchgesetzt.

Der Aufstieg der NSDAP zur Massenpartei

Die Ideologie des Nationalsozialismus

- **Volksgemeinschaft und Führerprinzip:** „Du bist nichts, dein Volk ist alles." Der Nationalsozialismus entwertet im Gegensatz zum Liberalismus das Individuum und verherrlicht das Kollektiv. Die „Volksgemeinschaft" ist dabei nicht egalitär strukturiert, sondern hierarchisch nach dem „Führerprinzip". „Führer befiehl, wir folgen". Dem „Führer" gebührt bedingungslose Gefolgschaft und absoluter Gehorsam. Ein Interessenpluralismus, etwa die unterschiedlichen Interessen von Arbeitern und Unternehmern, wird abgelehnt, er entspreche nicht dem Gedanken der „Volksgemeinschaft".

- **Militarismus:** Die ganze Gesellschaft soll auch paramilitärisch erfasst und kontrolliert werden. Verbreitet ist die Hochschätzung von Uniform (bereits in der Hitlerjugend) und Gleichschritt, die die „Einheit" und Gleichheit aller Mitglieder der „Volksgemeinschaft" symbolisieren. Zahllose Feiern des Nationalsozialismus sind geprägt von Massenaufmärschen und Fahnen.

- **Rassismus und Biologismus:** Das deutsche Volk bildet die „Blutgemeinschaft" der „Arier", deren Rasse und Blut rein erhalten werden muss. Dem dient auch der Ariernachweis. Sexueller Kontakt, vor allem Ehen mit Menschen aus „minderwertigen" Rassen, insbesondere mit Juden oder Sinti und Roma, werden strikt abgelehnt und bestraft. Der Antisemitismus des Kaiserreichs wird radikal verschärft und zu einem zentralen Element der Staatsdoktrin. Die Juden werden für alles Böse und Schlechte (Liberalismus, Kommunismus, Sozialismus, Kapitalismus, Pluralismus etc.) verantwortlich gemacht. Diese rassistische Ideologie hatte in der NS-Zeit für viele Menschen dramatische Folgen: Es kam zur systematischen Ausgrenzung dieser „minderwertigen Rassen" aus dem „Volkskörper" bis hin zu ihrer fabrikmäßigen Vernichtung. Diese Politik wird auch sozialdarwinistisch legitimiert: Es entspreche dem „Recht des Stärkeren", „minderwertige Menschen" wie Ungeziefer „auszumerzen"; die „höherwertige Rasse" benötige zu ihrer Existenz einen größeren „Lebensraum".

Der Wahlerfolg der Nationalsozialisten löste international ein lebhaftes Echo aus.

Bei der Septemberwahl 1930 konnte die NSDAP ihren Stimmenanteil von 2,6 % (1928) auf 18,3 % steigern und wurde mit 107 (vorher 12) Reichstagsabgeordneten von einer Splitterpartei zur zweitstärksten Fraktion im Reichstag. Die Ursachenforschung über diesen dramatischen Aufstieg der NSDAP füllt Bibliotheken. Für viele Zeitgenossen und für die ausländische Presse war die Frage leicht zu beantworten: In Deutschland gibt es drei Millionen

Arbeitslose, sie haben nationalsozialistisch gewählt! Tatsächlich stellten diese drei Millionen Arbeitslose eher das Gros der kommunistischen Wähler dar, die ihre Mandate von 55 auf 77 erhöhen konnten. Hellmut von Gerlach meinte 1930 in der „Welt am Montag": *„Die Hitlerwähler setzen sich aus zwei Kategorien zusammen: einer kleinen Minderheit von Nationalsozialisten, die auf das Hakenkreuz eingeschworen sind, und einer riesigen Mehrheit von Mitläufern. Keine andere deutsche Partei ist so labil wie die nationalsozialistische, d. h. bei keiner anderen ist das Missverhältnis zwischen Stammkunden und Laufkunden ebenso groß."*

Überblick: Nationalsozialistische Deutsche Arbeiterpartei (NSDAP) 1920–1933

5. Januar 1919	In der aufgeheizten politischen Atmosphäre der Revolution von 1918/19 wird in München die Deutsche Arbeiterpartei (DAP) gegründet. Sie war eine von vielen kleineren antisemitisch-völkischen Splittergruppen.
1919	Adolf Hitler tritt der DAP bei. Er verschafft der Partei Popularität in den völkischen Kreisen der „Ordnungszelle" Bayern.
24. Februar 1920	Bei einer Massenveranstaltung der DAP im Münchner Hofbräuhaus erfolgt die Umbenennung in Nationalsozialistische Deutsche Arbeiterpartei (NSDAP).
29. Juli 1921	Hitler wird Parteivorsitzender mit diktatorischen Vollmachten. Rasch gelingt es ihm, die Partei auf seine Person auszurichten.
1920	Das 25-Punkte-Programm der NSDAP bleibt unscharf formuliert. Die NSDAP agitiert gegen den Parlamentarismus und die politischen Parteien der Weimarer Republik, die sie für soziale Gegensätze und die „widernatürliche Spaltung des Volkes" verantwortlich macht. Eine zentrale Rolle spielt der Kampf gegen den Versailler Vertrag und das „internationale Judentum". Die Aufmärsche des Wehrverbands Sturmabteilung (SA) mit Fahnen und Uniformen übt auf viele Menschen eine große Faszination aus.
Februar 1923	Der „Völkische Beobachter" erscheint als Tageszeitung. Hitler pflegt in München Verbindungen zu rechten Kreisen aus Reichswehr, Politik und Wirtschaft. Er lehnt die Erlangung der politischen Macht durch Teilnahme an Wahlen ab und entwickelt Putschpläne gegen die verhasste „Judenrepublik".
9. November 1923	Nach dem Vorbild von Benito Mussolinis „Marsch auf Rom" von 1922 versucht die Partei einen „Marsch auf Berlin" zu initiieren. Der Hitler-Putsch endet aber bereits bei der Münchner Feldherrnhalle. Bei einem Schusswechsel kommen vier Polizisten und 14 Demonstranten ums Leben.
November 1923	Die NSDAP wird reichsweit verboten.
April 1924	Hitler wird wegen „Hochverrats" zu fünf Jahren Festungshaft verurteilt. In seiner achtmonatigen Haft in Landsberg schreibt er das Werk „Mein Kampf".
20. Dezember 1924	Hitler wird wegen „guter Führung" vorzeitig aus der Haft entlassen.
26. Februar 1925	Neugründung der NSDAP. Die NSDAP verfolgt nun eine Taktik der Legalität. Nicht durch einen gewaltsamen Putsch soll die verhasste Republik beseitigt werden, sondern durch Teilnahme an Wahlen. Der „Führerkult" und Hitlers persönliche Ausstrahlung werden zu zentralen Elementen der NSDAP. Einführung des Hitlergrußes.

Überblick: Nationalsozialistische Deutsche Arbeiterpartei (NSDAP) 1920–1933

1926	Gründung der Hitler-Jugend (HJ) und des Nationalsozialistischen Deutschen Studentenbundes (NSDStB), der NSDStB erzielt rasch spektakuläre Erfolge an den Hochschulen.
1928	Gründung eigener Berufsverbände (Bund Nationalsozialistischer Juristen, Nationalsozialistischer Lehrerbund etc.)
1929	Die Kampagne der NSDAP (gemeinsam mit DNVP, Stahlhelm und dem Alldeutschen Verband) für den Volksentscheid gegen den Young-Plan hebt das Ansehen der Nationalsozialisten im rechten Lager.
1930	Hitler tritt Gerüchten über nationalsozialistische Putschpläne entgegen und legt einen „Legalitätseid" ab, die NSDAP kämpfe nur legal um die Macht.
Oktober 1931	Auf Betreiben Hitlers und Alfred Hugenbergs schließen sich die NSDAP und die DNVP mit anderen nationalistischen Verbänden zur „Harzburger Front" zusammen.
Januar 1933	Die NSDAP erreicht eine Mitgliederstärke von rund 850 000. Ihre Aufmärsche sprechen vor allem Jugendliche und junge Männer an. Ihre Wählerschaft setzt sich zu einem großen Teil aus ehemaligen Nichtwählern zusammen.
Juli 1932	Aus den Reichstagswahlen geht die NSDAP mit 37,4 Prozent als stärkste Partei hervor. Hitler verlangt von Hindenburg die ganze politische Macht, die ihm Reichspräsident Hindenburg jedoch noch verweigert. Die Massenbasis der NSDAP bröckelt.
6. November 1932	Bei der Reichstagswahl erlangt die NSDAP nur noch 33 Prozent der Stimmen.
Januar 1933	Der ehemalige Reichskanzler Franz von Papen bietet Hitler in einem Geheimtreffen die Kanzlerschaft in einem national-konservativen Kabinett an.

Tab. 3.2: Die Entwicklung der NSDAP

Unbestritten ist, dass die NSDAP ein „Krisenphänomen" darstellt, das heißt, sie verdankt ihren Aufstieg der Weltwirtschaftskrise, aber ihre Anhänger kamen keineswegs nur aus unterprivilegierten Schichten, vielmehr aus allen sozialen Schichten der Bevölkerung, überwiegend aus dem protestantischen Lager. Manche Historiker sehen in der NSDAP die erste Volkspartei des 20. Jahrhunderts. Aus der Sicht der Nationalsozialisten hatte das parlamentarische System „abgewirtschaftet", die anderen Parteien verdienten kein Vertrauen mehr.

Neben der **Weltwirtschaftskrise** (→ Glossar, S. 245) ist aber auch die beharrliche **Organisationsarbeit** der NSDAP vor der ökonomischen Krise hervorzuheben. Seit 1925 entwickelte die NS-Führung systematisch eine straffe, hierarchisch strukturierte Organisation, die Hitler bedingungslos ergeben war. Daneben unterwanderte die NSDAP wichtige Berufsverbände, etwa Bauernverbände, den einflussreichen Reichslandbund oder den Deutschnationalen Handlungsgehilfenverband. Dabei entwickelte die NSDAP kaum konkrete Forderungen, ihre Parolen blieben plakativ und aggressiv gegen das parlamentarische System und den Versailler Vertrag sowie gegen die „internationale Judenverschwörung" gerichtet. Vor allem die Reichswehrführung betrachtete die NSDAP und ihre paramilitärische SA mit Misstrauen, weniger aus politisch-ideologischen Motiven, sie befürchtete vielmehr, dass ihr Waffenmonopol durch eine nationalsozialistische Bürgerkriegsarmee berührt werden könnte. Die wiederholten Legalitätsbekundungen Hitlers hatten unter anderem die Funktion, die Reichswehrführung zu überzeugen, dass seine „Bewegung" keine weiteren Putschversuche wie 1923 unternehmen werde. Unmittelbar nach Hitlers Ernennung zum Reichskanzler traf er sich mit führenden Generälen, um diesen ihre Sorge vor der SA zu nehmen. Die von Hitler veranlasste Ermordung von SA-Führern im Jahr 1934 war ähnlich motiviert.

Seit 1930 bemühten sich führende konservative Politiker um einen Kontakt zu Hitler. Sie machten Hitler gewissermaßen salonfähig, ebenso wie auch führende Unternehmer, die am 19. November 1932 bei Hindenburg massiv vorstellig wurden, Hitler zum Reichskanzler zu ernennen: *„Der Ausgang der Reichstagswahl vom 6. November d. J. hat gezeigt, dass das derzeitige Kabinett, dessen aufrechten Willen niemand im deutschen Volk bezweifelt, für den von ihm eingeschlagenen Weg keine ausreichende Stütze im deutschen Volke gefunden hat, dass aber das von Eurer Exzellenz gezeigte Ziel eine volle Mehrheit im deutschen Volke besitzt, wenn man – wie es geschehen muss – von der staatsverneinenden kommunistischen Partei absieht. Gegen das bisherige parlamentarische Parteiregime sind nicht nur die Deutschnationale Volkspartei und die ihr nahestehenden kleineren Gruppen, sondern auch die Nationalsozialistische Deutsche Arbeiterpartei grundsätzlich eingestellt und haben damit das Ziel Eurer Exzellenz bejaht. [...] Die Übertragung der verantwortlichen Leitung eines mit den besten sachlichen und persönlichen Kräften ausgestatteten Präsidialkabinetts an den Führer der größten nationalen Gruppe wird die Schlacken und Fehler, die jeder Massenbewegung notgedrungen anhaften, ausmerzen und Millionen Menschen, die heute abseits stehen, zu bejahender Kraft mitreißen."*

Das Schreiben an Hindenburg war unterzeichnet vom Reichsbankpräsidenten Hjalmar Schacht, Fritz Thyssen und weiteren bekannten Großkaufleuten und Industriellen.

Eberhard Czichon: Wer verhalf Hitler zur Macht? Pahl-Rugenstein, Köln, 1967, Seite 69 f.

Für alle politischen Akteure der bürgerlichen Mitte und erst recht für die konservativen Gruppierungen war also klar, dass es keine Rückkehr zur parlamentarischen Ordnung geben sollte. Unbehagen bereitete diesen Industriellen die unkontrollierbare paramilitärische SA, die maßgeblich den Straßenterror anheizte *(„Schlacken und Fehler, die jeder Massenbewegung notgedrungen anhaften")*. Aber wenn die NSDAP führend an einem neuen Präsidialkabinett beteiligt sein wird, würde sich die SA schon mäßigen, hofften sie. Ebenso unverhohlen wie die Industriellen formulierte Prälat Kaas, der Vorsitzende der Zentrumspartei: *„Wir wollen nicht wieder zurückfallen in*

den Parlamentarismus, sondern wir wollen dem Reichspräsidenten einen poli-
tischen und moralischen Rückhalt schaffen für eine autoritäre Regierung, die
vom Reichspräsidenten inspiriert und instruiert wird." Die Frage war nur, wie
man die NSDAP in das präsidiale System einbinden konnte.

Hindenburg hatte erhebliche Ressentiments gegenüber diesem „böh-
mischen Gefreiten", der eben kein veritables Adelsprädikat oder einen hohen militärischen Rang vorweisen konnte. Auch waren die führenden Eliten
über den Straßenterror der SA irritiert, der 1932 zu bürgerkriegsähnlichen Zu-
ständen geführt hatte. Erst die Kontakte mit dem ehemaligen Reichskanzler
von Papen im Januar 1933 beim Kölner Bankier Freiherr Kurt von Schroeder
ebneten Hitler den Weg ins Kanzleramt. Papen versicherte sich bei seiner
Intrige gegen seinen Nachfolger im Reichskanzleramt General von Schleicher der Unterstützung relevanter agrarischer Interessenorganisationen
und Unternehmer, während die Zustimmung durch wichtige gesellschaftliche Gruppen wie auch durch den Reichspräsidenten Hindenburg schwand.
Denn Schleicher hatte es gewagt, Kontakte mit den Gewerkschaften herzustellen und mit diesen über eine Lösung der ökonomischen Krise zu beraten.
Schleicher wollte nicht nur den linken Flügel der NSDAP in ein Lösungskon-
zept einbinden, sondern suchte auch die Kooperation mit den Gewerkschaften. Von der SPD erwartete er eine Fortsetzung ihrer Tolerierungspolitik. Als
Gegenleistung warb er mit einem Notstandsprogramm und Arbeitsbeschaffungsmaßnahmen. Dies war aus der Sicht von Hindenburg und seiner hoch-
konservativen Berater ein unverzeihlicher Sündenfall, den Schleicher unver-
züglich mit seiner Entlassung als Reichskanzler büßen musste.

Tipp	Der Historiker Detlev J. K. Peukert zum Ende der Weimarer Republik:
	[...] auch die *totalitäre Sammlungsbewegung* Hitlers [hätte] allein die
	Republik nicht stürzen können, obwohl sie eine überwältigende politische
	Dynamik entfaltete und obwohl sie sich zum Sprecher der Krisenängste
	eines guten Drittels aller Deutschen zu machen wusste. Aber die NSDAP
	hatte Ende 1932 offensichtlich bereits ihr gesamtes Wählerpotential ausge-
	schöpft und zeigte erste Verschleißerscheinungen. Nur dem [konservativ-
	bürgerlichen] Elitenkartell vom 30. Januar 1933 verdankte sie es, daß sie die
	zerstörerische Dynamik der nationalsozialistischen Bewegung zur „Macht-
	ergreifung" entfalten konnte. Die Freiheit starb etappenweise: Bis 1930
	hatten immer mehr Republikaner der Republik den Rücken gekehrt, hatten
	sich die Basiskompromisse von 1918 erschöpft. Damit war „Weimar" am
	Ende. 1930 zerstörte die Politik der Präsidialregime, was von der republi-
	kanischen Verfassung noch geblieben war, und schuf ein Machtvakuum,
	angesichts dessen auch die autoritären Pläne scheiterten.

Detlev J.K. Peukert, Die Weimarer Republik, Frankfurt/M. 1987, S. 261.

Ursachen für das Scheitern der Weimarer Demokratie

politische Ursachen	soziokulturelle Ursachen	ökonomische Ursachen
mangelnde demokratische Erfahrung, Kompromissunwilligkeit der Parteien, fehlender Basiskonsens	Elitenkontinuität vom Kaiserreich zur Weimarer Republik vor allem in den Bereichen Justiz, Schule, Hochschule, Verwaltung, Klassenjustiz	Die ökonomischen Folgen des Ersten Weltkriegs werden der jungen Demokratie angelastet: Inflation 1914–1923, Reparationen, Kriegsfolgekosten (Versorgung der Invaliden etc.).
Die politische Rechte und die Freikorps verweigern eine Zusammenarbeit mit den demokratischen Kräften, bekämpfen vehement die neue Ordnung.	Nichtverarbeitung der Kriegsniederlage, Großmachtfantasien bleiben daher lebendig, an die Dolchstoßlegende wird weithin geglaubt.	Modernisierung und Rationalisierung schaffen seit 1924 eine relativ hohe Dauerarbeitslosigkeit und ökonomische Unsicherheit.
Versailler Vertrag: Kriegsschuldartikel, Reparationen, Gebietsabtretungen, drastische Verkleinerung der Reichswehr etc. werden der jungen Republik angelastet.	Starke gesellschaftliche Fragmentierung, die soziokulturellen Lager des Kaiserreichs bleiben erhalten, Spaltung der Arbeiterbewegung in SPD und KPD, die sich gegenseitig erbittert bekämpfen.	Weltwirtschaftskrise und Massenarbeitslosigkeit verunsichern vor allem die bürgerlichen Zwischenschichten; Verelendung von weiten Teilen der Arbeiterschaft
Das Militär bekämpft die demokratische Ordnung, bildet „Staat im Staate", bereitet heimlich einen neuen Krieg vor.	Die Massenmedien sind weithin in der Hand antidemokratischer Eliten.	
übermächtige Stellung des Reichspräsidenten (u. a. Recht, das Parlament aufzulösen, Artikel 48 WRV)	antisemitische Traditionen, zumal bei den bürgerlichen Eliten und Zwischenschichten	
Präsidialregime seit 1930, die mit Art. 48 regieren. Sie wollen die politische und ökonomische Krise seit 1930 mit autoritären Maßnahmen lösen und wünschen keine Rückkehr zur parlamentarischen Demokratie.	Rascher Zerfall der bürgerlich-liberalen Mittelparteien (vor allem der DDP und DVP)	Der Krise der Staatsfinanzen wird durch eine ökonomisch problematische Deflationspolitik begegnet, sie verschärft die ökonomische Krise.
Demagogie und Terror der NSDAP, die von Justiz und Politik kaum bekämpft werden; Eskalation führt zu bürgerkriegsähnlichen Verhältnissen.		

Tab. 3.3: Das Scheitern der Republik

3.4 „Machtergreifung" und Machtsicherung der NSDAP 1933

Auf welche Weise gelang es den Nationalsozialisten, das politische System in extrem kurzer Zeit so umzugestalten, dass sie eine Alleinherrschaft etablieren konnten? Auf welche Weise gelang es den Nationalsozialisten, die Menschen ihrer Zeit für ihr System zu begeistern? Denn mit Terror gegen den politischen Gegner allein schafft man noch keine neue stabile politische Ordnung. Was boten die Nationalsozialisten ihren Zeitgenossen, um auf eine breite Zustimmung bauen zu können? Auf welche Weise erreichten sie die Herzen und Seelen einer großen Mehrheit ihrer Zeitgenossen, die ihnen gläubig vertrauten? Materielle Gratifikationen wurden zwar manchen Funktionsträgern der NS-Bewegung zuteil, aber nicht der Masse der Bevölkerung, im Gegenteil: Die materiellen Lebensverhältnisse der Masse der Menschen waren nicht besser als vor der Weltwirtschaftskrise.

Dem Kabinett Hitlers gehörten zunächst drei weitere Nationalsozialisten an: Wilhelm Frick, Joseph Goebbels und Hermann Göring.

Als Hindenburg Hitler am 30. Januar 1933 zum neuen Reichskanzler ernannte, war ein Großteil der Bevölkerung davon überzeugt, dass ein Präsidialregime durch ein anderes abgelöst wurde. Die konservativen Wegbereiter Hitlers waren gar der Überzeugung, dass sie Hitler „engagiert" hätten. Papen formulierte gegenüber einem Bekannten: *„Was wollen Sie denn, ich habe das Vertrauen Hindenburgs. In zwei Monaten haben wir Hitler in die Ecke gedrückt, dass er quietscht."*

Überblick: „Machtergreifung"

27. 2. 1933	Der Brand des Reichstags bildet den Anlass für eine Notverordnung vom 28. 2. zum „Schutz von Volk und Staat", durch die zentrale Grundrechte außer Kraft gesetzt werden.
5. 3. 1933	Die NSDAP erreicht bei den Reichstagswahlen mit 44 % keine absolute Mehrheit, sie benötigt weiterhin die Unterstützung der DNVP.
21. 3. 1933	Der „Tag von Potsdam", der eine Verbindung des Nationalsozialismus mit den preußischen Traditionen inszeniert, soll die zögernden bürgerlichen Mittelschichten beeindrucken.
23. 3. 1933	Das „Ermächtigungsgesetz" hebt die Gewaltenteilung auf, die Reichsregierung kann nun eigenmächtig Gesetze beschließen, die auch gegen die Verfassung verstoßen können.
31. 3. bis Anfang April 1933	Die Länder werden gleichgeschaltet. In den Länderparlamenten werden nun die Sitze wie bei den Reichstagswahlen vergeben.
2. 5. 1933	Verbot der Gewerkschaften und Beschlagnahmung ihres Vermögens
Juni/Juli 1933	Selbstauflösung der bürgerlichen Parteien, die SPD wird verboten, die KPD war bereits seit der Notverordnung vom 28. 2. in die Illegalität gedrängt.
14. 7. 1933	Gesetz, das die Neubildung von Parteien verbietet, die NSDAP wird damit zur einzig legalen Partei erklärt.
1934	Nach dem Tod Hindenburgs übernimmt Hitler das Amt des Reichspräsidenten; die in „Wehrmacht" umbenannte Reichswehr leistet nun ihren Eid auf den „Führer".

Tab. 3.4: Die Monate der „Machtergreifung"

Völlig übersehen wurde nicht nur von Papen, dass Hitler *„eben kein Politiker, sondern Ideologe und Revolutionär war, dass die herkömmlichen Kategorien der europäischen Politik ihm fremd und gleichgültig waren und dass er letzten Endes nur ein Ziel besaß: die Errichtung der Weltherrschaft einer überlegenen Rasse auf den Knochen der Unterlegenen."* (Hagen Schulze)

Die „Machtergreifung" (ein nationalsozialistischer Terminus – korrekter ist die Bezeichnung „Machtübertragung") war tatsächlich kein Vorgang weniger Tage, sondern ein Prozess, der anderthalb Jahre dauerte. Der **Reichstagsbrand** (→ Glossar, S. 239) vom 27. Februar 1933, dessen Urheberschaft immer noch nicht völlig geklärt ist (wahrscheinlich war es ein Einzeltäter), gab den Anlass für die unmittelbar darauf erlassene „**Verordnung zum Schutz von Volk und Staat**". Durch diese Verordnung wurden wesentliche Grundrechte der Verfassung außer Kraft gesetzt und der permanente Ausnahmezustand begründet. Die SA, zur Hilfspolizei erklärt, konnte nun „legal" Jagd auf Andersdenkende organisieren und diese verhaften. In diesem Klima der Einschüchterung fanden die Reichstagswahlen vom 5. März statt, die der NSDAP aber nicht die erhoffte Mehrheit brachte, sondern nur 43,9 % der Stimmen, sie war daher auf eine Koalition mit der DNVP angewiesen.

Zum „**Tag von Potsdam**" (21.3.1933) schrieb ein junger Mann in sein Tagebuch: *„Ein Flaggenmeer in allen Straßen* [in Leipzig]. *Auch wir konnten uns nicht ausschließen. Ich hole also die alte schwarz-weiß-rote Fahne aus dem Weltkrieg vom Boden herunter und hisse sie. [...] Am Vormittag Übertragung der Feiern in Potsdam über den Rundfunk. Alles geschickt, eindrucksvoll, ja hinreißend, jedenfalls für die Massen. Aber auch wir können und dürfen die Augen nicht verschließen vor dem, was hier geschieht. Heute und hier gelang die Vermählung, wenn nicht ewig, so doch auf Zeit, zwischen den von Hitler geführten Massen und dem ‚Geist von Potsdam', dem Preußentum, repräsentiert durch Hindenburg. Welch großartige Inszenierung durch den Meisterregisseur Goebbels! Die Fahrt Hindenburgs, der Regierung und der Abgeordneten geht von Berlin bis Potsdam durch ein einziges geschlossenes Spalier jubelnder Millionen. Ganz Berlin scheint auf der Straße zu sein. Regierung und Abgeordnete gehen von der Nikolai- zur Garnisonkirche zu Fuß. Glockenläuten und Kanonenschießen. Hindenburg betritt mit Hitler die Garnisonkirche. Der Rundfunksprecher weint fast vor Rührung. [...]*
Dann spricht Hitler. Es ist nicht zu leugnen: Er ist gewachsen. Aus dem Demagogen und Parteiführer, dem Fanatiker und Hetzer scheint sich – für seine Gegner überraschend genug – der wirkliche Staatsmann zu entwickeln. Also doch ein Genie, in dessen rätselhafter Seele ungeahnte und unerhörte Möglichkeiten liegen? Die Regierungserklärung zeichnet sich durch auffallende

Joseph Goebbels inszenierte diese Feier als symbolische Verbindung vom „alten und neuen Deutschland", um das NS-System in die Tradition des „ruhmreichen" Deutschen Kaiserreichs einzureihen.

Mäßigkeit aus. Kein Wort des Hasses auf die Gegner, kein Wort von Rassen-ideologie, keine Drohung nach innen oder außen."

E. Ebermayer: Denn heute gehört uns Deutschland ... Zsolnay, Hamburg/Wien, 1959, Seite 45.

Der gebildete, sicherlich aus bürgerlichem Milieu kommende Tagebuch-schreiber scheint sich offenkundig in seiner Bewertung von Hitler unsicher zu sein. Hitler bzw. Goebbels wollten vor dem Ermächtigungsgesetz die schwankenden bürgerlichen Zwischenschichten erreichen, das schien ihnen mit dem „Tag von Potsdam" weitgehend gelungen zu sein.

Am 23. März legte Hitler dem neuen Reichstag das **„Ermächtigungsgesetz"** (→ Glossar, S. 228) vor, das es der Regierung ermöglichte, Gesetze ohne das Parlament zu erlassen, die auch von der Reichsverfassung abweichen konn-ten. Exekutive und Legislative verschmolzen damit. Lediglich die SPD leistete gegen dieses Vorhaben, durch das Parlamentarismus und Demokratie besei-tigt werden sollten, mutig Widerstand.

Am 1. Mai wurde mit großem Pomp und organisatorischem Aufwand der „Tag der nationalen Arbeit" gefeiert und der 1. Mai zum gesetz-lichen Staatsfeiertag erklärt.

Am 2. Mai wurden die Freien Gewerkschaften verboten und ihr Vermögen beschlagnahmt, einen Monat später wurde die SPD aufgelöst, die KPD war bereits beim Reichstagsbrand verboten worden, sie agierte seither nur noch im Untergrund. Tausende von Mitgliedern der Arbeiterbewegung wurden verhaftet, in Konzentrationslager verbracht, gefoltert und getötet. Die üb-rigen Parteien lösten sich rasch selbst auf, Mitte 1933 gab es nur noch die NSDAP als legale Partei.

Zur „Machtergreifung" gehörte allerdings auch, dass sich die NSDAP der staatlichen Machtinstrumente (Bürokratie und Militär) bemächtigte. Durch das „Gesetz zur Wiederherstellung des Berufsbeamtentums" vom 7.4.1933 konnten hinderliche demokratische und vor allem jüdische Beamte ent-lassen und durch Parteigänger des NS ersetzt werden. Die Reichswehr, ins-besondere das Offizierskorps, stand der NSDAP reserviert gegenüber. Den konservativen Offizieren missfiel das primitive, gewalttätige Verhalten der SA, sie sah in dieser gewaltigen Truppe eine gefährliche Konkurrenz und be-fürchtete, dass die Reichswehr in der SA aufgehen könnte. Hitler stattete da-her unmittelbar nach seiner Ernennung zum Reichskanzler den führenden Generälen einen Besuch ab (am 3.2.1933) und versicherte ihnen, dass seine Ziele auch die der Reichswehr seien.

Generalleutnant Curt Liebmann verfasste über dieses Treffen ein Stichwort-
protokoll über die Ausführungen Hitlers:

*„Ziel der Gesamtpolitik allein: Wiedergewinnung der politischen Macht. Hier-
auf muss gesamte Staatsführung eingestellt werden (alle Ressorts!).*

*1. Im Innern. Völlige Umkehrung der gegenwärtigen innenpolitischen Zustän-
de in D[eutschland]. Keine Duldung der Betätigung irgendeiner Gesinnung,
die dem Ziel entgegensteht (Pazifismus!). Wer sich nicht bekehren lässt,
muss gebeugt werden. Ausrottung des Marxismus mit Stumpf und Stiel.
Einstellung der Jugend u[nd] des ganzen Volkes auf den Gedanken, dass
nur der Kampf uns retten kann [...] Ertüchtigung der Jugend und Stärkung*

Überblick: Außenpolitik des „Dritten Reiches"; Verlauf des Zweiten Weltkriegs

3. 2. 1933	Bei einem geheimen Treffen Hitlers mit Generälen der Reichswehr kündigt er den (militärischen) Kampf gegen den Versailler Vertrag und die Aufrüstung der Reichswehr an.
Oktober 1933	Deutschland tritt aus dem Völkerbund aus.
1934	Nichtangriffspakt mit Polen
1935	Die allgemeine Wehrpflicht wird eingeführt (Bruch des Versailler Vertrags). Flottenabkommen mit England
1936	Einmarsch in die entmilitarisierte Zone im Rheinland; Deutschland greift in den Spanischen Bürgerkrieg ein; Achse zwischen Italien und dem Deutschen Reich
1937	Hoßbach-Protokoll: Hitler entwickelt vor Generälen seine Kriegspläne.
1938	„Anschluss" Österreichs an das Deutsche Reich. Hitler erklärt, die erzwungene Abtretung des Sudeten-landes sei die letzte territoriale Forderung des Deutschen Reichs.
29. 9. 1938	Deutschland, Großbritannien, Italien und Frankreich beschließen im Münchener Abkommen die Abtretung des Sudetenlandes.
15. 3. 1939	Deutsche Truppen marschieren in Prag ein und errichten das „Reichsprotektorat Böhmen und Mähren".
23. 8. 1939	Hitler-Stalin-Pakt mit geheimen Zusatzabkommen zur Aufteilung Polens
1. 9. 1939	Der Überfall auf Polen löst den Zweiten Weltkrieg aus.
1940	Angriff auf Dänemark und Eroberung Norwegens; „Blitzkrieg" gegen die Niederlande und Belgien
Juni 1940	Deutsche Truppen besetzen Paris; Luftkrieg gegen England
1941	Jugoslawien und Griechenland werden von deutschen Truppen besiegt und besetzt. Überfall auf die UdSSR. In der Atlantik-Charta legen Churchill und Roosevelt ihre politischen und militärischen Ziele fest.
7. 12. 1941	Japanischer Angriff auf Pearl Harbor
1942/43	Durch die Schlacht um Stalingrad kommt es zur kriegsentscheidenden Wende, die 6. Armee kapituliert.
1943	Amerikanische Truppen landen in Sizilien.
1944	Rückeroberung Frankreichs vor allem durch amerikanische Truppen
20. 7. 1944	Das Attentat auf Hitler misslingt.
27. 1. 1945	Befreiung von Auschwitz durch sowjetische Truppen
Februar 1945	Konferenz von Jalta: Die „Großen Drei" (Stalin, Roosevelt und Churchill) beschließen die Nachkriegsordnung und die Besetzung von Deutschland.
1945	Bedingungslose Kapitulation Deutschlands und Waffenstillstand am 8. Mai. Kurz nach den Abwürfen von Atombomben auf Hiroshima (6. August) und Nagasaki (9. August) kapituliert Japan.

Tab. 3.5: Außenpolitk und Zweiter Weltkrieg

des Wehrwillens mit allen Mitteln. Todesstrafe für Landes- und Volksverrat. Straffste autoritäre Staatsführung. Beseitigung des Krebsschadens der Demokratie!

2. *Nach außen. Kampf gegen Versailles. Gleichberechtigung in Genf; aber zwecklos, wenn Volk nicht auf Wehrwillen eingestellt. [...]*

4. *Aufbau der Wehrmacht wichtigste Voraussetzung für Erreichung des Ziels: Wiedererringung der politischen Macht. Allgemeine Wehrpflicht muss wiederkommen. Zuvor aber muss Staatsführung dafür sorgen, dass die Wehrpflichtigen vor Eintritt nicht schon durch Pazifismus, Marxismus, Bolschewismus vergiftet werden oder nach Dienstzeit diesem Gifte verfallen. [...] Eroberung neuen Lebensraums im Osten und dessen rücksichtslose Germanisierung."*

Hans-Adolf Jacobsen u. a. (Hg.): Ausgewählte Dokumente zur Geschichte des Nationalsozialismus. Verlag Neue Gesellschaft, Bielefeld, 1966.

Am 31. März und am 7. April 1933 wurden zwei Gesetze zur „Gleichschaltung der Länder" verabschiedet. Analog zum Ermächtigungsgesetz erhielten die Länderregierungen das Gesetzgebungsrecht, die Landtage wurden entsprechend den Mehrheitsverhältnissen der Reichstagswahl vom 5. März umgebildet. Die Kommunisten konnten ihre Mandate nicht wahrnehmen. Bei dem zweiten Gesetz wurden Reichsstatthalter installiert, die das Recht hatten, Länderregierungen nach eigenem Ermessen zu bilden. Auf diese Weise wurde ein möglicher Widerstand gegen die Reichsregierung durch die Reichsländer, mithin auch die vertikale Gewaltenteilung ausgehebelt.

Unter den Mordopfern waren u.a. zahlreiche SA-Führer. Heinrich Brüning konnte sich rechtzeitig ins Ausland absetzen.

Hitler sah in dem Stabschef der SA, Ernst Röhm, eine ernsthafte und bedrohliche Konkurrenz. Im Sommer 1934 wurde diese mithilfe der Reichswehr und vor allem der SS ausgeschaltet. Bei dieser Gelegenheit wurden auch andere Gegner Hitlers, unter anderem sein Vorgänger im Amt des Reichskanzleramts, General von Schleicher, getötet. Da die Reichswehr bei diesen Mordaktionen mit Hunderten von Toten mehr oder minder beteiligt war, machte sie sich zum Komplizen des neuen Unrechtsstaates und Terrorregimes.

Am 1. August 1934 schließlich vereinigte Hitler nach dem Tod des Reichspräsidenten Hindenburg das Amt des Reichskanzlers mit dem des Reichspräsidenten; er nannte sich hinfort „Führer und Reichskanzler". Am Tag danach ließ er die Wehrmacht auf sich persönlich als Obersten Befehlshaber vereidigen; das Gelöbnis sah einen „unbedingten Gehorsam" vor.

In dieser Zeit fanden nicht nur Bücherverbrennungen von Werken missliebiger Autoren statt. An den Universitäten wurden liberale Professoren entlassen oder zur Emigration gezwungen. Hitler versuchte auch, sich die Kirchen botmäßig zu machen. Dies gelang ihm aber nur ansatzweise. Gegen die Bewegung der **„Deutschen Christen"**, die ein „artgemäßes" Christentum mit Führerideologie und einem von seinen jüdischen Traditionen gereinigten „Jesus" propagierten, entfaltete sich die **Bekennende Kirche** (→ Glossar, S. 222), die sich nicht den nationalsozialistischen Ansprüchen unterwarf. Und obgleich ein beachtlicher Teil der katholischen Bischöfe bereits vor dem **Konkordat** (→ Glossar, S. 232) dem neuen Führerstaat bereitwillig ideologische Schützenhilfe leistete, regte sich vor allem in der katholischen Kirche ein nachhaltiger Widerstand (→ Seite 141) gegen die Instrumentalisierung der Kirche, dem die NS-Bewegung nicht dauerhaft Herr wurde.

„Verfolgung und Gewalt waren die eine Seite des Regimes, Verführung und Faszination die andere." (Hagen Schulze) Hier gab es beträchtliche Angebote nicht nur zur Identifikation, sondern auch zur praktischen Mitarbeit am NS-Regime, die dem diktatorischen System rasch eine beachtliche Stabilität gab. Dazu zählten einmal außenpolitische Erfolge, die zwar bereits von den Vorgängerregierungen vorbereitet worden waren, die aber das NS-System für sich verbuchen konnte, und ebenso innenpolitische, wie der deutliche Rückgang der Arbeitslosigkeit durch die Erholung der Weltkonjunktur und durch die nationalsozialistischen Arbeitsbeschaffungsmaßnahmen.
Daneben wurden zahlreiche soziale Gruppen durch die Nationalsozialisten hofiert, Bauern konnten sich durch Schutzzölle höhere Absätze versprechen, Handwerk und Kleinbetriebe wurden durch schärfere Regelungen bei der Errichtung von Meisterbetrieben geschützt, die Großindustrie profitierte nicht nur von der Zerschlagung der Gewerkschaften, sondern auch von erhöhten Rüstungsausgaben usw. Jede gesellschaftliche Schicht erfuhr eine manipulative Huldigung durch das neue Regime, die zwar nicht immer im Geldbeutel spürbar wurde, aber eine soziale Anerkennung und Aufwertung verhieß. Bei den präzise inszenierten Massenaufmärschen zu zahllosen Anlässen wurde den Beteiligten das Gefühl vermittelt, an einem neuen und großen Werk beteiligt zu sein. Bei den Olympischen Spielen 1936 in Berlin stand Deutschland im Rampenlicht der Weltöffentlichkeit. Um dieses Großereignis nicht zu trüben, wurde sogar die antisemitische Agitation kurzzeitig zurückgenommen. Die Organisation **„Kraft durch Freude" (KdF)** versprach Urlaub für alle.

Im „Dritten Reich" wurde der Jahresurlaub auf zwei bis drei Wochen verlängert.

Der ehemalige englische Premierminister Lloyd George berichtete im Daily-Express vom 17. September 1936 über seine Deutschlandreise: *„Ich bin eben von einem Besuch in Deutschland zurückgekehrt. Ich habe jetzt den berühmten* *deutschen Führer gesehen und auch etliches von dem großen Wechsel, den er herbeigeführt hat. Was immer man von seinen Methoden halten mag – es sind bestimmt nicht die eines parlamentarischen Landes –, es besteht kein Zweifel, dass er einen wunderbaren Wandel im Denken des Volkes herbeigeführt hat. Zum ersten Mal nach dem Krieg herrscht ein allgemeines Gefühl der Sicherheit. Die Menschen sind fröhlicher. [...] Es ist ein glücklicheres Deutschland. Überall habe ich das gesehen, und Engländer, die ich während meiner Reise traf und die Deutschland gut kannten, waren von dem Wandel tief beeindruckt.*

Dieses Wunder hat ein Mann vollbracht. Er ist der geborene Menschenführer. Eine magnetische, dynamische Persönlichkeit mit einer ehrlichen Absicht, einem entschlossenen Willen und einem unerschrockenen Herzen. Er ist nicht nur dem Namen nach, sondern tatsächlich der nationale Führer. [...] Die Alten vertrauen ihm; die Jungen vergöttern ihn. Es ist nicht die Bewunderung, die einem Volksführer gezollt wird. Es ist die Verehrung eines Nationalhelden, der sein Land aus völliger Hoffnungslosigkeit und Erniedrigung gerettet hat."

Und unter völliger Verkennung der Realitäten meint Lloyd George: *„Die Aufrichtung einer deutschen Hegemonie in Europa, Ziel und Traum des alten Militarismus vor dem Kriege, liegt nicht einmal am Horizont des Nationalsozialismus. Deutschlands Bereitschaft zu einer Invasion in Russland ist nicht größer als die zu einer militärischen Expedition auf den Mond."*

Philipp W. Fabry: Mutmaßungen über Hitler. Urteile von Zeitgenossen. Athenäum-Verlag, Königstein/Ts., 1979, Seite 216 f.

Überblick: Ausgrenzung und Vernichtung der deutschen und europäischen Juden

1933	Verbot für Juden, als Beamte tätig zu sein; Boykott gegen jüdische Geschäfte
1935	Durch die Nürnberger Rassengesetze werden Juden Staatsbürger minderen Rechts.
1938	Reichspogromnacht am 9. und 10. November; die Juden werden zu einer „Buße" von 1 Mrd. Reichsmark gezwungen, Geschäfte werden „arisiert", zahlreiche Juden werden in Konzentrationslager deportiert. Willkommener Anlass war das Attentat des siebzehnjährigen Herschel Grynszpan in Paris auf einen deutschen Legationssekretär.
1939	Juden werden gezwungen, einen jüdischen Vornamen (Sara und Israel) anzunehmen.
1940	In den besetzten Gebieten werden Ghettos errichtet und erste Massenerschießungen finden statt.
1941	Zwang zum Tragen des Judensterns
1942	Wannseekonferenz beschließt „Endlösung" der Judenfrage, Beginn der systematischen und fabrikmäßig organisierten Massentötung von Juden in Vernichtungslagern; Massendeportationen in diese Lager aus Deutschland und den besetzten Staaten
1943	Am 19. April wollte die SS das Warschauer Ghetto mit Panzern auflösen, nach mehrwöchigen verzweifelten Kämpfen wird das Ghetto dem Erdboden gleichgemacht und fast alle Aufständischen werden getötet. (Dieser Ghetto-Aufstand sollte nicht mit dem Warschauer Aufstand des polnischen Widerstands vom August 1944 verwechselt werden, dessen Ziel es war, die polnische Hauptstadt aus eigener Kraft von den Deutschen zurückzuerobern.)

Tab. 3.6: Antisemitismus

3.5 Wirtschafts- und Sozialpolitik des NS-Regimes

Bereits vor der nationalsozialistischen „Machtergreifung" ging die Massenarbeitslosigkeit zurück, da sich die Weltkonjunktur allmählich wieder erholte. Einige auch arbeitsmarktpolitisch motivierte Maßnahmen, vor allem aber die systematische Aufrüstungspolitik, führten zu einer raschen Entspannung auf dem Arbeitsmarkt. Allerdings wird in diesem Zusammenhang der **Autobahnbau**, der bereits von der Vorgängerregierung vorbereitet worden war, oft erheblich überschätzt. Die NS-Regierung investierte bis Ende 1934 etwa fünf Milliarden Reichsmark zur Bekämpfung der Arbeitslosigkeit.

Arbeitsbeschaffung und „Wehrhaftmachung"

Vermindert wurde die Arbeitslosigkeit weiterhin durch die drastische, kreditfinanzierte Aufrüstungspolitik, die Wiedereinführung der Allgemeinen Wehrpflicht und durch die Einführung des **Reichsarbeitsdienstes** (→ Glossar, S. 239) (RAD) im Jahr 1935. In dieser Zeit erreichte die Industrieproduktion wieder den Stand von 1928 und die Zahl der Arbeitslosen sank kontinuierlich. Auf diese Weise erreichte das NS-Regime eine beachtliche Zustimmung in der deutschen Bevölkerung. Durch die Maßnahmen zur Kriegsvorbereitung (Vierjahresplan 1936) wurde annähernd Vollbeschäftigung erreicht.

RAD-Angehörige (die nur ein geringfügiges Taschengeld bekamen) wurden nicht mehr in der Arbeitslosenstatistik geführt.

	Männer		Frauen	
	qualifiziert	ungelernt	qualifiziert/spezialisiert	ungelernt
1928	95,9	75,2	60,3	49,8
1933	70,5	62,3	58,7	43,4
1936	78,3	62,2	51,6	43,4
1937	78,5	62,3	51,5	43,4
1938	79,0	62,6	51,5	44,0
1940	79,2	63,0	51,5	44,1
1941	80,0	63,9	51,9	44,5
1942	80,8	64,1	52,3	44,6

Nach: Ch. Bettelheim: Die deutsche Wirtschaft unter dem Nationalsozialismus. Trikont, München, 1974, Seite 230.

Tab. 3.7: Entwicklung der durchschnittlichen Stundenlöhne nach anerkannten Tarifen für die bestbezahlten Altersklassen in 17 Industriezweigen (1928–1942 in Reichspfennig)

1933	1937	1938
105,1	100,1	99,3

Nach: Eike Hennig: Thesen zur deutschen Sozial- und Wirtschaftsgeschichte 1933 bis 1938. Suhrkamp, Frankfurt, 1973, Seite 210.

Tab. 3.8: Index der Reallöhne (1936 = 100)

Aus Hitlers Denkschrift zum Vierjahresplan 1936

„Kurz zusammengefasst: Ich halte es für notwendig, dass nunmehr mit eiserner Entschlossenheit auf all den Gebieten eine 100-prozentige Selbstversorgung eintritt, auf denen diese möglich ist und dass dadurch nicht nur die nationale Versorgung mit diesen wichtigsten Rohstoffen vom Ausland unabhängig wird, sondern dass dadurch auch jene Devisen eingespart werden, die wir im Frieden für die Einfuhr unserer Nahrungsmittel benötigen. Ich möchte dabei betonen, dass ich in diesen Aufgaben die einzige wirtschaftliche Mobilmachung sehe, die es gibt, und nicht in einer Drosselung von Rüstungsbetrieben im Frieden zur Einsparung und Bereitlegung von Rohstoffen für den Krieg. [...]

Es sind jetzt fast 4 kostbare Jahre vergangen. Es gibt keinen Zweifel, dass wir schon heute auf dem Gebiet der Brennstoff-, der Gummi- und zum Teil auch in der Eisenerzversorgung vom Ausland restlos unabhängig sein könnten. Genau so wie wir zur Zeit 7 oder 800 000 t Benzin produzieren, könnten wir 3 Millionen t produzieren. [...] Man hat nun Zeit genug gehabt, in 4 Jahren festzustellen, was wir nicht können. Es ist jetzt notwendig, auszuführen, das, was wir können.

Ich stelle damit folgende Aufgabe:

I. Die deutsche Armee muss in 4 Jahren einsatzfähig sein.

II. Die deutsche Wirtschaft muss in 4 Jahren kriegsfähig sein."

Nach: Vierteljahrshefte für Zeitgeschichte 3 (1955), Seite 204 ff.

Bereits 1933 wurden die Gewerkschaften zerschlagen und ihre Aufgaben der „Deutschen Arbeitsfront" (DAF) übertragen. Dadurch wurde die Arbeiterschaft ihres wichtigsten Instruments zur Verteidigung ihrer Interessen beraubt, zumal auch das Streikrecht abgeschafft wurde. Auf lohnpolitische Entscheidungen nahm die DAF nur in „beratender" Weise Stellung, die Löhne wurden vielmehr von „Treuhändern der Arbeit" festgelegt, die dem Reichsarbeitsministerium nachgeordnet waren. Das Realeinkommen der Arbeiterschaft blieb – auch nach der Beseitigung der Massenarbeitslosigkeit – deutlich unter dem Niveau vor der Weltwirtschaftskrise.

> Diese „Treuhänder der Arbeit" kümmerten sich bisweilen um die „Verschönerung" der Betriebe und um die „Erhaltung des Arbeitsfriedens".

Mutterkult und Familienpolitik

Das Regime bemühte sich propagandistisch um die Entwicklung eines Mutterkultes, aber auch finanziell um die Förderung von Familien mit möglichst vielen Kindern. Jungverheiratete Ehepaare bekamen zinslose Ehestandsdarlehen, sofern die Frau ihre Berufstätigkeit aufgab, und diverse Steuerermäßigungen. Der Muttertag, eine amerikanische Erfindung, wurde in die Palette der Familienpropaganda integriert. Kinderreiche Familien sollten durch finanzielle Zuwendungen gefördert werden, Mutterschaftskreuze ehrten

Mütter mit mehreren Kindern, Kindergeld gab es seit 1938 ab dem dritten Kind. Im „Dritten Reich" ging aber weder die Frauenbeschäftigung zurück, zumal Frauenarbeit für Unternehmen billiger war als Männerarbeit, noch stieg die durchschnittliche Kinderzahl pro Familie in der NS-Zeit.

Autarkiepolitik und Aufrüstung

Die Industriellen vor allem der Schwerindustrie konnten ihre 1932 in die NS-Führung gesetzten Hoffnungen rasch bestätigt sehen, zum einen was die Verbesserung ihrer Arbeitgeberrechte betraf, und zum anderen bescherte ihnen die Aufrüstungspolitik volle Auftragsbücher. Ferner wurde der Außenhandel staatlich reglementiert. Wegen der notorischen Devisenknappheit sollten möglichst wenig Fertigwaren importiert werden, allenfalls wichtige Rohstoffe, die in Deutschland nicht verfügbar waren. Die nationalsozialistische Wirtschaftspolitik bemühte sich um eine Autarkie, also um eine Unabhängigkeit von Rohstofflieferungen aus dem Ausland. Dazu wurde eine Ersatzstoffproduktion vor allem bei der Benzin- und Kautschuksynthese (vor allem zur Herstellung von Gummireifen) sowie bei der Kunstfaserproduktion vorangetrieben. Mit synthetischem Treibstoff aus Kohle wollte man der Abhängigkeit von Ölimporten begegnen. In den staatlichen „Eisenhütten Hermann Göring" wurden minderwertige deutsche Erze verarbeitet, für die Privatwirtschaft waren diese Verfahren nicht rentabel. Diese Autarkiepolitik barg zwangsläufig hohe finanzielle Risiken, vor denen sachkundige Ökonomen warnten.

Ökonomische Rentabilitätsaspekte spielten in der Politik eine nachrangige Rolle.

Der Reichsbankpräsident Hjalmar Schacht, einer der Wegbereiter Hitlers, urteilte 1953 über die Erweiterung des Erzbergbaus durch die „Hermann-Göring-Werke": *„In die Ausbeutung der sogenannten Salzgittererze im Braunschweigischen wurden von Hermann Göring nicht Millionen, sondern Milliarden hineingesteckt. Da die Unrentabilität dieses Erzbergbaus bei den damaligen Verhüttungsmethoden sofort zutage trat, kauften die Hermann-Göring Werke alle möglichen sonstigen Unternehmungen auf, die eine Rente abwarfen und dazu dienen sollten, die Verluste aus der Erzverarbeitung wenigstens etwas zu verdecken. Die Mittel hierzu mussten samt und sonders in der Form von Krediten oder Aktieneinzahlungen vom Reich aufgebracht werden."*

Hjalmar Schacht: 76 Jahre meines Lebens. Kindler und Schiermeyer, Bad Wörishofen, 1953, Seite 465.

Rüstungsausgaben und Volkseinkommen 1932–1938 in Mrd. RM

Haushaltsjahr	Rüstungsausgaben	Volkseinkommen	Rüstungsausgaben in % des Volkseinkommens
1932	0,6	45,2	1,3
1933	0,7	46,5	1,5
1934	4,1	52,8	7,8
1935	5,5	59,1	9,3
1936	10,3	65,8	15,7
1937	11,0	73,8	15,0
1938	17,2	82,1	21,0

Tab. 3.9: Die Entwicklung der Rüstungsausgaben 1932–1938

„Die außergewöhnliche Steigerung der Rüstungsausgaben von 1937 auf 1938 ist allerdings auch darauf zurückzuführen, dass viele Aufträge, die in den voraufgegangenen Jahren vergeben worden sind, erst 1938 fertiggestellt werden können, weil die Produktionskapazität der Rüstungsindustrie in den Anfangsjahren der ns. Herrschaft noch relativ berenzt ist."

Zit. nach Fritz Blaich: Wirtschaft und Rüstung im „Dritten Reich". Schwann, Düsseldorf, 1987, Seite 83.

Staatsverschuldung

Um diese und andere Maßnahmen zu finanzieren, betrieb die NS-Führung – entgegen manchen Warnungen – eine Politik der Neuverschuldung. Sie betrug für den Zeitraum von 1933 bis 1937 über 40 Milliarden Reichsmark! Das waren mehr als das Dreifache der Einnahmen des Reiches im Jahr 1937. Der Anteil, der für Rüstungszwecke ausgegeben wurde, stieg kontinuierlich (→ Tab. 3.9). 1938 wurde die Hälfte aller Staatsausgaben oder mehr als ein Fünftel des Volkseinkommens für Rüstungszwecke eingesetzt. Um die damit einhergehende Verschuldungsproblematik zu verschleiern, entwickelte Hjalmar Schacht das System der **Mefo-Wechsel**, die letztlich ein Darlehen der Reichsbank an den Staat waren. Zugleich wurde schlicht Geld gedruckt, also eine inflationäre Geldpolitik betrieben. Weiterhin erhielt der Staat beträchtliche Mittel durch die erzwungenen „Arisierungen" von jüdischen Geschäften. Nach dem Novemberpogrom von 1938 mussten die deutschen Juden eine „Judenbuße" von einer Milliarde Reichsmark als „Sühnezahlung" aufbringen, die dem Reichshaushalt bzw. der Aufrüstung zugutekam.

Durch den erzwungenen „Anschluss" Österreichs im März 1938 erhielt das Deutsche Reich weitere Devisen, die den überschuldeten Reichshaushalt entlasteten, ebenso nach der Besetzung des Sudetenlandes. Während des Zweiten Weltkriegs finanzierten sowohl Fremdarbeiter, als auch die den

Als Reichsbankpräsident Schacht die Staatsverschuldung 1939 kritisierte, wurde er aus diesem Amt entlassen, blieb aber Minister ohne Geschäftsbereich.

besetzten Ländern aufgezwungenen Besatzungskosten einen beachtlichen Teil der Kriegskosten. Die Zahl der männlichen deutschen Arbeitskräfte nahm während des Krieges drastisch ab, da die Wehrmacht ständig vergrößert wurde. (Die Zahl der weiblichen Arbeitskräfte lag in diesem Zeitraum ziemlich konstant bei 14 bis 15 Mio.) An die Stelle der eingezogenen Männer traten in zunehmendem Maße Kriegsgefangene und Fremdarbeiter. Die vorletzte Spalte der folgenden Tabelle gibt die Höhe der gefallenen Soldaten an, die letzte Spalte die Zahl der noch lebenden Wehrmachtsangehörigen.

Zeitpunkt	Männer	Ausl. / Kriegsgef.	Wehrmacht	Wehrmachtsverluste kumuliert	Aktivbestand d. Wehrmacht
1939	24,5	0,3	1,4	–	1,4
1940	20,4	1,2	5,7	0,1	5,6
1941	19,0	3,0	7,4	0,2	7,2
1942	16,9	4,2	9,4	0,8	8,6
1943	15,5	6,3	11,2	1,7	9,5
05/1944	14,2	7,1	12,4	3,3	9,1
09/1944	13,5	7,5	13,0	3,9	9,1

Tab. 3.10: Arbeitskräftemobilisierung (einschl. Österreich, Sudetenland und Memelgebiet) in Mio.

Jahr	insgesamt	Landwirtschaft	Industrie
1941	3,0	1,5	1,0
1942	4,2	2,0	1,4
1943	6,3	2,3	2,8
1944	7,1	2,6	3,2

Weiterhin arbeiteten Fremdarbeiter und Kriegsgefangene im Handwerk und beim Verkehr.

Tab. 3.11: Einsatz von „Fremdarbeitern" in Mio.

Land	1940	1943	insgesamt
Frankreich	1,75	11,10	32,25
Niederlande	0,80	2,20	8,75
Belgien	0,35	1,60	5,70
Dänemark	0,20	0,55	2,00
Italien ab 09/1943		2,00	10,00
übrige Länder	0,90	7,55	22,30
Summe	4,00	25,00	84,00

Fritz Blaich: Wirtschaft und Rüstung im „Dritten Reich". Schwann, Düsseldorf, 1987, Seiten 105 und 120.

Tab. 3.12: An das Deutsche Reich gezahlte Besatzungskosten in Mrd. RM

Ende 1932	3 560 Mio. RM
Ende 1933	3 645 Mio. RM
Ende 1934	3 901 Mio. RM
Ende1935	4 285 Mio. RM
Ende Oktober 1936	4 713 Mio. RM
Ende Oktober 1937	5 275 Mio. RM
Ende Oktober 1938	7 744 Mio. RM
Ende Oktober 1939	11 000 Mio. RM
Ende Februar 1940	11 877 Mio. RM
Ende 1940	12 101 Mio. RM
Ende Mai 1941	13 976 Mio. RM
Ende April 1942	20 047 Mio. RM
Ende August 1943	25 442 Mio. RM
Ende Dezember 1943	33 683 Mio. RM

Nach: Ch. Bettelheim: Die deutsche Wirtschaft unter dem
Nationalsozialismus. Trikont, München, 1974, Seite 292.

Tab. 3.13: Notenumlauf der Reichsbank 1932–1943 (in Mio. RM)

Abb. 3.11: Gründe für die Zustimmung zum NS-Regime

3.6 NS-Innen- und -Außenpolitik

Etappen der Revision des Versailler Vertrags

1935
- ⊙ Einführung der allgemeinen Wehrpflicht
- ⊙ englisch-deutsches Flottenabkommen

1936
- ⊙ Deutschland und Italien intervenieren im Spanischen Bürgerkrieg
- ⊙ Aufrüstungspolitik
- ⊙ militärische Besetzung des Rheinlandes

1937
- ⊙ Hoßbach-Protokoll: Hitler verkündet Wehrmachtsgenerälen sein Eroberungsprogramm

1938
- ⊙ „Anschluss" Österreichs an das Deutsche Reich
- ⊙ **Münchener Abkommen** (→ Glossar, S. 235)

1939
- ⊙ Besetzung der „Rest-Tschechei"
- ⊙ Überfall auf Polen

1937 wird durch die deutsche Luftwaffe (Legion Condor) die spanische Stadt Gernica (Guernica) zerstört.

Die Appeasement-Politik

Appeasement-Politik meint eine Haltung der Beschwichtigung, der Zugeständnisse, des Entgegenkommens oder der Zurückhaltung, mit der man Aggressoren entgegenkommt, um einen größeren Konflikt, z. B. einen Krieg, zu vermeiden. Dieser Begriff steht für die Politik der britischen Regierung von Premierminister Neville Chamberlain, der 1938 die Annexion des Sudetenlandes und 1939 die der „Rest-Tschechei" durch das NS-Regime hinnahm, um einen erneuten Krieg mit Deutschland abzuwenden.

Großbritannien war bereits während der ersten Jahre des Nationalsozialismus bereit, die aggressive Revisionspolitik des Deutschen Reichs hinzunehmen (Wiederbewaffnung, Aufrüstung, Einmarsch in entmilitarisierte Zone etc.). Es war auch bereit zu akzeptieren, dass Deutschland nach dem „Anschluss" Österreichs eine Vormachtstellung in Südosteuropa einnahm. England und noch mehr Frankreich waren aus militärischen wie auch aus innenpolitischen Gründen nicht zu einem Krieg gegen das nationalsozialistische Deutschland bereit.

Als Hitler schließlich die **Sudetenkrise** herbeiführte, war das – im Gegensatz zum „Anschluss" Österreichs – keine innenpolitische Angelegenheit mehr, die allein Deutschland und Österreich betraf (obgleich damit erneut gegen den Versailler Vertrag verstoßen wurde). Auf einer internationalen Konferenz in München im September 1938 gaben die Westmächte England und Frankreich Hitler in der Sudetenkrise nach. Freilich wurde auf diese Weise keineswegs der Krieg verhindert, auf den Hitler gezielt hinarbeitete, sondern allenfalls hinausgezögert. Als dann Hitler den verbliebenen Teil Tschechiens annektierte („Zerschlagung der Rest-Tschechei", die Slowakei wird Satellitenstaat), rüsteten England und Frankreich forciert auf. In England war vor allem Churchill an einem Umschwung der politischen Stimmung beteiligt. Nach dem Überfall auf Polen erklärten zwar Frankreich und England den Krieg gegen das nationalsozialistische Deutschland, griffen aber nicht militärisch ein. Erst als Hitler 1940 die Beneluxländer und Frankreich angriff, löste Churchill Chamberlain ab. Die „Luftschlacht über England" (bis Frühjahr 1941) gewann die überlegene Royal Air Force.

1939 erpresste Hitler den tschechischen Staatspräsidenten Emil Hácha mit der Drohung, Prag bombardieren zu lassen. Hacha musste einen Protektoratsvertrag unterzeichnen

Abb. 3.12: Pablo Picasso „Guernica". Eines der berühmtesten Bilder des Künstlers, es ist eine Reaktion auf die Bombardierung der spanischen Stadt Gernika (kastilisch: Guernica) durch die deutsche Fliegerabteilung Legion Condor. – © Succession Picasso/VG Bild-Kunst, Bonn 2012

Synopse zur innen- und außenpolitischen Entwicklung im „Dritten Reich"

	Innenpolitik	Außenpolitik
1933	**1. April:** Boykott gegen jüdische Geschäfte, Ärzte und Rechtsanwälte; begründet wird dies mit der angeblichen „Gräuelhetze ausländischer Juden". **7. April:** „Gesetz zur Wiederherstellung des Berufsbeamtentums": Beamte „nichtarischer Abstammung", auch mit einem jüdischen Großelternteil (also „Vierteljuden") werden entlassen. „Säuberungsaktionen" an den Universitäten. Es folgen Gesetze, die die Juden in Deutschland aus dem öffentlichen und kulturellen Leben ausschalten. Hinzu kommen persönliche Schikanen, Juden wird u. a. das Betreten von öffentlichen Anlagen und die Benutzung öffentlicher Verkehrsmittel verboten. **Juni und September:** Gesetze zur Verminderung der Arbeitslosigkeit: Der Reichsfinanzminister darf Schatzanweisungen bis zu einer Milliarde RM zur Finanzierung von Arbeitsbeschaffungsvorhaben ausgeben. Der Autostraßenbau dient der Verringerung der Zahl arbeitsloser Arbeitskräfte. Die Wirtschaftsbelebung erfolgt zu Lasten der Arbeitnehmer, die einem Lohnstopp – orientiert an dem niedrigen Stand der Löhne während der Weltwirtschaftskrise – unterworfen werden. **22. Juli:** Konkordat zwischen dem Deutschen Reich und dem Vatikan, in dem das NS-Regime der katholischen Kirche Bewegungsfreiheit verspricht. Hitler hält sich allerdings nicht an die Abmachung, doch bedeutet sie – innen- wie außenpolitisch – eine beachtliche Aufwertung des Systems. Im Gegenzug löst sich die Zentrumspartei selbst auf.	**Oktober:** Deutschland tritt aus dem Völkerbund aus. Hitler bekundet damit seine Ablehnung einer Politik kollektiver Sicherheit. Hitler nimmt die Gefahr der politischen Isolierung in Kauf, um aufrüsten zu können. Durch eine Volksabstimmung lässt sich Hitler diese Maßnahmen bestätigen.
1934	**20. Januar:** Gesetz zur Ordnung der nationalen Arbeit: Beseitigung der Betriebsräte und Einführung des Führerprinzips in Betrieben. Die Regelung von Löhnen und Arbeitsbedingungen nehmen die Deutsche Arbeitsfront und die „Treuhänder der Arbeit" vor.	**Januar:** Hitler schließt mit Polen einen Nichtangriffspakt. Dies löst weithin Überraschung aus, da Polens Existenz in nationalistischen deutschen Kreisen als „unerträglich" galt.
1935	**16. März:** Wiedereinführung der allgemeinen Wehrpflicht; Aufkündigung des Versailler Vertrags. **Juni:** Einführung des Reichsarbeitsdienstes als „Ehrendienst am deutschen Volk". Er wird Voraussetzung für den aktiven Wehrdienst. **15. September** – Nürnberger Gesetze: 1. Reichsbürgergesetz: Juden können nicht Staatsbürger sein und ihnen wird das aktive und passive Wahlrecht entzogen. 2. Gesetz zum Schutz des deutschen Blutes und der deutschen Ehre: Verbot von Eheschließung und außerehelichem Verkehr zwischen Juden und nicht-jüdischen deutschen Staatsangehörigen	**Juni:** Abschluss des deutsch-englischen Flottenabkommens. England will damit ein Flottenwettrüsten wie vor dem Ersten Weltkrieg verhindern, Hitler verspricht sich davon eine Rückendeckung für seine geplanten Ostaktivitäten. Die deutsch-englischen Flottenstärken werden auf das Verhältnis von 35 : 100 festgelegt. **Oktober 1935 bis Mai 1936:** Italienische Truppen erobern Abessinien. Die Westmächte reagieren mit wirtschaftlichen Sanktionen und diplomatischen Protesten. Deutschland wahrt wohlwollende Neutralität und gewährt wirtschaftlich-militärische Unterstützung. Beginn der deutsch-italienischen Zusammenarbeit.

Innenpolitik	Außenpolitik
1936 **März:** Jüdische Ärzte werden aus den öffentlichen Krankenanstalten verbannt. **Oktober:** Verordnung über den Vierjahresplan, der die Kriegsbereitschaft Deutschlands innerhalb dieser Frist herbeiführen soll. Hitler beauftragt Göring mit der Durchführung des Vierjahresplans. **Dezember:** Auflösung aller nichtnationalsozialistischen deutschen Jugendverbände und deren Eingliederung in die Hitlerjugend. Olympische Spiele in Berlin	**März:** Deutsche Truppen marschieren in die entmilitarisierte Zone des Rheinlands – Bruch der Vereinbarungen von Locarno. Auf den Vertragsbruch reagieren die Westmächte mit diplomatischen Protesten. Deutschland schließt mit Frankreich und Belgien Nichtangriffspakte ab. **Juli:** Abkommen zwischen dem Deutschen Reich und Österreich. Vereinbart wird eine gegenseitige Nichteinmischung in die inneren Angelegenheiten. Deutsche Truppen (Legion Condor) beteiligen sich am Spanischen Bürgerkrieg, der durch eine Armeerevolte unter General Franco gegen die republikanische Links-Regierung ausgelöst wurde. **November:** Mussolini verkündet bei seinem Deutschlandbesuch eine „Achse" Berlin – Rom. Die beiden faschistisch regierten Länder nähern sich an.
1937 **März:** Die Enzyklika von Pius XI „Mit brennender Sorge" wendet sich gegen die Rassendiskriminierung und den Kult des Nationalsozialismus.	**November:** In einer Geheimrede vor den Spitzen von Wehrmacht und Marine entwickelt Hitler sein außenpolitisches Programm, das auf kriegerische Eroberung abzielt (sog. Hoßbach-Niederschrift).
1938 **Ab Juni:** Juden werden aus Handel, Gewerbe, Rechtswesen und Krankenpflege ausgeschlossen. **9. November:** „spontanes" Pogrom (sog. Reichskristallnacht), für den das Attentat eines jüdischen Flüchtlings auf den Legationssekretär vom Rath in Paris als Anlass genutzt wird.	**Februar:** Die Wehrmachtsspitze wird umorganisiert: Reichskriegsminister Blomberg und der Oberbefehlshaber des Heeres Fritsch verlieren ihre Ämter, Hitler wird Oberbefehlshaber der Wehrmacht; Ribbentrop löst Neurath als Außenminister ab. Damit schafft Hitler die personellen Voraussetzungen für seine expansive Außenpolitik. **März:** Einmarsch deutscher Truppen in Österreich und Proklamation des Großdeutschen Reiches. Hitler begründet die Intervention mit einem Hilferuf seiner angeblich bedrohten Anhänger. Die Westmächte reagieren nicht auf diesen weiteren Bruch des Versailler Vertrags. **April:** Beginn der nationalsozialistischen Unterminierung der Tschechoslowakei. Hitler bestellt Konrad Henlein, den Führer der sudetendeutschen Partei, nach Berlin und ermuntert ihn zu Forderungen der sudetendeutschen Minderheit, die für die Prager Regierung unerfüllbar sind (Karlsbader Programm). **September:** Der britische Premierminister Chamberlain, Verfechter einer Befriedungspolitik (Appeasement-Politik) gegenüber dem Hitler-Deutschland bietet sich in persönlichen Unterredungen als Vermittler in der sog. Sudetenkrise an. Als Hitler jedoch seine ultimativen Forderungen an die Prager Regierung so formuliert, dass ihre Erfüllung die Auflösung des tschechischen Staates bedeuten würde, scheint der Krieg unvermeidbar. **29. bis 30. September:** Münchener Konferenz der Großmächte Deutschland, Frankreich, England und Italien zur Bereinigung der Sudetenkrise, anberaumt auf englische Initiative durch Vorschlag Mussolinis. Hitler setzt seine Ziele im Wesentlichen durch: Die sudetendeutschen Gebiete werden in der Zeit vom 1.–10.10.1938 von den Tschechen geräumt und von Deutschen besetzt.

Innenpolitik

1939 Beginn des Euthanasie-Programms
Unter der Tarnbezeichnung T4 (für Tiergartenstr.4 in Berlin) werden 1940 bis 1941 etwa 70.000 psychisch oder geistig behinderte Menschen ("lebensunwertes Leben") ermordet. Dies entspricht finanziellen wie rassenhygienischen, aber auch kriegswirtschaftlichen Erwägungen. Nach kirchlichen Protesten (Bischof Graf von Galen, Friedrich von Bodelschwingh u.a.) wird die Aktion 1941 abgebrochen.

Außenpolitik

März: Einmarsch deutscher Truppen in die "Rest-Tschechei", nachdem Hitler den tschechischen Ministerpräsidenten Hacha persönlich eingeschüchtert hat, "das Schicksal des tschechischen Volkes und Landes vertrauensvoll in die Hände des Führers des Deutschen Reiches zu legen". Errichtung des "Protektorats Böhmen und Mähren". Die Weltöffentlichkeit reagiert entrüstet auf die Verletzung der Münchner Vereinbarungen durch Hitler, der mit den von ihm selbst proklamierten Grundsätzen (territoriale Saturiertheit Deutschlands, Selbstbestimmungsrecht, völkisches Prinzip) bricht.
Mai: Abschluss des sog. Stahlpaktes zwischen Italien und Deutschland, einer bedingungslosen Beistandszusicherung für den Fall einer kriegerischen Verwicklung.
23. August: Abschluss eines deutsch-russischen Nichtangriffspakts, der als außenpolitische Sensation empfunden wird und Hitler die Rückendeckung für seinen Angriff auf Polen verschaffen soll. Deutschland und die Sowjetunion vereinbaren eine wechselseitige Neutralität und Abgrenzung von Interessensphären für "den Fall einer territorial-politischen Umgestaltung". Geheimes Zusatzprotokoll sieht die "vierte Teilung" Polens vor. Hitler wird dadurch in seinem Entschluss, Polen anzugreifen, bestärkt. Die Sowjetunion, der dieser Vertrag eine Ausdehnung auf Ostmitteleuropa ermöglicht, übernimmt damit eine Mitverantwortung für die Entfesselung des Zweiten Weltkriegs durch Hitler (1.9.1939).

Tab. 3.14: Innen- und Außenpolitik im "Dritten Reich"

Abb. 3.13: Unterzeichnung des deutsch-sowjetischen Nichtangriffspakts, 1939. Der deutsche Außenminister Joachim von Ribbentrop unterzeichnet den sog. Hitler-Stalin-Pakt im Kreml, links neben Ribbentrop steht der sowjetische Außenminister Molotov. Rechts im Hintergrund sieht man Josef Stalin. – akg-Images

3.7 Der Zweite Weltkrieg

Der Hitler-Stalin-Pakt in der Einschätzung von Historikern

In der Sowjetunion wurde die Existenz der Zusatzprotokolle geleugnet, bis Gorbatschow 1989 das Dokument veröffentlichte.

Der **Hitler-Stalin-Pakt** (→ Glossar, S. 230) wird in der historischen Forschung sehr unterschiedlich gedeutet. Manchen Historikern gilt er als Paradebeispiel für eine „totalitäre Komplizenschaft" und Perfidie: Zwei Verbrecher verbünden sich, um aus unterschiedlichen Motiven einem Dritten rücksichtslos Gewalt antun zu können. Diese Sichtweise ist noch stark von den Denkschablonen des Kalten Krieges geprägt. Andere argumentieren, Stalin habe Hitler das „Spiel" erleichtert, er habe gewissermaßen grünes Licht für den Angriff auf Polen und damit für die Entfesselung des Zweiten Weltkriegs gegeben. Insofern trage Stalin Mitschuld am Ausbruch des Zweiten Weltkriegs. Im Übrigen habe in Russland bereits in der Zarenzeit und in der Sowjetunion niemals ein Interesse an der Existenz eines unabhängigen Polen bestanden. Polen war für die russische Politik genauso ein Dorn im Auge wie für die deutsche Außenpolitik der Weimarer Zeit. *„Polens Existenz ist unerträglich, unvereinbar mit den Lebensbedingungen Deutschlands. Es muss verschwinden und wird verschwinden durch eigene, innere Schwäche und durch Russland – mit unserer Hilfe. Polen ist für Russland noch unerträglicher als für uns; kein Russland findet sich mit Polen ab. Mit Polen fällt eine der stärksten Säulen des Versailler Friedens, die Vormachtstellung Frankreichs. Dieses Ziel zu erreichen, muss einer der festesten Richtungspunkte der deutschen Politik sein, weil er ein erreichbarer ist. Erreichbar nur durch Russland oder mit seiner Hilfe."* So formulierte General von Seeckt 1922, und damit sprach er vielen Weimarer Politikern aus der Seele.

Zit. nach: O. E. Schüddekopf: Das Heer und die Republik, Norddeutsche Verlagsanstalt, Hannover/Frankfurt, 1955, Seite 161.

Ein Krieg hätte nur durch ein britisch-französisch-sowjetisches Verteidigungsbündnis mit klaren gegenseitigen Verpflichtungen zur gemeinsamen Abwehr eines deutschen Angriffs verhindert werden können. Aber die Westmächte waren nicht bereit, den beim **Münchener Abkommen** (→ Glossar, S. 235) eingeschlagenen Weg zu verlassen, als sie sich mit der gewaltsamen Annexion des Sudetenlands durch Hitler-Deutschland einverstanden erklärten. Und Moskau habe sich, so eine andere Deutung des Hitler-Stalin-Pakts, der Weltlage angepasst, um sich aus dem absehbaren Krieg mit dem nationalsozialistischen Deutschland möglichst lange herauszuhalten. Denn die Sowjetunion war 1939 militärisch noch nicht in der Lage, sich einem deutschen Angriff entgegenzusetzen. Im Lichte dieser Interpretation hat Stalin „realpolitisch" gehandelt, indem er 1939 die für ihn günstigste Option wählte, die ihm eine kurzfristige Sicherheit vor Deutschland gewährte.

Verlauf des Zweiten Weltkriegs

Die Kampfhandlungen im Ersten Weltkrieg unterschieden sich grundlegend von denen des Zweiten Weltkriegs: Kriegstechnik und Menschenmassen sowie die Taktik des „Blitzkriegs" verliehen dem Zweiten Weltkrieg einen ausgesprochenen Bewegungscharakter. Durch massierten Einsatz von Menschen und Material sollte den Feinden — auch bedingt durch die begrenzten kriegswichtigen Ressourcen — rasch Niederlagen zugefügt werden, ohne Rücksichten auf die Zivilbevölkerung.

Die Nationalsozialisten täuschten einen Angriff polnischer Soldaten als Grund für den Überfall auf Polen am 1. September 1939 vor. Polen wurde in wenigen Wochen völlig besiegt. Gemäß dem geheimen Zusatzprotokoll des Hitler-Stalin-Pakts rückten von Osten her sowjetische Truppen ein. Polen wurde Objekt eines schrecklichen Besatzungsregimes. Frankreich und England erklärten zwar unmittelbar nach Kriegsbeginn Deutschland den Krieg, griffen aber zunächst nicht in die Kampfhandlungen ein. Daher wird diese Phase des Kriegs auch als „Sitzkrieg" bezeichnet.

1940 kam die Wehrmacht einer britischen Landung in Norwegen zuvor, die dänischen und norwegischen Truppen kapitulierten rasch, und nach einem Vorstoß durch die Niederlande, Luxemburg und Belgien erfolgte rasch der Einmarsch in Paris, während der Süden Frankreichs unter dem NS-hörigen Vichy-Regime zunächst unbesetzt blieb. In extrem kurzer Zeit hatten Hitlers Armeen Mittel- und Nordeuropa besiegt, Hitlers Prestige, zumal unter jungen Offizieren, stieg ins Unermessliche. Die Luftschlacht über England scheiterte allerdings am erbitterten englischen Widerstand, sie wurde nach verlustreichen Kämpfen aufgegeben.

1941 kam Hitler seinem italienischen Bündnispartner in Afrika zu Hilfe, um die europäische Südflanke zu sichern. Hier scheiterte allerdings die Afrika-Expedition, während die Invasion in Jugoslawien und Griechenland zunächst erfolgreich verlief. Der Angriff auf die Sowjetunion war 1941 anfangs erfolgreich, das Baltikum, die Ukraine und Weißrussland schienen den erhofften „Lebensraum im Osten" zu bieten, teilweise wurden die deutschen Truppen auch als Befreier vom stalinistischen Joch begrüßt, der Terror der Einsatzgruppen beflügelte andererseits die Entstehung von Partisanentruppen. Aber im Winter 1941/42 war die deutsche Angriffskraft erlahmt und Gegenoffensiven setzen auf mehreren Fronten ein. Die Schlacht um Stalingrad 1942 leitete die Kriegswende ein, auch an der Front in Nordafrika erlitten deutsche Truppen Niederlagen. Englische Luftangriffe auf deutsche Städte sollten die Moral der Zivilbevölkerung brechen.

Die Stadt Leningrad (heute St. Petersburg) sollte durch eine Blockade ausgehungert werden, über eine Million Menschen verhungerten 1941 bis 1944 in der Stadt.

Seit 1943 übernahmen die Alliierten das Gesetz des Handelns, während in Deutschland Joseph Goebbels zum „**Totalen Krieg**" aufrief. Alliierte Bombenangriffe legten bis 1945 zahlreiche deutsche Städte in Schutt und Asche, während Industrieanlagen kaum beschädigt wurden; eine Ursache für das spätere „Wirtschaftswunder" → Seite 176. Allerorten war die Wehrmacht auf dem Rückzug, Durchhalteappelle und Propagandafilme mobilisierten den Widerstandswillen der Bevölkerung. Die Propaganda verkündete unablässig den „Glauben an den Endsieg".

Die Attentatsversuche lähmten diesen Durchhaltewillen kaum, vielmehr bestätigten diese den Mythos des „unverletzlichen Führers" in großen Teilen der Bevölkerung. Bis in die Zeit der Bundesrepublik Deutschland hinein galten die Frauen und Männer um Graf Stauffenberg, die Repräsentanten des 20. Juli, als „Verräter". Der erbitterte Kampf gegen die alliierten Vorstöße durch die letzten Reserven Deutschlands („**Volkssturm**") 1944 und 1945 war militärisch völlig sinnlos. Gleichwohl vertraute noch ein beachtlicher Teil der deutschen Bevölkerung auf den „Führer".

Im Zweiten Weltkrieg starben an Kriegshandlungen ca. 55 Millionen Menschen, Zivilisten und Soldaten. Den größten Blutzoll, gemessen an der Bevölkerung, erbrachten Polen und die Sowjetunion. Ungefähr sechs Millionen Menschen wurden in Konzentrationslagern ermordet. 1945 waren mehr als zehn Millionen Menschen in verschiedenen Richtungen auf der Flucht oder wurden Opfer von Vertreibungen.

Aber auch der Antisemitismus blieb in großen Teilen Europas noch lebendig, vor allem in Osteuropa. Zahlreiche Opfer des nationalsozialistischen Antisemitismus flohen nach dem Kriegsende vor allem aus Russland und Polen, wo der Antisemitismus der Bevölkerung noch ungebrochen war, ins Land ihrer Peiniger, nach Deutschland oder Österreich, um von hier in großer Zahl und oft auf abenteuerliche Weise nach Israel zu gelangen.

Die nationalsozialistische Propaganda schwadronierte von der Entwicklung von „Wunderwaffen".

3.8 Widerstand

Der Widerstand gegen das NS-Regime war unterschiedlich motiviert, er kam aus allen sozialen Schichten und unterschiedlichsten politischen Gruppen. Das Spektrum des Widerstands reichte von abfälligen Bemerkungen im privaten Kreis bis zur unmittelbaren Konfrontation mit führenden Repräsentanten des Systems; **Emigration** oder gar **Desertion** kann als eine Form des „passiven Widerstands" gewertet werden. Zum Widerstand zu rechnen sind kleinere und größere Sabotageaktionen, kritische öffentliche Bekundungen oder Flugblattaktionen, mutige Hilfeleistungen für Verfolgte und schließlich Attentatsversuche bis hin zum generalstabsmäßig geplanten Umsturzversuch vom 20. Juli 1944. Mancher Widerstand wurde ganz individuell geleistet, manche Oppositiongruppen schotteten sich konspirativ von anderen ab, andere waren breit untereinander vernetzt und integrierten verschiedene politische Lager.

Die Wehrmachtsjustiz verhängte alleine gegen Deserteure 22 000 Todesurteile.

Zahlenmäßig betrachtet leistete die **Arbeiterbewegung** ($\rightarrow$ Glossar, S. 222) (Kommunisten, Sozialdemokraten und Gewerkschafter) den umfangreichsten Widerstand und sie entrichteten auch den größten Blutzoll für ihren Einsatz. Bereits 1933 wurden Tausende von Kommunisten und Sozialdemokraten inhaftiert oder in sogenannte „Schutzhaft" genommen, in der sie nicht selten gefoltert oder gar getötet wurden. Viele von ihnen ließen sich nicht entmutigen. Die bereits während der Weimarer Republik entwickelte kompromisslose Gegnerschaft zu den Nationalsozialisten hielt in den meisten Fällen bis zum Kriegsende 1945 an. Da die sozialdemokratisch bzw. kommunistisch orientierte Arbeiterschaft erst die Regeln einer konspirativen Arbeit entwickeln und lernen musste, konnten vor allem in den ersten Jahren nach 1933 viele der Widerstandsgruppen durch die **Gestapo** verhaftet werden.

Bei den beiden großen **Kirchen** ergibt sich ein vielschichtiges Bild. Hier gab es neben wohlwollender Zustimmung zum Nationalsozialismus auch distanzierte Stimmen und entschiedene Ablehnung. Vor allem katholische Kreise zeigten hier in der Regel eine entschiedenere Haltung, die allerdings durch die „offizielle" Haltung der Kirche nicht gefördert wurde. Das Reichskonkordat, der Vertrag zwischen dem Vatikan und dem Deutschen Reich von 1933, wertete das NS-Regime auf und die Zentrumspartei, die 1933 dem Ermächtigungsgesetz zugestimmt hatte, löste sich selbst auf. Viele **katholische Jugendgruppen** waren nicht bereit, sich in das NS-System zu integrieren, zahlreiche Priester büßten ihren Mut mit KZ-Haft. Der Bischof von Münster, Clemens August von Galen, prangerte die Euthanasie, also die Tötung von behinderten und kranken Menschen, öffentlich an. Aber die Nationalsozialisten wagten es nicht, gegen ihn vorzugehen. Ähnlich verhielt es sich mit bekannten protestantischen Würdenträgern, z. B. mit Pfarrer Martin Niemöller, der gegen den Arierparagraphen – der Juden aus öffentlichen Stellungen vertrieb – protestierte und den Pfarrer-Notbund mit ins Leben rief. Am kompromisslosesten gegenüber dem NS-Regime verhielten sich die **Zeugen Jehovas**, die ihren Widerstand nicht selten mit der Haft in einem KZ büßten. Ihnen fehlte die Unterstützung durch prominente Gestalten, die die evangelische oder katholische Kirche aufzubieten hatten.

Die evangelische Bekennende Kirche schuf sich 1934 mit der Barmer Theologischen Erklärung ein wegweisendes Schlüsseldokument.

Auch **bürgerliche Kreise** waren am Widerstand beteiligt. Bei den konservativen Gruppen tat sich besonders der ehemalige Leipziger Oberbürgermeister Carl Friedrich Goerdeler hervor, der gegen den Antisemitismus sowie gegen die Wirtschafts- und Finanzpolitik des Regimes Stellung bezog. Goerdeler wurde zum Zentrum eines Widerstandskreises, dem sowohl führende Militärs als auch Sozialdemokraten wie Wilhelm Leuschner angehörten, die ihrerseits wiederum über vielfältige Kontakte über ihre Parteigrenzen hinweg verfügten. Goerdeler wie der frühere sozialdemokratische hessische Innenminister Wilhelm Leuschner wurden denunziert.

Auf spektakuläre **einzelne Personen oder Kleingruppen** wie die „Weiße Rose" oder den mutigen „Einzeltäter" Georg Elser, dessen ausgeklügelte Attentats-Planungen wegen Hitlers Terminverschiebungen scheiterten, kann hier nicht eingegangen werden. Viele einzelne Gruppen oder einzelne Helfer wie Oskar Schindler wären differenziert zu würdigen.

Eine weitere bürgerliche Widerstandsgruppe war der **Kreisauer Kreis** (→ Glossar, S. 223), benannt nach einem ihrer Treffpunkte, dem niederschlesischen Gut Kreisau, wo Helmuth James Graf von Moltke seit 1940 Treffen organisierte, auf denen über wirtschaftliche, soziale und politische Neuordnungspläne für die Zeit nach dem NS-Regime beraten wurde. Hier kristallisierte sich auch die Überzeugung heraus, dass nur ein Staatsstreich das Regime beenden könne. In diesem Umkreis planten einzelne **Militärs** die wohl effektivste und erfolgversprechendste Aktion. Denn nur durch Waffengewalt war man in der Lage, das NS-Regime auch zu stürzen. Die allermeisten Offiziere waren aber angesichts der spektakulären militärischen Anfangserfolge („Blitzkriege") des NS-Systems dazu nicht bereit, sie wurden vielmehr überwiegend glühende Anhänger Hitlers. Erst nach Stalingrad wurde einigen von ihnen der verbrecherische Charakter des NS-Systems allmählich deutlich. Manche befürchteten auch, dass durch Hitlers Kriegsführung die Zukunft der Großmacht Deutschland leichtfertig verspielt werde. Das Gros der Offiziere war – sieht man von einzelnen Generälen und Offizieren ab, die

bereits vor 1939 oppositionell eingestellt waren – bis kurz vor dem Kriegsende dem „erfolgreichen Kriegsherrn" Hitler treu ergeben und träumte von
einer künftigen „Weltmachtstellung" Deutschlands. Davon konnte nach
der Katastrophe von Stalingrad nicht mehr die Rede sein. Dieser Tatbestand
rückt den militärischen Widerstand auch in ein zwiespältiges Licht.

Seit 1943 arbeiteten einige Offiziere wie Graf Stauffenberg, Friedrich Olbricht
und Henning von Tresckow mit Mitgliedern des Kreisauer Kreises Pläne für
ein Deutschland nach dem Sturz des NS-Regimes aus. Viele von ihnen be-
zahlten das mit ihrem Leben. Nach dem gescheiterten Attentat konnte die
Gestapo Tausende von Regimegegnern aufspüren, etwa 5000 wurden hingerichtet.

Die **„Bewährungseinheit 999"**: Bereits vor Kriegsbeginn weigerten sich
Tausende von Regimegegnern aus politischen oder religiösen Gründen (vor
allem die Zeugen Jehovas), dem Einberufungsbefehl zur Wehrmacht Folge
zu leisten bzw. einen Eid auf Hitler zu schwören. Das Handeln dieser Menschen gehört daher auch zur Geschichte des Widerstands. Diese „Wehrkraft-
zersetzer" wurden in der Regel zu hohen Haftstrafen verurteilt oder in Konzentrationslager eingewiesen. Ihnen wurden die bürgerlichen Ehrenrechte
aberkannt und sie wurden als „wehrunwürdig" aus der Wehrmacht ausgeschlossen. Einige von ihnen wurden sogar zum Tod verurteilt.

Ende 1942 stellte die Wehrmacht aus solchen politischen und kriminellen
Strafgefangenen sogenannte „Bewährungseinheiten" auf. Viele politische
Gefangene empfanden es als persönliche Demütigung, für das ihnen ver-
hasste System kämpfen zu müssen. Sie wurden zu besonders riskanten
Kampfeinsätzen beordert, etwa gegen Partisanen im Osten, oder sie wurden
auf dem Balkan eingesetzt. Der Kampfwert dieser „Bewährungseinheiten"
war indes sehr gering. Denn diese Menschen bildeten innerhalb ihrer Einheiten oppositionelle Zellen, desertierten nicht selten, obgleich ihnen dafür
die Todesstrafe drohte, und schlossen sich Partisanengruppen an, um mit
diesen Europa von der NS-Diktatur zu befreien bzw. die Voraussetzungen für
einen demokratischen Neuanfang zu schaffen.

Desertion

Trotz schärfster Strafandrohungen desertierten während des Zweiten Weltkriegs mehr als 100 000 Soldaten. Mehr als 20 000 von ihnen wurden durch
die NS-Kriegsgerichte hingerichtet, einige sogar noch *nach* der bedingungslosen Kapitulation vom 8. Mai 1945. Deserteure galten aber nicht nur der na-

tionalsozialistischen Wehrmachtsgerichtsbarkeit als „Vaterlandsverräter"
oder als „auszumerzende Zersetzer der Wehrkraft", sondern auch noch lange nach dem Krieg in einer breiten Öffentlichkeit als „feige Drückeberger",
die der Armee einen „Dolchstoß" versetzt hätten. Erst in den letzten Jahrzehnten zeichnete sich ein deutlicher Meinungswandel ab, als der Mythos
von der „sauberen" Wehrmacht nicht mehr zu halten war. Allerdings kann
nicht jede Desertion als „Widerstand" begriffen werden. Sie konnte z. B. auch
einen kriminellen Hintergrund haben. Die Bewertung von Desertion in der
NS-Zeit hat sich in den letzten Jahrzehnten deutlich verschoben. Sie gilt heute vielen angesichts des völkerrechtswidrigen, verbrecherischen Krieges als
moralisch vertretbare, ja als gebotene Haltung.

1955 schworen 600 Wehrmachtsheimkehrer folgenden Schwur: *„Vor dem
deutschen Volke und den Toten der deutschen und der sowjetischen Wehrmacht schwören wir, dass wir nicht gemordet, nicht geschändet und nicht
geplündert haben. Wenn wir Leid und Not über andere Menschen gebracht
haben, so geschah es nach den Gesetzen des Krieges."* Aus der Sicht des re-
nommierten Wehrmachtshistorikers Wolfram Wette war dies ein kollektiver
Meineid.

„Wehr-
machtsaus-
stellung"

Als in den 1990er-Jahren das Hamburger Institut für Sozialforschung
eine Ausstellung erarbeitete und präsentierte, das die Verbrechen der
Wehrmacht in der NS-Zeit, vor allem in Polen und in der Sowjetunion,
umfassend dokumentierte, wurden diese Ergebnisse überaus kontrovers
diskutiert. Vor allem im konservativen und rechten Lager entfaltete sich ein
Sturm der Entrüstung: Die Wehrmacht sei an den nationalsozialistischen
Verbrechen nicht beteiligt gewesen. Ein anderer Teil der Öffentlichkeit
begrüßte es, dass endlich mit dem sorgfältig gepflegten Mythos von einer
„sauber" gebliebenen Wehrmacht aufgeräumt werde und die aktive Mitwirkung von Wehrmachts-Soldaten bei menschenverachtenden und mör-
derischen Praktiken dargestellt wurde. Nach wissenschaftlich begründeten
Einwänden gegen die erste Version der Wehrmachtsausstellung wurde
diese überarbeitet, die zentralen Thesen der ursprünglichen Ausstellung
wurden aber – abgesehen von einigen strittigen Details – grundsätzlich
bestätigt. Die neue – auch von der Bundeszentrale für politische Bildung
und vielen Landeszentralen für politische Bildung vertriebene und äußerst
erschütternde Fakten aufzeigende Studie von Sönke Neitzel und Harald
Welzer: „Soldaten. Protokolle vom Kämpfen, Töten und Sterben (Frankfurt
2011)" bestätigt, dass die barbarische Enthemmung auch große Teile der
Wehrmacht und wohl auch beachtliche Teile der Bevölkerung erfasst hatte.

3.9 Hitlers „Erfolgsgeschichte" – ein folgenreicher Teil deutscher Geschichte

Als der bekannte Zeithistoriker Martin Broszat in den 1980er-Jahren eine Historisierung des Nationalsozialismus forderte, meinte er damit auch eine Interpretation der deutschen Geschichte, die den Nationalsozialismus aus den eigenen deutschen historischen Zusammenhängen heraus zu begreifen sucht und nicht mehr als Einbruch einer „fremden Schicksalsmacht", die den deutschen Traditionen nicht entspräche. Wie konnte Adolf Hitler, der aus politikfernen und sehr einfachen Verhältnissen kam und im bürgerlichen Leben völlig gescheitert war, in Deutschland einen solchen Erfolg verbuchen und in extrem kurzer Zeit zum frenetisch bejubelten „Messias" avancieren? Die neuere Sozialgeschichtsforschung akzentuiert hierzu folgende Befunde: Hitlers Vorstellungswelt entsprach weitgehend den politischen Traditionen, aber insbesondere auch den Verletzungen und Ressentiments, die Deutschland seit 1918 erfahren musste. Dadurch wurde eine Erwartungshaltung, eine Erlösungserwartung in der deutschen Öffentlichkeit geschaffen, der die anderen politischen Parteien und deren Führer (in der Regel rasch diskreditiert durch ihre angebliche politische Erfolgslosigkeit) nicht entsprechen konnten. Nach der traumatisierenden Niederlage von 1918 fieberte man in Deutschland einem „zweiten Bismarck" entgegen (Hans-Ulrich Wehler).

Hitler gelang, daran ist nachdrücklich zu erinnern, aus eigener Kraft kein Durchbruch zur politischen Macht. Es waren vielmehr die Angehörigen der alten Eliten, die ihm den Weg zur Kanzlerschaft ebneten und ihm die „legalen" Instrumente zur Errichtung einer Diktatur jenseits einer parlamentarischen Ordnung zur Verfügung stellten. Ohne die bereitwillige Unterstützung durch beachtliche Teile der Justiz, der Bürokratie, des Militärs, der Kirchen und der Universitäten hätte Hitler weder an die Macht gelangen noch seine Diktaturpläne umsetzen können. Die genannten Institutionen gingen bei der Unterstützung Hitlers weit über das hinaus, was ihre Gehorsamspflicht gegenüber staatlichen Ansprüchen betraf. Seine kompromisslose Haltung gegenüber dem verhassten parlamentarischen System und gegenüber dem verachteten Ausland bündelte alle Klischees, die auch bei den alten Eliten vorhanden waren.

In Deutschland selbst waren also die Bedingungen für die Herrschaft eines Diktators vorhanden, diese wurden nicht erst durch den Terror geschaffen, sondern ermöglichten vielmehr den Terror, durch den sich Hitler zwölf Jahre an der Macht hielt und dabei Deutschland in den Abgrund riss und unvor-

Der Verweis auf den NS-Terror hat für NS-Mitläufer nicht selten eine entschuldigende Funktion.

stellbares Unrecht beging. Erst als dies den klügeren Köpfen deutlich wurde, formierte sich ein breiterer Widerstand auch jenseits der Arbeiterbewegung in bürgerlichen Kreisen und beim Militär, die noch lange von Deutschlands Weltgeltung träumten.

Hitlers „Leistung" oder Beitrag für die deutsche Geschichte besteht daher nicht zuletzt darin, dass machtpolitische Träume und Vorstellungswelten, die sich im Deutschen Kaiserreich seit 1871 herausbildeten, nach 1945 vollständig diskreditiert waren und Deutschland nach 1945 nun bereit war, sich friedlich in den europäischen Intergrationsprozess einzufügen. Aber auch die Politik der Siegermächte des Zweiten Weltkriegs hat zu diesem Lernprozess maßgeblich beigetragen. Nach 1945 wurde Deutschland kein zweites Versailles aufgezwungen. Deutschland spielte vielmehr bei der Machtpolitik der Großmächte in der Zeit des Kalten Krieges eine zentrale Rolle, als Opfer und Akteur. Seit 1990 sucht Deutschland nun eine neue Rolle in der europäischen Politik und in der Welt.

Überblick

Eine Historisierung des Nationalsozialismus muss keineswegs mit dessen Relativierung einhergehen, wie manche Kritiker des Historisierungskonzepts behaupten, die befürchten, dass die „Singularität" (die „Einmaligkeit") der NS-Verbrechen aus dem Auge verloren werden könnte. Auch die Weimarer Republik war keineswegs durch den Versailler Vertrag oder die Weltwirtschaftskrise oder durch „Verfassungsmängel" gleichsam zum Untergang verurteilt, solche Formulierungen unterstellen eine „innere Notwendigkeit" eines historischen Prozesses, der sich „hinter dem Rücken" der Menschen vollziehe. Dabei werden indes konkrete Interessen und Handlungsmotive einzelner historischer Akteure zu wenig beachtet.

Nationalismus –
mehr als eine Integrationsideologie

4

Im Gefolge der Französischen Revolution wurde eine politische Ideologie entwickelt, die seither weltweit eine ungeheuere Macht entfaltet hat, der Nationalismus. Welche unterschiedlichen Facetten hatte der Nationalismus und welche sozialen wie politischen Ursachen können für sein Entstehen dingfest gemacht werden? Warum konnte der Nationalismus zahllose Menschen in seinen Bann ziehen und die Politik des 19. und 20. Jahrhunderts so nachhaltig prägen?

4.1 Genese und Facetten des Nationalismus

Nationalismus meint eine politische Ideologie, die auf eine Kongruenz zwischen einer meist ethnisch definierten Nation und einem bestimmten Staatsgebiet abzielt. Umgangssprachlich wird unter Nationalismus die Überhöhung der eigenen Nation verstanden. Vor allem seit dem Zweiten Weltkrieg werden Begriffe wie Nationalismus oder Nationalist abwertend oder als Schimpfworte gebraucht. Hier wird Nationalismus als wissenschaftlicher Terminus verstanden, der eine Geisteshaltung meint, die im 19. und 20. Jahrhundert maßgeblich die europäische Politik bestimmte und in der Gegenwart auch die Politik zahlreicher außereuropäischer Länder, z. B. Afrikas, prägt.

Als Faktoren, die eine nationale Einheit stiften oder begründen, gelten gemeinhin Sprache, Abstammung, ähnliche Charakterzüge, Kultur, gemeinsame Geschichte und die Unterstellung unter eine gemeinsame Staatsgewalt. Nationalismus liegt dann vor, wenn sich eine soziale Großgruppe einer Nation zugehörig und sich ihr loyal verbunden fühlt. Dabei spielt die Standes- oder Klassenzugehörigkeit keine Rolle.

Der Nationalismus produziert folgenreiche Exklusions- und Inklusionsmechanismen.

Der **Nationalismus** kann der politischen Partizipation und/oder Emanzipation förderlich sein, er kann aber auch der aggressiven Ab- oder Ausgrenzung nach innen oder außen dienen. Vor allem in der Französischen Revolution und im frühen 19. Jahrhundert hatte der Nationalismus eine andere politische Stoß- und Zielrichtung als im späten 19. oder frühen 20. Jahrhundert. Die deutsche nationale Bewegung des frühen 19. Jahrhunderts zielte ebenso wie die italienische (ital. *Risorgimento* = staatliche Wiedergeburt oder Wiederauferstehung) auf eine gegen die Fürsten gerichtete Politik; sie strebte eine nationale Einheit an und bekämpfte damit autoritäre feudale Institutionen. Diese Politik zielte auch auf eine demokratische politische Teilhabe der Menschen. Dieser frühen Form des Nationalismus ging es keinesfalls um eine besondere Überhöhung der eigenen Nation, vielmehr sollte diese erst hergestellt werden.

Der **frühe Nationalismus** argumentierte auch mit der Kulturnation. Die Kulturnation begründet die Nation über eine gemeinsame Kultur und Geschichte und verweist dabei auch auf gemeinsame Mythen und Traditionen. Die Märchensammlung der Brüder Grimm diente z. B. dem Nachweis, dass die „Deutschen" (wer immer auch zu diesen zählte) über eine große und reiche Erzähltradition und über gemeinsame Erzählungen verfügten, die man auch gemeinsam wertschätzen sollte. Das kultur- und sprachwissenschaftliche Engagement der Grimms und das ihrer intellektuellen Weggefährten hatte also auch eine politische Dimension: Die Leser der Märchen und Sagen sollten sich ihrer gemeinsamen Wurzeln bewusst werden und dieses Bewusstsein in politisches Handeln umsetzen.

> Dabei wird gerne übersehen, dass die Brüder auch Märchen anderer Völker übersetzten und diese zum deutschen „Kulturgut" erklärten.

Der **Reform-Nationalismus** beabsichtigt staatliche Reformen in einem bereits bestehenden Staat. Die eigene Gegenwart wird von den Reform-Nationalisten als bedrückend erfahren. Man beklagt die Defizite des eigenen Systems im Vergleich zu anderen Staaten, aber man möchte bei Reformen nicht andere nachahmen, sondern die eigene Identität wahren.

Der **radikale (militante) Nationalismus** schließlich stellt die eigene Nation grundsätzlich über andere und hält die egoistische, aggressive Verfolgung eigener nationaler Interessen für den höchsten Wert. Diesem Ziel hat sich auch der Einzelne zu unterwerfen, sonst ist er ein „vaterlandsloser Geselle" oder gar ein „Verräter". Beim radikalen Nationalismus zählt nicht der individuelle Wert eines Menschen, sondern nur sein Beitrag für das „nationale Ganze", das eine anonyme „Volksgemeinschaft" und ihr „Führer" definiert. Das Sterben eines Soldaten habe demzufolge insofern einen Sinn, als dieser sein Leben für das Vaterland hingebe. Dieser radikale Nationalismus entfaltete sich in der zweiten Hälfte des 19. Jahrhunderts, spielte im Ersten Weltkrieg eine große Rolle und wieder in der NS-Zeit.

Der Nationalismus entstand erst in der Moderne, im ausgehenden 18. Jahrhundert während der Französischen Revolution. Durch die Bedrohung der Revolution von außen und innen radikalisierte sich die Revolution und das dabei entstehende Nationalgefühl verlieh den Revolutionskriegen seine besondere Dynamik.

Die **napoleonischen Eroberungen** schufen indes in den besetzten Ländern ein **Nationalgefühl**, das sich gleichermaßen gegen die französische Fremdherrschaft wie gegen die feudalabsolutistische Herrschaft wandte.

Der frühe Nationalismus in Spanien oder Deutschland hatte durchaus emanzipatorische Dimensionen. Er zielte nicht nur gegen Frankreich, sondern auch gegen die autoritären Verhältnisse im eigenen Land. Der Metternich'schen Politik seit dem Wiener Kongress waren daher diese nationalen Bestrebungen höchst verdächtig, da sie auf eine Teilhabe an der Macht abzielten und das traditionalistische Prinzip der „Legitimität" von Herrschaft grundsätzlich in Frage stellten. Die nationale und liberale Bewegung wurde daher polizeilich überwacht und gegebenenfalls unterdrückt. Die Hauptredner des Hambacher Fests (1832), die eine nationale Einheit forderten und begründeten, mussten sich vor Gericht verantworten und wurden zu Gefängnisstrafen verurteilt (der sie sich aber durch Flucht entzogen).

Einen weiteren Höhepunkt erlebte die nationale Bewegung in der Märzrevolution 1848. Es war konsequent, dass sich die Paulskirche in Frankfurt für die sogenannte kleindeutsche Lösung entschied. Bei einer großdeutschen (auch Österreich umfassenden) Lösung hätte das Staatsgebiet Territorien umschlossen, in denen unterschiedlichste Nationalitäten lebten.

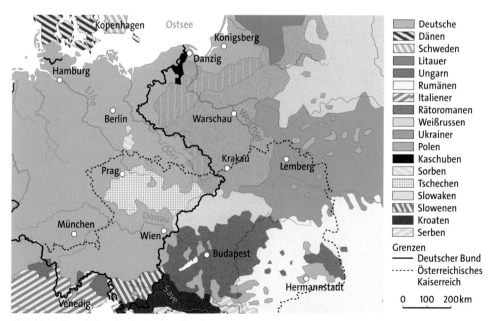

Abb. 4.1: Nationalitäten im Deutschen Bund

In der Nationalversammlung wurden aber auch extrem nationalistische Stimmen laut, etwa in der Polendebatte.

Die Nationalitätenfrage spielte in den **Debatten der Paulskirche** eine zentrale Rolle, denn allein in Preußen lebten mehrere Millionen Polen. Die Mehrheit der Abgeordneten der Paulskirche meinte daher, man solle nur die dem Deutschen Bund zugehörigen Teile des österreichischen Vielvölkerstaats in das künftige Deutsche Reich eingliedern, dazu tschechische, slowenische und kleinere italienische Gebiete, zu den übrigen sollte man nur eine lose Verbindung herstellen. Das hätte zu einer Auflösung der österreichisch-ungarischen Doppelmonarchie geführt, mit der Österreich keinesfalls einverstanden gewesen wäre. Die Paulskirche votierte daher für die sogenannte kleindeutsche Lösung, der preußische König sollte künftig deutscher Erbkaiser sein.

Nationalismus dient nun der staatlichen Legitimation und der rigiden Ein- und Ausgrenzung..

Die **Reichsgründung von 1870/71** vollzog sich in den Bahnen, die von der Nationalbewegung vorgezeichnet waren und die sich bereits im ökonomischen Bereich teilweise vollzogen hatten (Zollverein). Dieser neue Nationalstaat stand freilich in scharfer Abgrenzung zu Teilen seiner Bevölkerung, die als national unzuverlässig galten (Polen, Teile der Bevölkerung in Elsass-Lothringen, der Arbeiterbewegung und Katholiken, **Kulturkampf** (→ Glossar, S. 233). Damit wurden demokratische Teilhabeforderungen der früheren nationalen und liberalen Bewegung durch das neue Deutsche Kaiserreich scharf zurückgewiesen.

Im **Deutschen Kaiserreich** entfaltete sich intensiv ein aggressiver antidemokratischer Nationalismus, der auf eine deutsche Hegemonialpolitik in Europa, ja gar auf eine deutsche Weltherrschaft abzielte (→ „Alldeutsche", Seite 78) und der den Ersten Weltkrieg ideologisch vorbereitete. Von diesem nationalistischen Taumel wurden breite Bevölkerungsschichten erfasst und er lebte, da die Kriegsniederlage 1918 nicht akzeptiert wurde (**Dolchstoßlegende,** → Glossar, S. 226), in der Weimarer Republik bis ins „Dritte Reich" ungebrochen fort. Für die Kriegsniederlage wurden nicht die deutsche Armee oder die Reichsleitung verantwortlich gemacht, sondern ein feiger innerer Feind, der der kämpfenden Truppe in den Rücken gefallen sei. In den paramilitärischen Verbänden der Weimarer Republik (→ **Freikorps**, Seite 107, → Glossar, S. 229) und vor allem bei der DNVP sowie der NSDAP blieb dieser aggressive oder radikale Nationalismus lebendig. Er trug maßgeblich zur inne-

Deutsche	12 011 081
Ungarn	10 067 917
Tschechen	6 643 059
Slowaken	1 967 520
Polen	4 977 643
Ruthenen	3 999 100
Rumänen	3 224 728
Kroaten	2 888 171
Serben	2 041 899
Slowenen	1 371 256
Italiener	771 054
Sonstige	367 853

Tab. 4.1: Nationalitäten in Österreich-Ungarn kurz vor dem Ersten Weltkrieg (1910)

ren Aushöhlung der jungen Demokratie bei und kann als eine der zentralen Ursachen für den Zivilisationsbruch 1933 gelten.

Nach 1945 war der Nationalismus nicht nur in Deutschland weitgehend diskreditiert und delegitimiert. Nationalistische Tendenzen und eine entsprechende Rhetorik blieben auf rechtsextremistische politische Parteien beschränkt, gelegentliche Versuche aus der CDU/CSU, eine deutsche „Leitkultur" zu proklamieren, fanden eher ein geringes oder ablehnendes Echo. Die zahlreichen antisemitischen Schmierereien, die Verwüstungen von jüdischen Friedhöfen und insbesondere ausländerfeindliche Übergriffe zeigen indes, dass rassistisch-nationalistisches Gedankengut lebendig geblieben ist. Sie stoßen jedoch bei allen demokratischen Parteien, Kirchen, Gewerkschaften usw. auf unmissverständliche und einhellige Ablehnung.

Wenn Sie während des Lernens einen komplexeren historischen Sachverhalt verstehen wollen, dann kann es für Sie nützlich sein, diesen in einer grafischen Übersicht darzustellen. Sie haben dann in einer Prüfungssituation diese Grafik als Gedächtnisanker vor dem geistigen Auge. Aber auch zur Erstellung eines Konzeptes ist diese Methode zu empfehlen.

Tipp: Das Doppelgesicht des Nationalismus

Abb. 4.2: Der Nationalismus

4.2 Grenzen nationalstaatlicher Politik

Aber auch der Nationalstaat, der sich im ausgehenden 18. und 19. Jahrhundert herausgebildet hatte, ist längst an seine Grenzen geraten. Der Nationalstaat genießt zwar durchaus hohe Popularität, die sich z. B. bei sportlichen Großereignissen beobachten lässt; zur Bearbeitung oder gar der Lösung von größeren Aufgaben und Problemen ist er indes viel zu klein.
Er erleidet angesichts der zunehmenden internationalen Verflechtung und der Globalisierung einen dramatischen Verlust an politischer Gestaltungsmöglichkeit.

Die (Notwendigkeit der) Auslagerung und Übertragung von ursprünglich nationalen Souveränitätsrechten an supranationale Einrichtungen lässt sich eindrucksvoll belegen:

⊙ Etwa zwei Drittel des deutschen Ex- und Imports entfallen auf EU-Länder. Die Modalitäten hierzu werden von der EU geregelt, nationale Alleingänge sind mit beachtlichen Reibungsverlusten verbunden.
⊙ Eine nationale Währungspolitik ist anachronistisch (überholt).
⊙ Die Verkehrspolitik bedarf angesichts des ständig wachsenden Personen- und Warenverkehrs länderübergreifender Regelungen.
⊙ Umweltprobleme machen an nationalen Grenzen nicht Halt; globale Klimaprobleme lassen sich im nationalen Rahmen nicht lösen. Epidemien und Pandemien können nur im supra- oder internationalen Rahmen bewältigt werden.
⊙ Die weltweiten Migrationsströme überfordern den einzelnen Nationalstaat.
⊙ Die Aufrechterhaltung der äußeren Sicherheit und der Schutz vor dem Terrorismus werden seit dem Zweiten Weltkrieg überwiegend von supranationalen Einrichtungen wahrgenommen.

Die gescheiterten Referenden über die EU-Verfassung haben gezeigt, dass die Europäische Union wenig populär ist, eine Alternative zu ihr ist aber nicht in Sicht. Den alten souveränen Nationalstaat des 19. Jahrhunderts gibt es nicht mehr, zumal viele Akteure angesichts der Globalisierung international vernetzt sind, was die nationalstaatliche Steuerungs- und Gestaltungsfähigkeit erheblich beeinträchtigt.

Gegenwärtig wird europaweit die **Zukunft des Nationalstaats** diskutiert und die Frage, ob überhaupt ein europäischer Bundesstaat (nach amerikanischem Vorbild) erstrebenswert ist. In Frankreich hat dieses Model weniger Anhänger als in Deutschland, aber auch in Deutschland ist seit einiger Zeit mehr Skepsis aufgekommen und manche befürchten einen Souveränitätsverlust. Offen ist derzeit die künftige „Architektur" der erweiterten Europäischen Union, vor allem was die Kompetenzabgrenzung zwischen EU, nationaler und regionaler Ebene anbelangt.

Die Grenzen einer nationalstaatlichen Politik, die von nationalen Egoismen bestimmt wird, zeigen sich in großer Deutlichkeit bei der **europäischen Finanz- und Schuldenkrise** (ab 2008), die u.a. durch internationale Kapitalmarktspekulationen angeheizt wurde. Bei der Lösungssuche konfligieren (kurzfristige) nationale Interessen mit Lösungsversuchen, die von einer nicht nur nationalen, sondern auch europäischen Öffentlichkeit getragen und akzeptiert würden. So geraten sogenannte „deutsche Interessen" – also im Wesentlichen Wirtschaftsinteressen – in Widerstreit mit den Interessen Portugals oder Griechenlands. Dieser auf politische Ebene ausgetragene ökonomisch basierte Konflikt hat in mehrfacher Hinsicht negative Wirkkraft: Die kurzfristigen nationalen Interessen entsprechen nicht notwendigerweise mittel- oder langfristig wünschenswerten Zielen. Außerdem wird der europäische Zusammenhalt geschwächt.

Der Sozialphilosoph Jürgen Habermas plädiert daher in seinem Essay „Zur Verfassung Europas" für eine „beschleunigte Entstaatlichung der europäischen Entscheidungsprozesse, bei dem der traditionelle nationale Souveränitätsanspruch zwischen EU und Nationalstaaten geteilt werden müsse. Auf diese Weise könne man auch die Scheindemokratie überwinden, die von bilateral ausgehandelten Kompromissen (etwa zwischen Bundeskanzlerin Merkel und Staatspräsident Sarkozy) und den anonymen „Kräften des Marktes" bestimmt werde.

Hierzu müssten nationale Souveränitätsrechte auf europäische Institutionen übertragen werden, dabei könnten die fatalen „langen Schatten des Nationalismus", die noch immer auf der Gegenwart liegen, überwunden werden. Die Reisefreiheiten und Neuen Medien haben nationalstaatliche Identitäten ohnedies längst porös gemacht.

Transnationale Unternehmen und Banken denken und handeln nicht in nationalen Kategorien.

Hier wird indes ein weiteres Problem deutlich: Demokratietheorien sind auf den nationalen Territorialstaat zugeschnitten. Würden Entscheidungen in übernationale Gremien verlagert, entstehen Demokratie- und Legitimitätsdefizite, die generell mit dem Globalisierungsprozess verknüpft sind. Demokratische Entscheidungen würden, so eine Reihe von Demokratietheoretikern, einer gemeinsamen politischen Kultur, Identität und Öffentlichkeit bedürfen, demzufolge könne es auch keine transnationale Demokratie geben.

Kritiker dieses Ansatzes wenden dagegen ein, dass globale Demokratiemodelle nicht an einen begrenzten Nationalstaat gebunden seien, sondern sich aus der jeweiligen „Betroffenheit" herleiten würden, immerhin hätten die Betroffenen die Folgen von politischen Entscheidungen (oder Nichtentscheidungen) zu tragen.

Überblick

Kennzeichnend für den Nationalismus ist, dass er sich die Nation als „Gemeinschaft" vorstellt, sie wird unabhängig von realer Ungleichheit, sozialer Macht und Ausbeutung als „kameradschaftlicher Verbund von Gleichen" verstanden. Benedict Anderson formuliert eine bittere Aussage zu diesem Verständnis: *„Es war diese Brüderlichkeit, die es in den letzten zwei Jahrhunderten möglich gemacht hat, dass Millionen von Menschen für so begrenzte Vorstellungen weniger getötet haben als vielmehr bereitwillig gestorben sind. Dieses Sterben konfrontiert uns mit dem zentralen Problem, vor das uns der Nationalismus stellt: Wie kommt es, dass die kümmerlichen Einbildungen der jüngeren Geschichte [...] so ungeheure Blutopfer gefordert haben?"* – Ging mit dem modernen Prozess der Individualisierung und Demokratisierung auch das Bedürfnis einher, sich als Teil einer (fragwürdigen, da konstruierten) Gemeinschaft einer Nation zu verstehen, um der eigenen „unbedeutenden" Existenz einen „größeren, erhabenen Sinn" zu verleihen?

Von der Blockkonfrontation bis zum Ende des Kalten Krieges

5

Nach dem militärischen Sieg über den gemeinsamen national-sozialistischen Gegner brachen zwischen dem westlichen und östlichen Lager rasch wieder die alten Blockrivalitäten und ideologischen Feindschaften auf und diese sollten nun in ver-schärfter Form die Beziehungen belasten. Alle weltpolitischen Konflikte wurden nun in dieser Optik wahrgenommen, auch die Länder der „Dritten Welt" wurden nun im Rahmen des Ost-West-Konflikts instrumentalisiert. Dabei erwies sich der „Kalte Krieg" keinesfalls als „kalt", denn tatsächlich fanden seit 1945 zahlrei-che Kriege statt, die jeweils von den beiden antagonistischen Lagern in ihrem Sinne unterstützt oder forciert wurden. Dabei entwickelten die USA und die UdSSR gigantische militärische und finanziell immer aufwendigere Zerstörungspotenziale.

5.1 Zur Historizität der Erinnerung: Der 8. Mai in der Erinnerungskultur

Es gibt nicht **die** Geschichte, sondern die Erinnerung **an** und die Rekonst-ruktion **von** Geschichte. Sie wandelt sich, wenn sich die Zeitumstände des rückschauenden Betrachters ändern. Diese Feststellung gilt grundsätzlich für alle historischen Sachverhalte und Prozesse. Am Beispiel des Versail-ler Vertrags haben wir bereits gesehen, wie sich die Deutung des Vertrags durch die Zeitgenossen von der Deutung späterer Historiker unterscheidet. Am Beispiel des 8. Mai 1945, dem Tag der Kapitulation, kann man erkennen, wie sich der Blick auf die Geschichte wandelt. Ist dies ein Tag der deutschen Niederlage, der deutschen „Schmach"? Begann mit dem 8. Mai ein neues Unglück? Ist dies ein Tag der Befreiung? Wie sollen wir uns an den 8. Mai erinnern?

Geschichte existiert nicht als ein gleich-bleibender, ein für allemal feststehender Fundus von unwan-delbaren „Daten und Fakten", sondern ist ein sich ständig wandelndes Deutungsgeschäft.

Die Erinnerung an die welthistorisch bedeutsame Zäsur 1945 ist in der Tat weniger geprägt von den scheinbar „feststehenden Daten und Fakten", von den konkreten Ereignissen des Jahres 1945, sondern von den sich verändern-den Zeitumständen, unter denen man sich an das Jahr 1945 erinnert. Die zeit-liche Distanz zu den Ereignissen von 1933 und 1945 lässt die Geschichte auch in einem neuen Licht erscheinen. Die Auseinandersetzung mit Geschichte hat also eine eigene Historizität. Geschichte wird aus der Rückschau entsprechend einer sich wandelnden Gegenwart konstruiert bzw. rekonstruiert; historisches Bewusstsein hat gleichermaßen die Gegenwart wie die Vergangenheit im Blick. Oder anders: Die Vergangenheitskonstruktion erfolgt stets aus einer spezifischen, von der Gegenwart geprägten Optik.

Sebastian Ullrich schrieb hierzu in einer Beilage der „ZEIT":

Die Erinnerung an die eigenen unvorstellbaren Verbrechen wurde erst eine Generation später in den Blick genommen und allmählich aufgearbeitet.

„1955 nahm die Erinnerung an Flucht und Vertreibung großen Raum ein. Dabei wurde die ‚Tragödie des deutschen Ostens' zumeist aus dem historischen Zusammenhang herausgelöst. Die von der Bundeszentrale für Heimatdienst herausgegebene Wochenzeitung ‚Das Parlament' stellte den Vormarsch der Roten Armee als das unerwartete Hereinbrechen ‚bestialischer Horden' dar, die an ‚Unschuldigen unmenschliche Vergeltung' übten. ‚Asien überfällt Europa', titelte der Münchner Merkur. Der unmittelbar vorausgegangene Vernichtungskrieg der deutschen Wehrmacht gegen die Sowjetunion wurde so umgedeutet zu einem ‚heldenhaften Abwehrkampf' gegen den Bolschewismus."

Sebastian Ullrich: Wir sind, was wir erinnern. In: DIE ZEIT. Geschichte. Die Stunde Null Nr. 1, Teil 1. April 2005, Seite 27 ff.

In den 1960er-Jahren setzten sich derartige **Muster der Erinnerung** noch fort. *„In Westdeutschland ist der 20. Jahrestag der deutschen Kapitulation zu einem Festival der Wehleidigkeit geraten"*, meinte Theo Sommer in der „ZEIT". Auch der englische „Observer" bemerkte, in der Bundesrepublik habe man weniger des Endes der Nazityrannei gedacht als vielmehr der Leiden, die den Deutschen von ihren Besatzern angetan worden seien. Bei aller Kontinuität gab es jedoch zwanzig Jahre nach Kriegsende auch deutliche Anzeichen des Wandels in der Auseinandersetzung mit dem 8. Mai. 1965 vollzog sich ein Übergang in der Erinnerung an Krieg und Diktatur. Die seit Ende der 1950er-Jahre in Gang gekommene Aufarbeitung der NS-Verbrechen, der Eichmann-Prozess in Jerusalem 1961 und der Frankfurter Auschwitz-Prozess (1963–1965) schärften das Bewusstsein für die deutsche Schuld. Auch die Konzentrationslager erhielten nun Raum im öffentlichen Gedenken.

Es kam nun erstmals zu Debatten um die Frage, wie der 8. Mai in der Bundesrepublik begangen werden sollte. Zehn Jahre zuvor war dieser Tag noch ohne regierungsoffizielles Gedenken vorübergegangen. Aber auch jetzt konnten sich die Stimmen noch nicht durchsetzen, die den Tag des Kriegsendes stärker gewürdigt sehen wollten. *„Ein Fahnenschwenken am Katastrophentag ist unwürdig"*, diese Auffassung, wie sie etwa in den konservativen „Ruhr-Nachrichten" formuliert wurde, behielt die Oberhand. So kam es nur zu einer kurzen Fernsehansprache von Bundeskanzler Ludwig Erhard am 7. Mai, in der er eher allgemein des *„Blutopfers von Millionen unschuldiger Menschen"* gedachte und sich bei den Verbündeten für die Chance des Wiederaufbaus bedankte.

Die **Erinnerungspolitik** in der Bundesrepublik hatte auch mit der Art und Weise zu tun, wie dieser Tag in der DDR gefeiert wurde. Dort galt das Kriegsende von Anfang an als Befreiung vom Faschismus. Die DDR zählte sich als enger Verbündeter der Sowjetunion zu den Siegern des Zweiten Weltkriegs.

Nur fünf Jahre später, zum 25. Jahrestag des 8. Mai, sah die bundesdeutsche Erinnerungspolitik bereits deutlich anders aus. Seit in Bonn eine sozialliberale Koalition regierte und mit **Willy Brandt** ein erklärter Antifaschist und Emigrant Bundeskanzler war, hatte sich das geschichtspolitische Kräftefeld nachhaltig verschoben. In der Öffentlichkeit gewannen die kritischen Stimmen zunehmend an Gewicht. In der „Frankfurter Allgemeinen Zeitung" z. B. setzte der Historiker Peter Graf Kielmannsegg einen bemerkenswerten Kontrapunkt zu der bis dahin vorherrschenden Opferrhetorik: *„Deutschland war, was die nationalsozialistische Verwüstung Europas betrifft, zunächst einmal Täter, und die anderen waren Opfer."*

> „Ewig-gestrige" verrechnen heute noch die alliierten Luftangriffe etwa auf deutsche Städte mit den monströsen Verbrechen der Nationalsozialisten. Sie ignorieren dabei notorisch Ursachen und Folgen.

Zu einer Sondersitzung des Bundestages anlässlich des 8. Mai kam es 1975 nicht, die Aufbruchstimmung der vorangegangenen Jahre war dahin. Der neue Bundeskanzler **Helmut Schmidt** hielt eine wenig beachtete Ansprache vor dem Kabinett, in der er den 8. Mai als Tag der *„Befreiung von der nationalsozialistischen Gewaltherrschaft"* würdigte. Auch Bundespräsident **Walter Scheel**, der am 6. Mai 1975 in der Schlosskirche der Bonner Universität sprach, benutzte den Begriff der „Befreiung". Scheel betonte zudem die Verantwortung der Deutschen für die Machtergreifung Hitlers und machte deutlich, dass die nationale Katastrophe bereits 1933 begonnen hatte und nicht erst 1945.

In das öffentliche Bewusstsein rückten solche Aussagen jedoch erst durch die berühmte Rede von Bundespräsident **Richard von Weizsäcker**. Weizsäckers Gedenkansprache auf der gemeinsamen Sitzung von Bundestag und Bundesrat zum 40. Jahrestag des Kriegsendes 1985 gilt als *„Sternstunde deutscher Nachkriegsgeschichte"*, wie der israelische Botschafter Jitzhak Ben Ari damals formulierte. Weizsäcker erteilte allen Versuchen eine deutliche Absage, die NS-Verbrechen zu beschönigen oder zu entschuldigen, er präsentierte erstmals eine differenzierte Würdigung aller Opfer von Diktatur und Weltkrieg. In dieser Perspektive, die Ursache und Wirkung von Kriegsniederlage und Vertreibung nicht verwischte, konnte der Bundespräsident auch das Leid der Deutschen beklagen, ohne in den Verdacht des Aufrechnens zu geraten. Der Bundespräsident machte deutlich, dass der selbstkritische, differenzierte Umgang mit der eigenen Vergangenheit inzwischen zur Staatsräson der Bundesrepublik gehörte und auch nach dem Ende der sozialliberalen Ära nicht zur Disposition stand.

„40 Jahre nach der deutschen Kapitulation erregte das Kriegsende ein bis dahin unerreichtes gesellschaftliches Interesse und war so umstritten wie nie zuvor. Es war vor allem die auf ein neues Nationalbewusstsein zielende Geschichtspolitik Helmut Kohls, die polarisierte. Als der Bundeskanzler am 5. Mai 1985 auf dem Soldatenfriedhof von Bitburg zusammen mit dem amerikanischen Präsidenten Ronald Reagan der Opfer von Krieg und Gewaltherrschaft gedachte, fegte ein Sturm der Entrüstung durchs Land. Denn die Organisatoren hatten übersehen, dass dort neben Soldaten der Wehrmacht auch Angehörige der Waffen-SS begraben waren."

Sebastian Ullrich: Wir sind, was wir erinnern. In: DIE ZEIT. Geschichte. Die Stunde Null Nr. 1, Teil 1. April 2005, Seite 27 ff.

5.2 Gegenüberstellung der Nachkriegsverhältnisse in Deutschland 1918 / 1945

	ab 1918	ab 1945
Gemeinsam-keiten	⊚ Kapitulation ⊚ kriegsbedingte Inflation ⊚ Währungsreform ⊚ Elitenkontinuität ⊚ Demokratisierung	⊚ bedingungslose Kapitulation ⊚ kriegsbedingte Inflation ⊚ Währungsreform ⊚ weitgehende Elitenkontinuität ⊚ Demokratisierung

Unter-schiede	⊚ weitgehend intakte Industrie-anlagen, kaum kriegsbedingte Zerstörungen
	⊚ Deutschland bleibt Einheit
	⊚ Besetzung begrenzter Regionen
	⊚ starke Reduzierung des Militärs
	⊚ Demütigung durch Versailler Vertrag
	⊚ Hass auf Siegermächte in weiten Kreisen der Bevölkerung
	⊚ Revisionspolitik
	⊚ politische Isolierung Deutschlands
	⊚ antidemokratische und monarchische Traditionen lebendig, teilweise Orientierung am Kaiserreich
	⊚ Deutschland wird sich selbst überlassen
		⊚ weitgehend intakte Industrieanlagen, Zerstörung sehr vieler Städte
		⊚ Teilung in Besatzungszonen
		⊚ vollständige Besetzung durch Alliierte, die die Regierungsgewalt übernehmen
		⊚ vollständige Entmilitarisierung
		⊚ Carepakete, Marshallplan etc.
		⊚ USA als „Befreier"
		⊚ Westintegration der Westzonen
		⊚ völlige Delegitimierung des NS-Regimes
		⊚ Bestrafung der Hauptverantwortlichen, „Entnazifizierung"
		⊚ keine Großmachtfantasien mehr
		⊚ fünf „D"
		   1. Denazifizierung
		   2. Dezentralisierung
		   3. Demokratisierung
		   4. Demilitarisierung
		   5. Dekartellisierung
		⊚ starke Kontrolle durch Alliierte
		⊚ große Flüchtlingsströme

neu gegründete Parteien	⊚ April 1917: USPD ⊚ Dez. 1918: KPD ⊚ DDP ⊚ 1919: DNVP ⊚ NSDAP	⊚ CDU ⊚ SED (zwangsvereinigt aus SPD und KPD) in SBZ ⊚ LDPD in SBZ

Tab. 5.1: Nachkriegsverhältnisse in Deutschland 1918/1945

Nach 1945 gab es nach H.-U. Wehler einen vierfachen Mentalitätsbruch
- ⊚ In der Masse der Bevölkerung gab es kein Liebäugeln mehr mit einer Diktatur
- ⊚ Der „deutsche Sonderweg" wurde aufgegeben, vielmehr wurde nun auch in Deutschland der demokratische „westliche Weg" in die Moderne gewählt,
- ⊚ Der Nationalismus, insbesondere der rassistische Radikalnationalismus war völlig diskreditiert.
- ⊚ Mit dem Untergang des „Dritten Reichs" war der Bann des charismatischen **„Führers"** gebrochen.

5.3 Vergleich der Entwicklung in den Westzonen/Bundesrepublik und in der sowjetischen Besatzungszone/DDR nach 1945

	SBZ/DDR	Westzonen/Bundesrepublik
Ausgangslage	⊚ umfangreiche Demontagen ⊚ geringe eigene Rohstoffressourcen ⊚ hohe Reparationsleistungen ⊚ ca. 17 Mio. Einwohner	⊚ nur geringe Demontagen in Westzonen ⊚ ergiebige Ressourcen vor allem für Stahlindustrie ⊚ ca. 55 Mio. Einwohner
nach 1948	⊚ Die Währungsreform begünstigt die Volkseigenen Betriebe. ⊚ SBZ bzw. DDR erhält keine Wirtschaftshilfe von außen.	⊚ Die maßgeblich von der USA vorbereitete Währungsreform begünstigt Besitzer von Betrieben und Aktiengesellschaften. ⊚ Währungsreform begünstigt Unternehmen ⊚ Der Marshallplan aus den USA wirkt wie Initialzündung.

ökonomisches System	⊚ rasche Entscheidung für Zentral-verwaltungswirtschaft:
	  – einschneidende Bodenreform
	  – Enteignung des Großgrundbe-sitzes
	  – Sozialisierung der Industrie, des Handels und der Banken
	  – Kollektivierung der Landwirt-schaft
	  – Schaffung von Land-wirtschaftlichen Produk-tionsgenossenschaften (LPGs)
		⊚ Staatliche Eingriffe („Bewirt-schaftung von Preisen") in den Wirtschaftsprozess werden allmählich zurückgenommen.
		⊚ Einige Konzerne werden entflochten, z. B. IG-Farben.
		⊚ Traditionelle Eigentumsverhält-nisse bleiben im Wesentlichen erhalten.

weitere Entwicklung	⊚ trotz beachtlicher Zuwachsra-ten anhaltende wirtschaftliche Schwierigkeiten
	⊚ Benachteiligung der Konsumgüter-industrie
	⊚ daher auch: Arbeiteraufstand 1953
	⊚ erst Jahre nach Mauerbau allmähliche innere Konsolidierung
	⊚ ständiger Arbeitskräftemangel
	⊚ innere Emigration vieler DDR-Bürger, Entwicklung einer privaten „Datschen-Kultur"
	⊚ ständiger Devisenmangel beein-trächtigt DDR-Wirtschaft
		⊚ „Wirtschaftswunder" mit hohen Zuwachsraten
		⊚ zunächst hohe Arbeitslosigkeit auch bedingt durch Flüchtlings-ströme aus Ostgebieten und der DDR
		⊚ später Vollbeschäftigung (bis 1966/67); starke Konsumorientierung und daher
		  – Stabilisierung des politischen Systems
		  – weitgehende Akzeptanz des politischen und sozialen Systems
		  – Zunächst unterbewertete D-Mark begünstigt Export, keine Devisenknappheit

Tab. 5.2: Vergleich SBZ/DDR und Westzonen/Bundesrepublik

5.4 Konfrontation und Kooperation – Etappen der internationalen Politik seit 1945

1945	Potsdamer Abkommen der Siegermächte zur Besatzungspolitik und Aufteilung Deutschlands Gründung der UNO mit Sitz in New York
1945/46	Nürnberger Prozesse gegen die Hauptkriegsverbrecher
1946	Zwangsvereinigung der SPD und KPD zur SED in der SBZ. Churchill bezeichnet die Trennung Europas als „Eisernen Vorhang".
1947	Truman-Doktrin zur Eindämmungspolitik gegenüber der UdSSR Marshallplan für den Wiederaufbau Europas Bildung der Bizone in den westlichen Besatzungszonen Jugoslawien bricht mit der Sowjetunion und geht eigenen Weg zum Sozialismus
1948	Einführung der D-Mark am 20. Juni auch in West-Berlin, daraufhin verhängt die Sowjetunion die Blockade West-Berlins, das durch eine Luftbrücke der Amerikaner versorgt wird.
1948/49	Beratungen des Parlamentarischen Rates über eine vorläufige Verfassung, ein Grundgesetz für den westdeutschen Staat, die Bundesrepublik Deutschland; 23.5.1949: Gründung der Bundesrepublik Nach den Beratungen des Volkskongresses wird aus der Ostzone die Deutsche Demokratische Republik (7. Oktober).
1949	Die Sowjetunion testet ihre eigene Atombombe. Gründung der Volksrepublik China
1950–53	Der Korea-Krieg verschärft den Kalten Krieg, den Ost-West-Konflikt.
1953	Der Tod Stalins löst Hoffnungen auf ein „Tauwetter" im Ostblock aus. Am 17. Juni demonstrieren Arbeiter in zahlreichen Orten in der DDR, der Arbeiteraufstand wird durch sowjetische Truppen niedergeschlagen.
1954	Teilung Vietnams
1955	Die Bundesrepublik Deutschland tritt der NATO bei, daraufhin wird im Ostblock der Warschauer Pakt gegründet, dem auch die DDR beitritt.
1956	Der XX. Parteitag der KPdSU rechnet mit der Politik Stalins ab. Volksaufstände in Ungarn und Polen werden niedergeschlagen.
1957	Der erfolgreiche Start der sowjetischen Raumfahrt („Sputnik-Schock") löst im Westen nicht nur hektische Bildungsreformdiskussionen aus, sondern auch das westliche und vor allem US-amerikanische Raumfahrtprogramm.
1960	Das „Jahr Afrikas": Die meisten afrikanischen Staaten werden unabhängig.
1961	Der Sowjetrusse Jurij Gagarin umkreist in einer Weltraumkapsel die Erde, was für den Westen einen erneuten Schock darstellt. Gründung der NASA. steigende Fluchtwellen aus der DDR in den Westen, Mauerbau am 13. August
1962	Ende des Algerienkriegs zwischen Frankreich und Algerien Die amerikanische Sorge vor der Stationierung sowjetischer Raketen auf Kuba führt zur Kuba-Krise, die die Welt an den Rand eines Atomkriegs bringt. Höhe- und Wendepunkt des Kalten Krieges. Die Sowjetunion lenkt ein. Einrichtung eines „heißen Drahts" zwischen Washington und Moskau. Beginn der Entspannungspolitik.
seit 1964	Die USA intervenieren in wachsendem Ausmaß im Vietnamkrieg.
seit 1966	Kulturrevolution in China mit Millionen von Opfern

1967	6-Tage-Krieg zwischen Israel und seinen Nachbarn
1968	Studentenunruhen in zahlreichen westlichen Staaten gegen den Vietnam-Krieg, aber auch für weitreichende Reformen insbesondere im Schul- und Hochschul-bereich Truppen des Warschauer-Pakts intervenieren gegen den „Prager Frühling" und ersticken damit Demokratisierungsbemühungen im Ostblock.
1969	Bildung der sozialliberalen Koalition unter Willy Brandt; neue Deutschland- und Ostpolitik
1970	Bundeskanzler Willy Brandt trifft sich mit Willi Stoph, dem DDR-Minister-präsidenten, in Erfurt und Kassel.
1972	Grundlagenvertrag zwischen der Bundesrepublik Deutschland und der DDR (Gleichberechtigung der DDR, Unverletzlichkeit der Grenzen) Der SALT-I-Vertrag zwischen den USA und der UdSSR begrenzt strategische Nuklearwaffen.
seit 1973	Jom-Kippur-Krieg zwischen Israel und seinen Nachbarn Die Amerikaner ziehen allmählich ihre Truppen aus Vietnam zurück.
1975	Südvietnam kapituliert, die USA ziehen sich aus Vietnam zurück. KSZE-Konferenz in Helsinki
1979	SALT-II-Abkommen zwischen den USA und der UdSSR NATO-Doppelbeschluss sowjetische Truppen besetzen Afghanistan
1980–88	Golfkrieg zwischen Irak und Iran
1981	Durch die Verhängung des Kriegsrechts in Polen soll die demokratische Bewegung abgeblockt werden.
1985	In der Sowjetunion wird Michail Gorbatschow Generalsekretär der KPdSU, Beginn von Glasnost und Perestroika.
1989	Massaker auf dem Platz des Himmlischen Friedens in Peking innerer Zerfall der UdSSR, Demonstrationen und Reformen in mehreren osteuropä-ischen Staaten, friedliche Revolution in der DDR, Massenflucht von DDR-Bürgern, innerer Zusammenbruch der DDR
9.11.1989	Öffnung der Grenze in Berlin
1990	Irak besetzt Kuwait. Zwei-plus-Vier-Vertrag beendet deutsche Teilung freie Wahlen in der DDR, Wirtschafts- und Währungsunion mit der Bundesrepublik
3.10.1990	DDR tritt der Bundesrepublik Deutschland bei.
1991	Golf-Krieg beendet irakische Besetzung Kuwaits. Zerfall Jugoslawiens: Kroatien und Slowenien scheiden aus dem Staatsverband aus. Auflösung des Warschauer Pakts. Aus der Sowjetunion geht die Gemeinschaft Unabhängiger Staaten (GUS) hervor.
1993	Die Tschechoslowakei löst sich auf in Tschechien und die Slowakei. Der kommunistische Putsch in Moskau gegen Jelzin scheitert.
1999	Polen, Tschechien und Ungarn werden in die NATO aufgenommen. Kosovo-Krieg, erster militärischer Auslandseinsatz der Bundeswehr
11.11.2001	terroristische Anschläge auf das World-Trade-Center und das Pentagon
2003	Die USA und andere Staaten führen Krieg gegen den Irak.

Tab. 5.3: Etappen der internationalen Politik seit 1945

5.5 „Stunde Null" und Bildung der Besatzungszonen

Neubeginn

Für Millionen Menschen war 1945 die „Stunde Null". Für die überlebenden KZ-Häftlinge, die nach Deutschland verschleppten Zwangsarbeiter, die Kriegsgefangenen, für die Ausgebombten, für die Flüchtlinge und die Vertriebenen begann freilich nach dem Kriegsende im Mai der Schrecken erneut (der Krieg im Pazifik endete erst im September 1945 mit der Kapitulation Japans). Sie besaßen oft nur noch das, was sie auf der Haut trugen. Wie andere Länder Europas glich auch Deutschland einem Trümmerfeld. Viele Städte waren mehr oder minder stark zerstört, vielerorts war die Infrastruktur zusammengebrochen, die Wasser- und Elektrizitätsversorgung sowie der Eisenbahnverkehr fielen aus, medizinische Versorgung war nur noch begrenzt vorhanden, Betriebe hatten ihre Produktion eingestellt. Die einen erlebten das Kriegsende als „Zusammenbruch", als das Ende ihrer Weltmachtträume, für viele war das Kriegsende eine Befreiung von der NS-Terrorherrschaft. Für andere war allerdings 1945 die Not noch nicht zu Ende: Vor allem Menschen an der Ostgrenze Deutschlands befürchteten die Rache der Sieger, Zehntausende begingen Selbstmord, als sich die russische Front näherte. Man ahnte oder wusste von den Verbrechen, die von Deutschen vor allem in Polen und in der Sowjetunion begangen worden waren. Man fürchtete die Einlieferung in Kriegsgefangenenlager oder die Justiz der Sieger.

Entsprechend den Vereinbarungen der Alliierten während des Zweiten Weltkriegs wurde Deutschland in Besatzungszonen geteilt, in denen die Alliierten die oberste Regierungsgewalt übernahmen. Zwischen diesen Besatzungszonen kam der Personen- und Güterverkehr zunächst fast völlig zum Erliegen. Am 17. Juli 1945 kam es in Potsdam zum **Treffen der „Großen Drei"**: Der Präsident der USA, Truman, das Staatsoberhaupt der Sowjetunion, Stalin, und der Premierminister Großbritanniens, Churchill, der dann später von Attlee abgelöst wurde, berieten über die Zukunft Deutschlands. Diese drei Mächte einigten sich auf gemeinsame Grundsätze, insbesondere darüber, wie mit dem besiegten Deutschland verfahren werden sollte. Man kann das **Potsdamer Abkommen** (→ Glossar, S. 238) vereinfacht in vier Punkten zusammenfassen (den „vier D" – bisweilen auch „fünf D"):

Die Potsdamer Konferenz einigt sich auf Formelkompromisse.

- ⊙ **Demilitarisierung:** Alle militärischen Einrichtungen und Verbände sollten aufgelöst, die Waffen eingezogen und die Rüstungsindustrie sollte beseitigt werden.
- ⊙ **Denazifizierung:** Alle NS-Organisationen sollten verboten und führende Nazis festgenommen werden. Gegen sie und gegen die Hauptkriegsver-

brecher sollten Gerichtsverfahren eröffnet werden (die späteren „Nürnberger Prozesse").

⊙ **Demokratisierung:** Vorerst sollten die Alliierten die oberste politische Macht innehaben. Allmählich sollte in den Kommunen und in den Ländern politisches Leben auf demokratischer Basis wieder ermöglicht werden.

⊙ **Dezentralisierung** und **Dekartellisierung:** Kartelle und Monopole sollten aufgelöst, die Landwirtschaft und eine Friedensindustrie sollten nur dem inneren Bedarf dienen. Um den Siegern Wiedergutmachung zu leisten, sollten Industrieanlagen demontiert und ins Ausland transportiert werden (das geschah insbesondere in der sowjetisch besetzten Zone).

Allerdings ließen die Beschlüsse der „Großen Drei" genügend Interpretationsspielräume. Viele wichtige Fragen wurden nur in sehr allgemeiner Form geregelt, sodass unterschiedliche Interpretationen der Beschlüsse möglich und Konflikte zwischen den Besatzungsmächten abzusehen waren. Man wollte zunächst Deutschland gemeinsam verwalten; allerdings zeichnete sich bald ab, dass die Siegermächte nicht nur unterschiedliche Interessen verfolgten, sondern auch entgegengesetzte Vorstellungen von der künftigen Gestaltung der wirtschaftlichen und politischen Ordnung in Deutschland hatten.

Unvereinbare Vorstellungen von Demokratie

Allmählich wurden Parteien wieder zugelassen. Zunächst sollte auf Orts-, dann auf Länderebene neues politisches Leben entstehen. Zeitungen wurden von den Alliierten lizensiert; sie konnten allerdings nur dann gedruckt werden, wenn die Siegermächte den Verlagen auch Papier zuteilten – und das machten sie in der Regel nur dann, wenn ihnen die politische Richtung vertretbar erschien. Dennoch war die Presselandschaft in Deutschland selten so vielfältig und lebhaft wie in der unmittelbaren Nachkriegszeit.

Entnazifizierung

Der Versuch der **Entnazifizierung** (→ Glossar, S. 227) gelang nur wenig überzeugend. Man wollte politisch Belastete von staatlichen Leitungspositionen fernhalten. Deshalb mussten fast alle Deutschen in einem umfangreichen Fragebogen über ihre Tätigkeit im „Dritten Reich" Auskunft geben. Die „Spruchkammern" (Laiengerichte unter Aufsicht der Alliierten), die zu diesen Entnazifizierungsverfahren eingerichtet wurden, teilten die Bevölkerung in fünf Kategorien ein: Hauptschuldige, Belastete, Minderbelastete, Mitläufer, Entlastete. Bei diesen Verfahren machten sich zahllose Belastete durch Entlastungszeugnisse („Persilscheine"), die sie nicht selten von den Kirchen erhielten, zu „Mitläufern". Viele Mitläufer reklamierten für sich plötzlich eine „Widerstandstätigkeit".

Vor allem die Amerikaner drängten schon seit der Gründung der Bundesrepublik im Mai 1949 auf Beendigung der Entnazifizierung, weil diese im Wesentlichen zu einer Rehabilitierung der Minderbelasteten und Mitläufer geworden war und weil ihre zweifelhaften Ergebnisse in den USA auf wachsende Kritik stieß. Im Ergebnis war die Entnazifizierung in den westlichen Zonen als Versuch einer personellen Säuberung von Verwaltung, Erziehungswesen und Wirtschaft weitgehend ein Fehlschlag. Mit Ausnahme der strafrechtlich Verurteilten kehrten fast alle, die aus ihren Ämtern entfernt worden waren, in diese zurück. Das weitgehend gescheiterte Unterfangen gehört zu den wenig rühmlichen Kapiteln der deutschen Nachkriegsgeschichte.

Die Entnazifizierung scheitert weitgehend in den Westzonen.

Dennoch ist die Entnazifizierung rückblickend nicht ausschließlich als Misserfolg zu bewerten: So haben die demokratischen Parteien in der Zeit der Ausschaltung der Nationalsozialisten die Chance genutzt, sich zu entfalten und zur politischen Führung in Gemeinden, Ländern und Bund zu gelangen.

In die sowjetische Besatzungszone wurden kommunistische „Initiativgruppen" eingeflogen, vor allem Anhänger der KPD, die im Jahr 1933 aus Deutschland hatten flüchten können. Diese Gruppen begannen nun in den neu zu gründenden Verwaltungen Personen ihrer Wahl einzusetzen. Auf Druck der Sowjetischen Militäradministration (SMAD) kam es 1946 zum Zusammenschluss von SPD und KPD zur SED. Die sowjetischen Behörden gestatteten in ihrer Zone aber auch die Neugründung von zwei bürgerlichen Parteien, der CDU und LDPD. Allerdings mussten sich diese Parteien zur Zusammenarbeit mit der SED in einem antifaschistischen Block bereit erklären. So mancher antifaschistische Widerstandskämpfer, der sich nicht den Vorstellungen der sowjetischen Behörden bzw. der SED unterwerfen wollte, wurde inhaftiert. Einige nationalsozialistische Konzentrationslager dienten nach dem Krieg erneut dem Zweck brutaler Terrorherrschaft.

Von diesen politischen Vorgängen in Deutschland nahm indes nur ein kleiner Teil der Menschen Notiz. Die Hauptsorge der allermeisten galt dem physischen Überleben, der Suche nach verschollenen Angehörigen, einer irgendwie erträglichen Unterkunft. In den Jahren 1946/47 war der Hunger das wohl größte Problem. Die alte Reichsmark hatte durch die inflationären finanzpolitischen und kriegswirtschaftlichen Maßnahmen der NS-Diktatur ihren Wert und ihre Funktion als Zahlungsmittel verloren. Die wenigen verfügbaren Lebensmittel wurden durch Lebensmittelkarten streng rationiert. Die Menschen versuchten diese extrem schmalen Rationen durch Hamstern, Betteln, durch Tauschaktionen auf dem Schwarzmarkt oder durch vielfältige kleinkriminelle Handlungen aufzubessern. Der Kalorienwert der durch Lebensmittelkarten erwerbbaren Nahrungsmittel lag in dieser Zeit nur wenig über 1000 Kalorien, während heute ein Mensch täglich etwa 2000 bis 3000 Kalorien zu sich nimmt. Wer über Wertsachen verfügte, konnte sie auf dem Schwarzmarkt gegen Lebensmittel eintauschen. Besonders hart traf es die Millionen von Flüchtlingen aus den früheren deutschen Ostgebieten, die nur mit wenigen Habseligkeiten in den Besatzungszonen eintrafen. Viele Orte weigerten sich, Flüchtlinge aufzunehmen, an vielen Stadträndern entstanden äußerst primitive Flüchtlingslager, in denen sich mehrere Menschen nicht nur einen Raum, sondern auch ein Bett teilen mussten.

Alltäglicher Zwang zu kleinkriminellen Handlungen

Auf dieses Elend reagierten vor allem die USA mit humanitären, aber auch mit politisch motivierten Aktionen. So konnte die Not durch die 1946 entstandene amerikanische Hilfsorganisation *Cooperative for American Remittances to Europe* (**CARE**) gemildert werden, die unter anderem Lebensmittelverteilungen in Europa finanzierte und organisierte. Die berühmten Care-Pakete wurden auch von den Kirchen verteilt und ermöglichten zahlreichen Familien das Überleben, vor allem in der Hungerkrise 1946/47.

Bedeutsamer noch als diese Hilfsorganisationen war der **Marshallplan** (→ Glossar, S. 234), benannt nach dem amerikanischen Außenminister George Marshall. Dieses *European Recovery Program* (ERP) wurde im April 1948 vom amerikanischen Kongress verabschiedet. Es umfasste Sachlieferungen, technische Hilfe, Dienstleistungen ebenso wie Lebensmittel- und Rohstofflieferungen, insbesondere aber günstige Kredite für den Wiederaufbau.

Diese Hilfe sollten alle vom Zweiten Weltkrieg betroffenen Länder in Anspruch nehmen können. Die Sowjetunion verbot aber den Ländern in ihrem Einflussbereich (z. B. Polen, Tschechoslowakei) sowie der Ostzone die Teilnahme an diesem Hilfsprogramm. Westeuropa erhielt bis 1951 insgesamt 13 Mrd. US-$, die Bundesrepublik und West-Berlin erhielten bis 1957 zusammen 1,7 Mrd. US-$. Die ökonomische Bedeutung dieser Unterstützung war enorm, erheblich größer war indes die politische Wirkung dieses Projekts: Die Siegermacht USA wurde in Deutschland zunehmend als fairer politischer und ökonomischer Partner wahrgenommen. Insofern hat der Marshallplan die spätere Westintegration maßgeblich mit vorbereitet. Insgesamt haben diese Hilfsmaßnahmen aber auch zu dem sich bereits seit 1945 abzeichnenden Teilungsprozess Deutschlands beigetragen.

Ausblick: Die Währungsreform 1948

Durch die inflationäre Politik der nationalsozialistischen Regierung hatte die Reichsmark ihren Wert verloren, an ihre Stelle trat nach Kriegsende die „Zigaretten-Währung". Auf dem Schwarzmarkt wurden begehrte und knappe Waren getauscht, Bargeld spielte dabei kaum eine Rolle. Die Gesetze zur **Währungsreform** (→ Glossar, S. 229) am 20.6.1948 wurden von den Militärregierungen erlassen. Unter ihrer Aufsicht hatten westdeutsche Finanzexperten die Gesetze ausgearbeitet. Die DM-Noten wurde 1947 in den USA gedruckt und unter strenger Geheimhaltung in die Westzonen geliefert und dort gelagert. Durch die Stabilisierung der Währung konnten die Westzonen am Marshall-Plan teilnehmen.

In Erwartung einer Währungsreform erreichte die spekulative Warenhortung in den Westzonen im Mai/Juni 1948 ihren Höhepunkt. Die Unternehmungen hatten produziert, aber diese Waren nicht verkauft. Nicht selten hatten sie die Produktion gedrosselt, um ihre Rohstoffbestände nicht zu rasch zu erschöpfen.

Am 20. Juni erhielt jeder Bewohner der Westzonen einen Betrag von 40,– DM, kurz danach weitere 20,– DM. Firmen erhielten einen Geschäftsbetrag von 60,– DM für jeden Beschäftigten. Durch die Währungsreform wurden die Bewirtschaftung und 90 % der Preisvorschriften aufgehoben, das „Gesetz über die Eröffnungsbilanz in Deutscher Mark und die Kapitalneufestsetzung" wertete das Anlagekapital der Unternehmen auf. Es ermöglichte ihnen eine nahezu verlustlose Umstellung von RM auf DM.

Alle Schulden wurden im Verhältnis 10:1 umgestellt, Barvermögen und Bankeinlagen hingegen im Verhältnis 100:6,5 abgewertet. Auf diese Weise wurde ein Großteil der Reichsschulden durch die Währungsreform (also durch die Sparer) bezahlt, denn von etwa 45 Milliarden Reichsmark Spargeldern blieben ganze 2,2 Milliarden übrig. Die Unternehmen hingegen konnten ihr Vermögen sichern. Die Währungsreform von 1948 stellte insofern die größte Vermögensumverteilung in der deutschen Geschichte dar.

Die deutsche Spaltung – Ergebnis der Politik des Nationalsozialismus und des Kalten Krieges

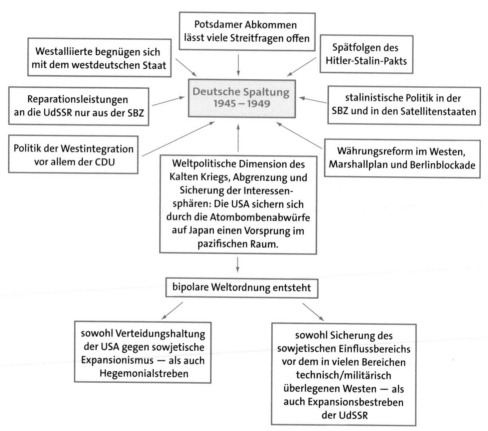

Abb. 5.1: Die deutsche Spaltung

5.6 Auf dem Weg zur deutschen Teilung

Die Berlin-Blockade

Die Spannungen zwischen den Westzonen und der Ostzone bzw. zwischen den Westmächten und der Sowjetunion wurden durch die 1948 von den USA vorbereitete und am 20. Juni durchgeführte **Währungsreform** (→ Seite 167) in den Westzonen erheblich verschärft. Die Einführung der DM teilte Deutschland wirtschaftlich in zwei Währungszonen. Die Reichsmark war nach dem Krieg zwar noch offizielles Zahlungsmittel, durch die Inflationspolitik der Nationalsozialisten (Kriegsfinanzierung) gab es nun aber einen großen Geldüberhang, dem nur eine geringe Warenmenge gegenüberstand. Durch die Währungsreform, bei der jeder Einwohner ein „Kopfgeld" von zunächst 40 DM und dann noch einmal 20 DM erhielt, wurden das im Umlauf befindliche alte Geld und die Sparguthaben um 90 % abgewertet, während Aktienbesitzer geschont blieben. Die Sparer verloren weitgehend ihr Vermögen, während die Besitzer von Firmen, Immobilien und Aktien deutlich begünstigt wurden. Drei Tage nach der bundesdeutschen Währungsreform in den Westzonen kam es auch in der sowjetischen Besatzungszone zu einer solchen. Die westlichen Alliierten schufen in ihren Zonen die Voraussetzungen für eine Marktwirtschaft, der Osten etablierte die Planwirtschaft.

> Der Marshallplan setzte eine Währungsreform voraus.

Die Sowjetunion wollte ihre Währungsreform auch auf West-Berlin ausdehnen, dies verhinderten allerdings die Westalliierten. Daraufhin blockierte die UdSSR die Zufahrtswege nach Westberlin. Die Stadt mit ihren etwa 2,2 Millionen Einwohnern konnte deshalb bis zum Ende der **Blockade** im Mai 1949 nur noch aus der Luft versorgt werden. In dieser Zeit landeten in kurzen Abständen Transportmaschinen („Rosinenbomber") der Westalliierten in der Stadt, um die Menschen mit dem Allernötigsten zu versorgen (Lebensmittel, Brennstoffe, Medikamente etc.). Die Berlin-Blockade und die Luftbrücke trugen maßgeblich zur deutschen Teilung bei, sie förderten das Gefühl der Verbundenheit mit den westlichen Besatzern und vertieften die Kluft zwischen den Menschen in der Ostzone und ihrer Besatzungsmacht. Das politisch gespaltene Berlin wurde lange vor dem Mauerbau im Jahr 1961 zum Symbol des Kalten Krieges.

Abb. 5.2: Berliner Kinder begrüßen ein Flugzeug der Luftbrücke, einen sogenannten Rosinenbomber. Aufnahme vom 15.7.1948 (Ausschnitt) Fotograf unbekannt.– dpa/Picture-Alliance

Wandel der Europa-Politik der Westmächte

Konflikte zwischen den Westmächten und der Sowjetunion über die Frage der Neugestaltung Europas hatte es bereits seit Sommer 1945, also seit Kriegsende, gegeben. Einen Wendepunkt in der Politik der Westmächte gegenüber der Sowjetunion stellte die Rede dar, die Winston Churchill als Oppositionsführer Großbritanniens im März 1946 in Fulton (Missouri) nach Absprache mit und in Anwesenheit von US-Präsident Truman hielt. Darin plädierte er für einen engen militärischen Zusammenschluss der beiden angelsächsischen Mächte gegen die Expansionsbestrebungen der Sowjetunion in Europa und in der Welt. Speziell wandte sich Churchill auch gegen einen Versuch der Sowjetunion, ganz Deutschland dem Kommunismus zu unterwerfen. Er griff in dieser Rede das von Goebbels im Februar 1945 propagierte Schlagwort vom **„Eisernen Vorhang"** (→ Glossar, S. 227) auf und spitzte es dramatisch zu: *„Von Stettin an der Ostsee bis nach Triest an der Adria hat sich ein Eiserner Vorhang quer durch den Kontinent gelegt. Hinter dieser Linie liegen alle Hauptstädte Mittel- und Osteuropas. Warschau, Berlin, Prag, Wien, Budapest, Belgrad, Bukarest und Sofia – alle diese Städte und die umliegenden Gebiete sind in der sowjetischen Einflusssphäre und sind, in der einen oder anderen Form, nicht nur dem sowjetischen Einfluss, sondern in einem hohen und wachsenden Maße der Kontrolle durch Moskau unterworfen. Was immer man aus diesen Tatsachen [...] für Schlüsse ziehen mag, eines ist sicher: Das ist nicht das befreite Europa, für das wir gekämpft haben. Es ist auch kein Europa, das die Wesenszüge eines dauerhaften Friedens trägt."*

Zit. nach: Andreas Hillgruber: Europa in der Weltpolitik der Nachkriegszeit 1945–1963. Oldenbourg München, Seite 39.

Der Kurswechsel der US-amerikanischen Deutschlandpolitik wurde in einer programmatischen Rede des Außenministers Byrnes vor den Repräsentanten der deutschen Länder der US-Zone in Stuttgart am 6. September 1946 verkündet. Byrnes sprach sich vor allem für den Aufbau einer zentralen deutschen Verwaltung und einen „Deutschen Nationalrat" (als eine Art Vorparlament) auf föderativer Grundlage aus, der eine Bundesverfassung ausarbeiten sollte. Byrnes bezeichnete die Oder-Neiße-Linie als provisorisch und zugunsten Deutschlands revisionsbedürftig. Er sprach sich auch für einen wirtschaftlichen Zusammenschluss der drei Westzonen aus und kündigte

Damit wird von den Westmächten die deutsche Teilung hingenommen.

an, den Westzonen das Selbstbestimmungsrecht zu übertragen und hier das Modell der westlichen Demokratie einzurichten. Ziel war auch deren wirtschaftliche Selbstversorgung, um die USA und Großbritannien zu entlasten. Ihre endgültige Formulierung fand die US-amerikanische Europa-Politik in der sogenannten **Truman-Doktrin** (→ Glossar, S. 243) , in der Präsident Truman im März 1947 Griechenland und die Türkei unter den Schutz der USA stellte und allen Staaten Unterstützung gegen die sowjetische Expansion zusicherte. Der Übergang von einer Politik der Kooperation mit der Sowjetunion in Europa zu einer *Containment Policy* (Eindämmungspolitik) mit der der expandierenden Sowjetunion Einhalt geboten werden sollte, war vollzogen.

Linke politische Kräfte werden damit in Westeuropa in die Illegalität gedrängt.

Die sowjetische Europapolitik

Stalins Außenpolitik galt der Sowjetisierung Ost- und Südosteuropas. Sie war jedoch trotz der allgemeinen Zielsetzung beweglich und ergriff Gelegenheiten, wo und wie sie sich boten. Die Situation nach 1945 war für die politische Konzeption der Sowjetunion günstig, und in einer Reihe von ost- und südosteuropäischen Ländern wurden auf Initiative der sowjetischen Besatzungsmacht „Volksdemokratien" etabliert. Dieser Vorgang war nicht ausschließlich auf den äußeren Druck durch die Sowjetunion zurückzuführen. In den zurückgebliebenen Agrarländern des ost- und südöstlichen Europas – aber auch im östlichen Teil Deutschlands – waren die kleinen und mittleren Bauern für Bodenreformpläne leicht zu gewinnen, sie fürchteten nur die Kollektivierung. Arbeiter und Techniker waren am industriellen Wiederaufbau interessiert, und die Intellektuellen neigten nach den Erfahrungen mit der nationalsozialistischen Besatzungspolitik zum Marxismus. Gegen grundlegende wirtschaftliche und soziale Reformen konnten auch liberale Demokraten nichts einwenden. Gerade im Nationalismus der wieder souverän gewordenen Staaten fanden die einheimischen Kommunisten tatkräftige Unterstützung.

Die sowjetische Deutschlandpolitik bestand nicht in einer sofortigen Sowjetisierung des russisch besetzten Teils Deutschlands. Vielmehr wurde bereits im Sommer 1945 beschlossen, dort das sowjetische Modell zunächst nicht einzuführen, sondern im Hinblick auf Einflussmöglichkeiten in ganz Deutschland offiziell ein Mehrparteiensystem zugrunde zu legen. Prinzipiell geklärt war diese Frage aber damit nicht: In der Militäradministration der sowjetisch besetzten Zone (SMAD) standen sich in der Folgezeit zwei Auffassungen gegenüber, wie mit der eigenen Zone verfahren werden solle: forcierte Sowjetisierung der SBZ ohne Rücksicht auf die Westzonen oder eine gesamtdeutsche, den langfristigen Interessen der Sowjetunion besser dienende Lösung.

Klar war allerdings, dass in der sowjetisch besetzten Zone Deutschlands wie auch in den anderen ost- und südosteuropäischen Staaten unter sowjetischem Einflussbereich die „Volksdemokratien" in ihrer jeweiligen nationalen Ausprägung nur Übergangsformen hin zu sozialistischen Systemen sein sollten. In wirtschaftlicher Hinsicht war für die SBZ von Bedeutung, dass die Sowjetunion über 1000 Betriebe – nach anderen Angaben 2000–4000 Betriebe – **demontierte** und viele Betriebe als Aktiengesellschaft in sowjetischen Besitz überführte.

Demontagen

Die russische Demontagepraxis, die der Wirtschaft der DDR einen immensen Schaden zufügte, wurde erst in den 1950er-Jahren korrigiert.

Die späteren ökonomischen Probleme der DDR können teilweise auf die gewaltigen **Demontagen** (→ Glossar, S. 225) und auf die beträchtlichen Reparationskosten zurückgeführt werden, die die UdSSR ihrer Besatzungszone abforderte. Sie lagen erheblich höher als die Kosten, die den westlichen Besatzungszonen aufgebürdet worden waren. Die industriellen Kapazitäten in der SBZ wurden dadurch – anders als in den Westzonen – nachhaltig beschädigt. Wahrscheinlich ist die spätere DDR-Wirtschaft stärker durch Demontagen als durch Kriegsschäden beeinträchtigt worden, etwa im Bereich des Automobilindustrie und des Transportwesens. In der SBZ wurden im großen Umfang Gleisanlagen demontiert. Die Transportkapazitäten betrugen in der jungen DDR kaum mehr als 50% der Kapazitäten von 1936. Der Uranbergbau der Wismut AG in Thüringen und Sachsen, einem der größten Uranproduzenten der Welt, diente nahezu ausschließlich sowjetischen Interessen.

5.7 BRD und DDR

Die Gründung der Bundesrepublik Deutschland

1947 kam es zur Vereinigung der amerikanischen und der britischen Zone zur Bizone, 1948 beschlossen die Westalliierten und die Beneluxländer die Bildung eines westdeutschen Teilstaates, worauf die Sowjetunion aus dem **Alliierten Kontrollrat** (→ Glossar, S. 221) austrat. 1948 wurde dann die Trizone gebildet und die Regierungschefs der westdeutschen Länder wurden beauftragt, einen westdeutschen Teilstaat vorzubereiten („Frankfurter Dokumente"). Unter der Aufsicht der Alliierten und mit entsprechenden Auflagen versehen, arbeiteten die Länderregierungen an einer vorläufigen Verfassung. Mit der Bezeichnung „**Grundgesetz**" wollte man das Provisorische dieser Verfassung zum Ausdruck bringen. Da es nicht möglich war, eine gesamtdeutsche Versammlung einzuberufen, konnte auch keine Verfassung für ganz Deutschland ausgearbeitet werden. Daher wurde am 1. September 1948 ein „**Parlamentarischer Rat**" gebildet, bestehend aus 65 Abgeordneten aus den westdeutschen Ländern und fünf Vertretern Westberlins.

Die Frankfurter Dokumente enthalten die westalliierten Arbeitsanweisungen für den Parlamentarischen Rat.

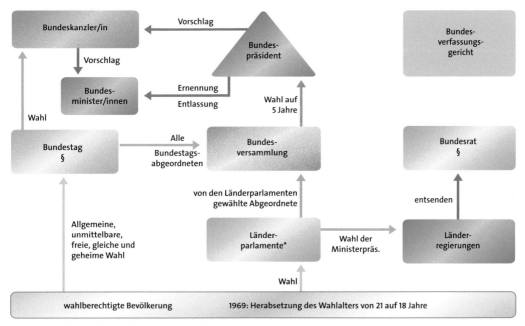

§ Mitwirkung bei der Bundesgesetzgebung

```
* 1949:  12  (ohne Saarland, mit Württemberg, Württemberg-Hohenzollern und Baden)
  1952:  10  (Württemberg, Württemberg-Hohenzollern und Baden vereint zu Baden-Württemberg)
  1957:  11  (Saarland wird Land der Bundesrepublik Deutschland)
  1990:  16  (Beitritt der 5 neuen Länder)
```

Abb. 5.3: Verfassung der Bundesrepublik Deutschland

Eingedenk der Schwächen der Weimarer Republik und ihrer Verfassung wollte der Parlamentarische Rat die verfassungsrechtlichen Voraussetzungen für eine stabile Demokratie schaffen. Eine Präambel proklamierte das Ziel der Wiedervereinigung Deutschlands. Die unveräußerlichen Grund- und Menschenrechte stellte man an den Anfang des Grundgesetzes. Die Institution eines gegenüber dem Parlament schier übermächtigen Reichspräsidenten, der auch noch mit Sondervollmachten ausgestattet war, wurde abgeschafft. Der nicht direkt vom Volk, sondern von einer Bundesversammlung zu wählende Bundespräsident sollte im Wesentlichen nur noch repräsentative Aufgaben wahrnehmen.

Eine bestimmte Wirtschaftsordnung legte das Grundgesetz nicht fest.

Leitende Prinzipien der neuen Ordnung wurden in **Artikel 20 Grundgesetz** festgeschrieben: die bundesstaatliche (föderative) Ordnung, die Demokratie, der Rechtsstaat und der Sozialstaat. Später wurde noch die Fünf-Prozent-Klausel geschaffen, um zu verhindern, dass es – wie in der Weimarer Republik – zu einer starken Parteienzersplitterung im Parlament kommt. Das Parlament sollte arbeitsfähig sein und sich nicht selbst auflösen können. Neu war die im Weltmaßstab außergewöhnlich starke Stellung des Bundesverfassungsgerichts, das gleichsam wie eine „Überregierung" die Arbeit der Regierung und des Parlaments rechtlich überprüfen konnte. Bemerkenswert am Grundgesetz ist auch, dass die besondere Stellung der Kirche vom Staat geschützt und dass die Institutionen Ehe und Familie vom Staat privilegiert werden.

Lange strittig war die Frage der **Gleichstellung der Frau** (Artikel 3 Absatz 2 Grundgesetz). Die Durchsetzung dieses Artikels („Männer und Frauen sind gleichberechtigt") im Parlamentarischen Rat ist vor allem den weiblichen Mitgliedern des Parlamentarischen Rats – insbesondere der politischen Tatkraft der sozialdemokratischen Juristin Elisabeth Selbert – und dem Druck einer aktiven frauenpolitischen Öffentlichkeit zu verdanken.

Die Angst vor **Plebisziten** (und damit die Sorge vor „Demagogen") kam unter anderem darin zum Ausdruck, dass das Grundgesetz den **Länderregierungen** und nicht der Bevölkerung zur Abstimmung vorgelegt werden sollte. Ökonomische Grundsatzfragen hielt das Grundgesetz offen, es enthält keine Bestimmung über die Wirtschaftsverfassung, gleichwohl wird die Institution des Privateigentums garantiert. Einigkeit bestand darüber, dass der Staat dort Aufgaben wahrzunehmen hat, wo der Markt die Versorgung nicht sicherstellen kann, etwa bei der Landesverteidigung, der Infrastruktur, bei Bildungs-, Verkehrs- und Kultureinrichtungen. Aus dem Sozialstaatspostulat (Art. 20) kann abgeleitet werden, dass der Staat seinen Bürgern eine

Existenzsicherung garantieren muss, wenn andere soziale Einrichtungen versagen. Erbittert wurde über den Finanzausgleich zwischen reicheren und ärmeren Bundesländern gestritten, wobei die SPD den bis heute geltenden **Länderfinanzausgleich** durchsetzen konnte.

Am 23. Mai 1949 verkündete Konrad Adenauer, der noch im selben Jahr zum ersten Bundeskanzler gewählt wurde, als Präsident des Parlamentarischen Rats das Grundgesetz und damit die Gründung der Bundesrepublik Deutschland mit Bonn als Hauptstadt.

Die Gründung der Deutschen Demokratischen Republik

In der sowjetischen Besatzungszone wurde im Mai 1949 der 3. Deutsche Volkskongress gewählt. Allerdings konnten die Wähler nur eine Einheitsliste bestätigen oder ablehnen, auf die Zusammensetzung des Volkskongresses hatten sie keinen Einfluss. Abgestimmt wurde über die Formulierung: *„Ich bin für die Einheit Deutschlands und für einen gerechten Frieden. Ich stimme darum für die nachstehende Kandidatenliste …".* Etwa 34 % der Wähler stimmten gegen die Einheitsliste. Dieser Volkskongress arbeitete die Verfassung der künftigen DDR aus, die dann am 7. Oktober 1949 in Kraft trat.

Etwa eine Million Stimmzettel wurden nicht ausgefüllt, sie wurden als Zustimmung gewertet.

In der Präambel der Verfassung der DDR hieß es: *„Von dem Willen erfüllt, die Freiheit und die Rechte der Menschen zu verbürgen, das Gemeinschafts- und Wirtschaftsleben in sozialer Gerechtigkeit zu gestalten, dem gesellschaftlichen Fortschritt zu dienen, die Freundschaft mit allen Völkern und den Frieden zu sichern, hat sich das deutsche Volk diese Verfassung gegeben."*

Auch die DDR-Verfassung proklamierte die Bürger- und Menschenrechte, die Volkssouveränität und demokratische Grundprinzipien. Allerdings klaffte zwischen Verfassungsanspruch und Verfassungswirklichkeit eine große Lücke, denn Menschen, die anderer Auffassung als die SED waren, wurden von der politischen Willensbildung ferngehalten bzw. massiv verfolgt. Die sowjetischen Behörden bzw. die unter ihrer Aufsicht handelnden ostdeutschen Institutionen gingen in der Regel zunächst konsequenter gegen ehemalige Nationalsozialisten vor als in der Bundesrepublik.

5.8 Aufbau von Feindbildern und gegenseitige Abschottung

Wiederaufbau und „Wirtschaftswunder"

Die Liberal-Demokratische Partei Deutschlands (LDP bzw. LDPD) wurde 1945 in der Sowjetischen Besatzungszone gegründet. Sie wurde jedoch in der DDR schnell gleichgeschaltet und stellte Abgeordnete und Minister. 1990 ging sie in der gesamtdeutschen FDP auf. 1948 wurde in der Sowjetischen Besatzungszone die National-Demokratische Partei Deutschlands gegründet. In ihr sammelten sich u. a. sogenannte „nicht belastete"ehemalige NSDAP-Mitglieder, ehemalige Offiziere und Vertriebene. Dies entsprang dem Kalkül, die bürgerlichen Parteien zu schwächen. Sie unterstützte als sogenannte Blockpartei die DDR-Regierung wie die LDPD auch. Die NDPD ging 1990 ebenfalls in der FDP auf.

Mit dem Inkrafttreten der Verfassung am 7. Oktober 1949 war die DDR gegründet. Die ersten Volkskammerwahlen waren für den Oktober 1950 vorgesehen. Ähnlich wie das Grundgesetz für die Bundesrepublik garantierte die DDR-Verfassung die Grundrechte, räumte die Möglichkeit von Volksentscheiden ein und postulierte die Verantwortlichkeit der Regierung gegenüber der Volkskammer, dem Parlament. Wie schon erwähnt, wich in der DDR die Verfassungstheorie allerdings stark von der Verfassungswirklichkeit ab. Die 1946 aus der Zwangsvereinigung von KPD und SPD hervorgegangene Sozialistische Einheitspartei Deutschland (SED) hatte längst ihren Führungsanspruch durchgesetzt. Neben der SED gab es noch andere Parteien wie die CDU, die LDPD oder die NDPD und sogenannte Massenorganisationen für die Bauern, die Frauen und die Jugend. Alle Parteien und Massenorganisationen kandidierten jedoch bei Volkskammerwahlen nicht selbstständig, sondern waren in der „Nationalen Front" in einer Einheitsliste zusammengeschlossen. Zudem war die Sitzverteilung im Parlament für die Parteien und Massenorganisationen von vornherein festgelegt, und die Bevölkerung konnte bei Wahlen im Wesentlichen nur den von der Nationalen Front aufgestellten Einheitslisten zustimmen. Schließlich pflegte die SED missliebige Politiker in den konkurrierenden Parteien stets auszuschalten, sodass letztlich die politische Macht im Staat in den Händen der SED lag.

Unter dem Motto „Junkerland in Bauernhand" gelangten viele landwirtschaftliche Betriebe in dafür unqualifizierte Hände.

Auch in den übrigen gesellschaftlichen Bereichen setzte die SED ihren Führungsanspruch durch: an Schulen und Hochschulen, im Bildungs- und Kulturbereich, in der Justiz und in den Massenmedien. Im Jahr 1952 wurden die fünf Länder Mecklenburg-Vorpommern, Brandenburg, Sachsen, Sachsen-Anhalt und Thüringen aufgelöst und stattdessen 14 neue Verwaltungsbezirke geschaffen. Groß- und Mittelbetriebe wurden verstaatlicht und in **Volkseigene Betriebe**" (VEB) umgewandelt. Durch eine **Bodenreform** (→ Glossar, S. 223) wurde bereits 1945 vor allem der Großgrundbesitz zerschlagen. Ende der 1950er-Jahre entstanden nach dem sowjetischen Vorbild der Kolchosen die „Landwirtschaftlichen Produktionsgenossenschaften" (LPGs). Diese einschneidenden Maßnahmen wurden auch damit begründet, dass die alten Eliten (Adel, Großgrundbesitzer und Unternehmer) maßgeblich an der Zerstörung der ersten deutschen Demokratie und an der nationalsozialistischen „Machtergreifung" beteiligt gewesen wären.

Der **ökonomische Wiederaufbau** in der DDR war vor allem dadurch beeinträchtigt, dass der kriegsbedingte Zerstörungsgrad recht hoch war, die DDR von den großen Industriezentren (Ruhrgebiet und Oberschlesien) abgeschnitten war und das Land kaum über Bodenschätze (außer Kali, Braunkohle und Uran) verfügte. Tatsächlich kam es aber auch in der DDR zu einem „Wirtschaftswunder", allerdings nicht in dem Ausmaße wie in der Bundesrepublik. Gleichwohl war die DDR in der gesamten Zeit ihrer Existenz – bedingt durch die Grenzen der sozialistischen Planwirtschaft – geprägt von der Mangelwirtschaft. An bestimmte Güter kamen die Menschen nur unter großen Schwierigkeiten heran, an manche überhaupt nicht. Schlangestehen gehörte ebenso zum Alltag wie die private Tauschwirtschaft. Während Güter des alltäglichen Bedarfs durch staatliche Subventionen recht billig waren, waren sogenannte Luxusgüter (z. B. Autos oder Fernseher) äußerst kostspielig und die Lieferfristen betrugen nicht selten viele Jahre. Andere begehrte Güter konnte man nur mit Devisen etwa in den später eingerichteten Intershops erwerben, die DM wurde auf diese Weise in der DDR zur heimlichen und hochbegehrten Zweitwährung.

> Die Demontagen erreichten in der SBZ/DDR wesentlich höhere Ausmaße als in den Westzonen.

Demgegenüber kam es in der Bundesrepublik zu einem beachtlichen **Wirtschaftswachstum**: Zwischen 1950 und 1960 verdreifachte sich das Bruttosozialprodukt, im nächsten Jahrzehnt verdoppelte es sich. Dementsprechend sank die Zahl der Arbeitslosen und die zunächst sehr geringen Reallöhne erhöhten sich deutlich. Die Ursachen für dieses „Wirtschaftswunder" sind vielfältig. Wirtschaftshistoriker erklären das hohe Wachstum im Wesentlichen als **„Rekonstruktionseffekt"**: Vor allem dort, wo die Kriegszerstörungen am größten waren, sei es durch den Wiederaufbau auch zu den größten Wachstumsraten und zugleich zu einer Modernisierung der Produktionsanlagen sowie der Infrastruktur gekommen. Neben diesem auf die Kriegsfolgen zurückzuführenden Faktor hat das „Wirtschaftswunder" aber noch andere Ursachen:

- ⊙ Die Löhne und die Sozialleistungen waren noch äußerst niedrig.
- ⊙ Die Bundesrepublik hatte als Exportland Anteil an der sich belebenden Weltkonjunktur.
- ⊙ Sehr günstig wirkte sich die damalige Unterbewertung der DM gegenüber dem Dollar aus. Ein Dollar entsprach ungefähr vier bis fünf DM, dies machte deutsche Waren im Ausland billig und förderte den Export.
- ⊙ Dem Arbeitsmarkt standen durch die große Zahl von Flüchtlingen aus den ehemaligen deutschen Ostgebieten sehr viele arbeitswillige und fachlich qualifizierte Arbeitskräfte zur Verfügung, die sich mit niedrigen Löhnen beschieden.

◉ Der Wohnungsbau, die in den späten 1950er-Jahren einsetzenden Konsumwellen („Fresswelle", „Bekleidungswelle", „Reisewelle" usw.) und insbesondere die Massenmotorisierung förderten die Nachfrage. Erst die Rezession von 1966/67 beendete die Phase des außergewöhnlichen Wirtschaftswachstums.

Die neue demokratische Ordnung wurde von der Bevölkerung zunehmend akzeptiert. Hierfür waren auch die Sozialgesetze der Bundesrepublik förderlich. 1952 wurde das **Lastenausgleichsgesetz** verabschiedet, durch das Vertriebene oder Flüchtlinge eine gewisse Entschädigung erhielten; 1954 folgten das Kindergeldgesetz und 1961 das Sozialhilfegesetz. Besonders zu nennen ist die 1957 verabschiedete Rentenreform, die eine „Dynamisierung" der äußerst geringen Renten bewirkte. Seitdem werden die Renten an die Entwicklung der Löhne und Gehälter gekoppelt – sie werden „dynamisiert" – und damit wurde die bedrückende Altersarmut stark gemildert. Diese sozialstaatlichen Maßnahmen trugen dazu bei, dass die politische und soziale Ordnung der Bundesrepublik von wachsenden Teilen der Bevölkerung bejaht wurde. Die Gewerkschaften konnten zwar ihre in den ersten Nachkriegsjahren weitgesteckten sozialistischen Zielvorstellungen – Verstaatlichung der Schlüsselindustrien – nicht realisieren, aber sie erlangten über die Betriebsräte und durch die Mitbestimmungsrechte in der Bergbau- und Stahlindustrie („Montanindustrie") beachtliche Einflussmöglichkeiten zur Durchsetzung von Arbeitnehmerinteressen.

> Allerdings ist der 1957 eingerichtete „Generationenvertrag" (die jeweils Beschäftigten kommen für die Rentner auf) durch die demografische Entwicklung in eine Krise geraten.

Deutsche Einheit und Stalin-Note

Die **Außenpolitik** der Bundesrepublik zielte nicht nur auf die Westintegration, sondern auch auf die Wiedererlangung der staatlichen Souveränität, die durch das Besatzungsstatut eingeschränkt war. Zwar strebte die Politik Adenauers grundsätzlich die Wiedervereinigung an, sah aber dieses Ziel durch die Entwicklung in der DDR und durch den Ost-West-Gegensatz in eine unabsehbar ferne Zukunft gerückt. Eine Wiedervereinigung konnte nach Auffassung Adenauers nur mithilfe der Westalliierten erreicht werden und nicht durch eine Annäherung an die Sowjetunion. Die SPD bekämpfte diese Politik, weil sie der Auffassung war, dass gerade die Westintegrationspolitik das Ziel der Wiedererlangung der deutschen Einheit gefährdete und vielmehr die deutsche Teilung auf lange Zeit zementierte. Adenauer informierte im Jahr 1958 vertraulich die Sowjetunion, dass seine Regierung nicht das Ziel verfolge, die deutsche Einheit rasch wiederherzustellen. Dies hinderte seine Regierung allerdings nicht daran, in öffentlichen „Sonntagsreden" die deutsche Einheit zu beschwören.

Ein weiterer, die deutsche Einheit erschwerender Faktor war die Wiederbewaffnung der Bundesrepublik bzw. die Gründung der Bundeswehr (die Aufrüstung der DDR setzte bereits 1948 ein). Bestandteil der **Pariser Verträge** von 1954, mit denen die Bundesrepublik von den Alliierten die weitgehende staatliche Souveränität zugesichert bekommen hatte, war der Aufbau einer eigenen Armee im Rahmen der NATO. Diese Wiederbewaffnung – von SPD, Gewerkschaften und einem Teil der Öffentlichkeit heftig bekämpft – erfolgte im Kalten Krieg, in einem Klima der schroffen Abgrenzung gegenüber dem Osten und im Rahmen der politischen und ökonomischen Westintegration. Vor diesem Hintergrund wurde deshalb von vielen westlichen Politikern der spätere **Mauerbau in Berlin** 1961 zwar nach außen hin schroff abgelehnt, aber auch mit Erleichterung aufgenommen, weil er klare Verhältnisse schuf. An eine rasche – auch von den Westalliierten nicht ohne weiteres erwünschte – Wiedervereinigung Deutschlands war nun nicht mehr zu denken.

Die historische Forschung bewertet heute Adenauers Politik der Annäherung an den Westen überwiegend positiv, beklagt oder kritisiert aber deren nur deklamatorische, folgenlose nationale Rhetorik.

Ähnlich wie die Bundesrepublik erstrebte die DDR grundsätzlich die deutsche Einheit. Für die Teilung machte sie die „imperialistischen" westlichen Siegermächte verantwortlich. Allerdings wollte die DDR-Führung die Einheit unter den politischen und ökonomischen Bedingungen, die sie für richtig hielt. Zur großen Überraschung der Westalliierten unterbreitete Stalin 1952 den Westalliierten ein Angebot zur Wiedervereinigung („**Stalin-Note**"). Sie enthielt unter anderem den Vorschlag, dass Deutschland diese unter den Bedingungen erlangen könnte, dass es seine Westbindung aufgeben und politisch neutral und blockfrei sein sollte. Nach Auffassung vieler Historiker war dieses Angebot durchaus ernst zu nehmen, denn die Sowjetunion empfand die geplante Wiederbewaffnung der Bundesrepublik als Sicherheitsrisiko. Aber Adenauer wirkte auf die Westalliierten ein, Stalins Angebot zurückzuweisen. Die Westmächte forderten daraufhin freie Wahlen in der DDR, gleichsam als Vorleistung des Ostens zu weiteren Verhandlungen, wohl wissend, dass die DDR nur um den Preis der politischen Selbstaufgabe auf diese Bedingung eingehen konnte.

Der amerikanische Präsident Kennedy, der sich kurz zuvor mit dem russischen Regierungschef Chrustschow getroffen hatte, hielt sich während des Mauerbaus demonstrativ zurück.

Die Westalliierten reagierten nicht offiziell auf Stalins Offerte.

Der Arbeiteraufstand 1953

Als Stalin im März 1953 starb, hofften viele Menschen auf ein **politisches „Tauwetter"** im Osten und auf demokratische Reformen in der DDR. Vielerorts kam es in der DDR zu Protesten gegen die niedrigen Löhne und gegen die unzureichende Lebensmittelversorgung, denn beim Aufbau des Sozialismus hatte die SED-Führung der Schwerindustrie Vorrang vor der Konsumgüterindustrie eingeräumt sowie erhebliche Mittel in den Aufbau bewaffneter Organe investiert. Verglichen mit dem Westen ging es den Menschen im Osten deutlich schlechter. Das Politbüro der SED unter Führung des weithin unbeliebten Generalsekretärs **Walter Ulbricht** kündigte am 9. Juni 1953 einen „Neuen Kurs" an, der die Lebensbedingungen verbessern sollte. Allerdings nahm die SED-Führung die vorher beschlossene Erhöhung von Arbeitsnormen, die nicht von Einkommensverbesserungen begleitet werden sollten, nicht zurück.

Um ihrem Unmut über die Erhöhung der Arbeitsnormen Ausdruck zu verleihen, traten am 16. Juni 1953 Ostberliner Bauarbeiter in einen Streik, die Protestbewegung weitete sich am 17. Juni republikweit aus. Neben der Herabsetzung der Arbeitsnormen und Preissenkungen forderten die Streikenden auch freie und geheime Wahlen. Sie setzten SED-Funktionäre ab, stürmten Parteilokale, rissen Propaganda-Transparente ab ... Die SED-Führung stand am 17. Juni mit dem Rücken zur Wand. Russische Panzer und Soldaten griffen ein, Schätzungen zufolge gab es insgesamt 200 Todesopfer. Die SED-Führung interpretierte die Aufstandsbewegung als einen vom Westen gesteuerten „faschistischen Putsch".

Die „Stasi" hatte erheblich mehr Mitarbeiter als etwa die Gestapo, letztere konnte sich allerdings auf die Denunziationsbereitschaft vieler Menschen verlassen. Für die Stasi arbeiteten über 90 000 Personen, dazu kamen noch etwa 200 000 „Informelle Mitarbeiter".

In der Folgezeit wurden ca. 16 000 Aufständische verhaftet, die Sowjets riefen in vielen Bezirken den Ausnahmezustand aus. Aber auch in der SED wurden „Säuberungen" vorgenommen und das **Ministerium für Staatssicherheit („Stasi")** wurde ausgebaut. Die Versorgung der Bevölkerung wurde allmählich dadurch verbessert, dass die Partei nicht mehr allein dem Aufbau der Schwerindustrie Vorrang einräumte und nun auch den Ausbau der Konsumgüterindustrie förderte. Begünstigt wurden diese Maßnahmen dadurch, dass die Sowjetunion auf weitere Reparationen verzichtete.

In der Bevölkerung blieb jedoch die Erinnerung an die repressiven Maßnahmen lebendig und die innere Distanz zum System groß. Mehr als 300 000 Menschen flohen allein im Jahr 1953 in den Westen. Die Bundesrepublik erklärte den **17. Juni** zu ihrem Nationalfeiertag, an dem an die ungerechten und undemokratischen Verhältnisse in der DDR erinnert wurde. Die Feierlichkeiten zum 17. Juni entwickelten sich indes bald zur einer politischen Pflichtübung, die Menschen im Westen freuten sich eher über diesen zusätzlichen arbeitsfreien Tag.

Die „zweite Staatsgründung": Stabilisierung der DDR

Da auch in der Folgezeit die Flucht aus der DDR in den Westen – in der Regel über Berlin – anhielt und vor allem gut ausgebildete, ehrgeizige und motivierte Menschen der DDR den Rücken kehrten, erklärte die SED-Führung die „Republikflucht" zum Straftatbestand. Immerhin entstand der DDR durch diese Form der Abwanderung ein hoher volkswirtschaftlicher Schaden. Die DDR bezifferte den Produktionsausfall die DDR-Industrie allein für 1960/61 mit 2,5–3 Mrd. Mark. Wer versuchte, die DDR illegal zu verlassen, musste mit dem Schusswaffengebrauch durch die Grenzsoldaten rechnen. Da dennoch die Flucht in den Westen über Westberlin nicht nachließ, sondern immer größere Ausmaße erreichte, schloss die DDR die Sektorengrenze nach Westberlin buchstäblich über Nacht auf eine drastische Weise. Sie unterbrach am 13. August 1961 alle Zugverbindungen in den Westen und errichtete zwischen Ost- und Westberlin eine scharf bewachte Mauer. Zwar wurden auf beiden Seiten die Streitkräfte in höchste Alarmbereitschaft versetzt und ein Krieg lag in diesen Tagen in der Luft, aber die Westmächte intervenierten nicht.

Die **Mauer** – von der DDR-Führung als „antifaschistischer Schutzwall" bezeichnet – wurde in den folgenden Monaten und Jahren systematisch als fast unüberwindbare Grenze ausgebaut. Sie konnte zwar die Zahl der Flüchtlinge stark reduzieren, schadete aber nicht nur weltweit dem Ansehen der DDR, sondern trieb auch viele DDR-Bürger in die innere Emigration.

Erst unter **Erich Honecker**, Ulbrichts Nachfolger im Jahr 1971, kam es zu einer gewissen inneren Konsolidierung der DDR. Honecker betrieb eine Politik, die auf höhere Konsummöglichkeiten abzielte und den Abstand zum Westen verringern sollte. Er nutzte die Chancen, die sich der DDR durch die weltweite neue Entspannungspolitik boten: Nach der Kubakrise 1962 wuchs das Interesse der Supermächte an einer Entspannung ihrer Beziehungen. In diesem Klima kam es dann auch zu mehreren deutsch-deutschen Abkommen, die Westberlinern Besuche in Ostberlin ermöglichten. Auf diese Weise waren wieder intensivere Kontakte zwischen auseinandergerissenen Familien möglich. Diese Kontakte zwischen Bundesrepublik und DDR wurden seit der Zeit der Großen Koalition 1966–1969 intensiviert.

Die Zahl der **Berliner Maueropfer** ist nicht genau bekannt, Schätzungen bewegen sich etwa zwischen 130 und 250 Menschen, die an der Berliner Mauer getötet wurden.

An der deutsch-deutschen Grenze kamen weit über Tausend Menschen ums Leben.

1949	129 000
1950	198 000
1951	166 000
1952	182 000
1953	331 000
1954	184 000
1955	253 000
1956	279 000
1957	262 000
1958	204 000
1959	144 000
1960	199 000
1961	155 000

aus: Dokumente zur Deutschlandpolitik, 5. Reihe, Band 6. © 1961 J. B. Metzlersche Verlagsbuchhandlung und Carl Ernst Poeschel Verlag GmbH in Stuttgart

Tab. 5.4: Fluchtbewegung aus der DDR (Angaben gerundet)

5.9 Die europäische Integration nach dem Zweiten Weltkrieg

Der Unternehmer und Regierungsberater Jean Monnet (1888–1979) gilt als Gründervater der europäischen Einigung.

Jean Monnet, einer der ersten Architekten der europäischen Integration, fo‚ mulierte 1945 zur Zukunft Europas: *„Es wird keinen Frieden in Europa geber wenn sich die Staaten auf der Basis nationaler Souveränität wiedererrichter mit alldem, was dieses an politischem Prestige und ökonomischem Schut‚ nach sich zieht. Wenn sich die Länder Europas erneut voreinander schützer wird es wieder notwendig sein, große Armeen aufzustellen. Einige Länder könnten dies durch den zukünftigen Friedensvertrag, anderen wäre es ve‚ wehrt. Wir haben 1919 die Erfahrung dieser Unterscheidung gemacht und ker nen deren Folgen. Innereuropäische Allianzen werden geschlossen werden Wir kennen deren Folgen. Soziale Reformen würden durch das Militärbudge‚ verhindert oder verzögert. Europa erstünde ein weiteres Mal in der Furcht.“*

Jean Monnet: Erinnerungen eines Europäers. Übers. V. Werner Vetter. Hauser, München, 1978, Seite 263.

Jean Monnet spielte hier auf den Versailler Vertrag an, der Europa eben ke‚ nen Frieden gebracht, sondern den Keim künftiger Konflikte in sich gebo‚ gen hatte. Die europäische Integration war aber nicht allein durch die Annä herung von Deutschland und Frankreich verursacht, sondern vollzog sich i‚

Überblick: Europäische Integration

1951	Gründung der Europäischen Gemeinschaft für Kohle und Stahl (EGKS) durch Deutschland Frankreich, Italien und die Benelux-Länder; Deutschland wird Mitglied des Europarats.
1952	Die Adenauer-Regierung lehnt die Stalin-Note ab.
1955	Deutschland wird Mitglied der NATO.
1957	Gründung der Europäischen Wirtschaftsgemeinschaft (EWG) („Römische Verträge")
1963	deutsch-französischer Freundschaftsvertrag
1973	Beitritt Dänemarks, Großbritanniens und Irlands zur EWG; 1981 Griechenland; 1986 Spanien und Portugal; 1995 Österreich, Finnland und Schweden
1979	erste Direktwahl des Europäischen Parlaments
1990	Mit der deutschen Einigung werden auch die fünf ostdeutschen Bundesländer Teil der EU.
1992	Binnenmarkt wird errichtet; Vertrag von Maastricht: Umbenennung in Europäische Unior
1994	Schaffung eines einheitlichen europäischen Wirtschaftsraums
2002	Eine gemeinsame Währung, der Euro, wird in fast allen Staaten der EU eingeführt.
2004	Erweiterung der EU um 10 weitere Staaten
2007	Beitritt Bulgariens und Rumäniens
2009	Vertrag von Lissabon als gemeinsame rechtliche Grundlage

Tab. 5.5: Europäische Integration

einem komplizierten Geflecht der ökonomischen Interessen Deutschlands und Frankreichs, dem amerikanischen Interesse an einer raschen Westintegration Westdeutschlands, der Marshallplanpolitik der USA im heraufziehenden Kalten Krieg sowie dem Interesse des entstehenden westdeutschen Teilstaats, wieder frei über seine eigenen ökonomischen Ressourcen verfügen zu können (→ Abb. 5.4 auf Seite 185).

Das amerikanische Interesse an einem Wiederaufbau Deutschlands

Schon vor dem Koreakrieg war absehbar, dass der westdeutsche wirtschaftliche Wiederaufbau Energien freisetzte, denen sich Frankreich auf Dauer nicht entgegenstellen konnte. Frankreich war aber auch abhängig von amerikanischer Wirtschaftshilfe, dies stellte Frankreich vor ein Dilemma. Die Vereinigten Staaten knüpften nämlich die Vergabe von Auslandshilfe an Frankreich an die Bedingung, dass das Land seinen Zugriff auf deutsche Produktionskapazitäten lockerte.

Die amerikanischen politischen und ökonomischen Motive, im sich herausbildenden **Kalten Krieg** (→ Glossar, S. 231) die europäische Marshallplanhilfe einzuleiten, sprachen auch für einen raschen Wiederaufbau in Westdeutschland. Um weiterhin amerikanische Wirtschaftshilfe zu erlangen, musste Frankreich der Einschränkung der beabsichtigten Demontagen in Westdeutschland auf ein Drittel des ursprünglich geplanten Umfangs zustimmen, obwohl es den größten Nutzen von deutschen Reparationsleistungen gehabt hätte. Außerdem verpflichtete sich Frankreich mit der Annahme von Marshallplanleistungen, auf Entnahmen aus der südwestdeutschen Industrieproduktion zu verzichten und seine Besatzungszone allmählich mit dem britisch-amerikanischen Besatzungsgebiet zu vereinigen. Mit der Gründung der Bundesrepublik Deutschland, die 1949 vollzogen wurde, war aber abzusehen, dass die westlichen Alliierten die deutsche Industriekapazität nicht auf Dauer begrenzen konnten und dies gerade im Interesse der Rüstungskapazität der westlichen Welt angesichts des sich entwickelten Ost-West-Konflikts auch nicht wollten.

Der „Kalte Krieg" begünstigte den westdeutschen Wiederaufbau und die westeuropäische Integration.

Herausbildung der Europäischen Gemeinschaft für Kohle und Stahl

Deutschland hatte nach dem Zweiten Weltkrieg die größten und relativ leicht auszubeutenden Kohlevorkommen, während Frankreich und in noch größerem Umfang Belgien, Holland, Luxemburg und Italien auf zum Teil beträchliche Einfuhren angewiesen waren. Bei der Eisenerzförderung lag hingegen Frankreich deutlich an der Spitze, während die Förderung etwa in Italien oder Belgien sehr gering war. Kriegsbedingte Zerstörungen im Bergbau waren gering, allerdings fehlte es an Bergleuten, zumal die Zwangsarbeiter bald nach Kriegsende die Gruben verlassen hatten.

Die Alliierten hatten 1945 in Potsdam beschlossen, die deutsche Stahlproduktion auf die Höhe von etwa einem Viertel des Vorkriegsstands zu beschränken, die Konzerne sollten in kleinere Einheiten zerschlagen werden. Allerdings änderte sich diese Haltung. Vor allem Großbritannien und die USA sahen in der industriellen Potenz Deutschlands (vor allem des Ruhrgebiets) eine Chance, diese für den Wiederaufbau Europas zu nutzen. Frankreich nahm angesichts der unmittelbaren Nachbarschaft zu Deutschland eine kritische Haltung ein. Aufgrund des aufziehenden **Kalten Krieges** (→ Glossar, S. 231) nahmen die Westalliierten Abstand von der Vergeltungspolitik, schon 1947 wurde die Deutschland zugestandene Stahlquote verdoppelt. Bereits 1948/49 übertraf die Produktion der Stahlindustrie an der Ruhr die französische Stahlproduktion. Aus Sorge vor einer Übermacht sollte Deutschland nun stärker politisch wie ökonomisch in den Westen eingebunden werden. Eine alliierte Behörde übernahm die Aufsicht über die Montanindustrie des Ruhrgebiets. Die Regierung Adenauer stimmte diesem Ruhrstatut zu, nachdem sie mit den Alliierten einen Stopp der Demontagen ausgehandelt hatte.

In dem berühmten **Monnet-Memorandum** aus dem Jahr 1950 wurden die französischen Befürchtungen gegenüber einem wirtschaftlich erstarkten Deutschland überdeutlich:

„Die Wiederaufrichtung Frankreichs wird nicht mehr weitergehen, wenn die Frage der industriellen Produktion Deutschlands und seiner Konkurrenzkapazität nicht schnell eine Regelung findet. Die Grundlage für die Überlegenheit, die die französischen Industriellen traditionsgemäß Deutschland zubilligen, liegt darin, dass es Stahl zu einem Preis produziert, mit dem Frankreich nicht konkurrieren kann. Daraus schließen sie, dass die gesamte französische Produktion darunter leiden muss. Schon verlangt Deutschland, seine Produktion von 11 auf 14 Millionen Tonnen zu erhöhen. Wir werden diese Forderung ablehnen, aber die Amerikaner werden darauf bestehen. Dann werden wir Vorbehalte

machen, und schließlich werden wir nachgeben. Zur gleichen Zeit stagniert die
französische Produktion; sie geht sogar zurück."

Zitiert nach Christoph Kleßmann: Die doppelte Staatsgründung. Schriftenreihe der Bundeszentrale für
politische Bildung, Bonn, 1982, Seite 461.

Eine Lösung dieses Problems wurde durch die Gründung der Europäischen
Gemeinschaft für Kohle und Stahl (EGKS) erreicht.

Monnet findet einen
Weg aus der französi-
schen Sackgasse.

Die Montanunion

Die EGKS wurde am 18. April 1951 durch den Pariser Vertrag gegründet. Er trat
am 24. Juli 1952 in Kraft. Die EGKS war die erste überstaatliche Organisation
auf dem Weg zur wirtschaftlichen und politischen Integration Europas. Seit
dem Zusammenschluss mit der Europäischen Wirtschaftsgemeinschaft
(EWG) und der EURATOM 1967 bildete sie eine Teilorganisation der Europäischen Gemeinschaften (EG) bzw.– seit Inkrafttreten des Vertrags von Maastricht 1993 – der Europäischen Union (EU). Gründungsmitglieder der EGKS
waren Belgien, die Bundesrepublik Deutschland, Frankreich, Italien, Luxemburg und die Niederlande. Der EGKS-Vertrag ist anders als die zeitlich unbe-
fristete EWG- und EURATOM-Verträge auf 50 Jahre begrenzt.

Die Gründung der EGKS ging auf eine Initiative des französischen Außenministers Robert Schuman zurück. Der sogenannte Schuman-Plan von 1950 sah
die Errichtung einer gemeinsamen Koordinations- und Kontrollbehörde für
die deutsche und die französische Kohle- und Stahlproduktion vor. Ziel war
neben der europäischen Integration die Zusammenfassung der nationalen
Kohle- und Stahlmärkte zu einem gemeinsamen Markt und die Verbesserung der Bedingungen für Industrie, Verbraucher und Arbeitnehmer, ferner

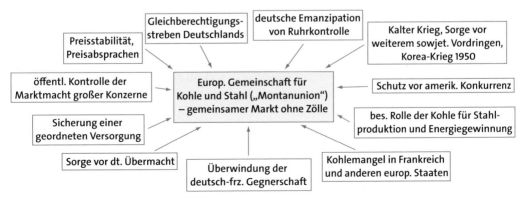

Abb. 5.4: Schaubild zur Entstehung der EGKS

war die Ablösung der alliierten Kontrolle über die deutsche Ruhrindustrie vorgesehen. Sie sollte durch ein rein westeuropäisches Organ ersetzt werden, an dem die Bundesrepublik gleichberechtigt teilnehmen sollte.

Das Problem der Montanunion lag in ihrer Beschränkung auf nur einen Wirtschaftssektor. Bereits kurz nach Inkrafttreten der EGKS beschlossen daher die Außenminister der sechs Mitgliedstaaten die Ausweitung der Gemeinschaft auf alle Bereiche der Wirtschaft; der Beschluss führte 1957 zur Gründung der EWG. Die Montanunion verlor in der Folgezeit gegenüber der EWG bzw. innerhalb der EG zunehmend an Bedeutung, zumal die Kohle- und Stahlproduktion ihren extrem hohen Stellenwert innerhalb der Volkswirtschaft zunehmend verlor.

Die Römischen Verträge 1957 enthielten im Kern bereits zentrale Grundprinzipien der europäischen Einigung.

Die Europäische Union heute

1967 schlossen sich die drei selbstständigen Gemeinschaften „Europäische Gemeinschaft für Kohle und Stahl" (EGKS), „Europäische Wirtschaftsgemeinschaft" (EWG, gegründet 1957/58) und Euratom zur Europäischen Gemeinschaft (EG) zusammen. Der Gedanke, sich zu einer politischen Gemeinschaft weiterzuentwickeln, war zwar schon älter, er wurde in den 1990er-Jahren wieder ernsthaft aufgegriffen. Denn wirtschaftliche Fragen und Sachentscheidungen lassen sich von politischen kaum trennen. Die politische Kooperation war also eine logische Konsequenz aus der wirtschaftlichen. Einige europäische Staaten befürchteten zudem, dass Deutschland nach der Wiedervereinigung einen politischen Sonderweg einschlagen könnte. Der **Vertrag von Maastricht** (1991/92) schuf nun eine Wirtschafts- und Währungsunion. Ziel war die Einführung einer gemeinsamen Währung (Euro, 2002), eine gemeinsame Sicherheits- und Außenpolitik sowie eine Unionsbürgerschaft, die allen Bürgern Europas völlige Freizügigkeit ermöglichte. Die Liberalisierung durch den Maastrichter Vertrag eröffnete vier Freiheiten:

- ⊛ freier Personenverkehr (Wegfall der Grenzkontrollen, Harmonisierung der Zuwanderungspolitik, Freizügigkeit für Arbeitnehmer, Niederlassungsfreiheit und Aufenthaltsrecht für EU-Bürger)
- ⊛ freier Dienstleistungsverkehr
- ⊛ freier Warenverkehr
- ⊛ freier Kapitalverkehr

Eine Neuorientierung der europäischen Politik war auch geboten, da nun eine Reihe osteuropäischer Staaten den Anschluss an die EU suchten. Von ihnen wurden stabile demokratische Strukturen erwartet, die Respektierung der Menschenrechte sowie eine marktwirtschaftliche Orientierung. Da

Volksabstimmungen über die ausgearbeitete Verfassung in einigen Ländern scheiterten, unter anderem in Frankreich. Gegenwärtig konkurrieren mindestens drei Konzepte für die künftige politische Gestaltung der EU:

- Das Modell der abgestuften Integration meint, dass einige Mitgliedstaaten für eine bestimmte Zeit einen rascheren Integrationsprozess vorantreiben, den aber alle zu gehen beschlossen hatten. Daraus ergibt sich, da alle Mitgliedstaaten den Grundsatzentscheidungen zugestimmt haben, eine unterschiedliche Geschwindigkeit der Integration.
- Um ein Kerneuropa mit hoher Integrationsdichte lagern andere kleinere Kerne, die sich erst allmählich dem Integrationsprozess anpassen (können).
- Ein Mischmodell sieht unterschiedliche Kerne vor, bei denen es in je spezifischen Politikfeldern unterschiedliche Mitgliedschaften gibt.

Abb. 5.5: Entwicklung der europäischen Integration

Die Verabschiedung einer gemeinsamen Verfassung war lange Zeit u.a. durch einige neue Mitgliedsländer blockiert, so hatte beispielsweise die irische Bevölkerung in einem Referendum den Vertrag von Lissabon (2007) zunächst abgelehnt, auch in Polen gab es heftige Widerstände. Der Vertrag trat 2009 mit Verspätung gegenüber dem ursprünglichen Zeitplan in Kraft.

Die europäischen Institutionen (Ministerrat, Europäischer Rat, Europäische Kommission, Europäisches Parlament und zahlreiche Ausschüsse) bilden ein ungemein kompliziertes Geflecht, das viele Menschen nicht durchschauen und das bei ihnen „Europamüdigkeit" stimuliert. Immerhin müssen sehr unterschiedliche und konfliktträchtige nationale Interessen ausbalanciert werden, soll der europäische Integrationsprozess weiter voranschreiten, denn hierzu müssen Regelungen getroffen werden, die in allen EU-Staaten verbindlich sind, etwa im Bereich der Umwelt- oder Sozialpolitik, der Finanz- und europäischen Außenpolitik usw. Die unterschiedlichen nationalen Regelungen in zahlreichen Wirtschafts- und Sozialbereichen müssen mühsam angeglichen werden. Sonderregelungen für benachteiligte Regionen müssen gefunden werden.

Der Vertrag von Lissabon stellt gleichsam eine gemeinsame Verfassung von 27 Staaten dar, die die Zuständigkeiten der nationalen und europäischen Organe regelt, geteilte Zuständigkeiten ermöglicht, gemeinsame Maßnahmen etwa im Bereich des Sports, Tourismus, Gesundheit, Verwaltungszusammenarbeit oder Katastrophenschutz eröffnet. Außerdem musste das Stimmengewicht von sehr kleinen und großen Mitgliedsstaaten neu austariert werden. Und schließlich sollte das Europäische Parlament, das früher nur sehr begrenzte Befugnisse hatte, mehr Kompetenzen erlangen.

Doppelte Mehrheit

Nach dem Vertrag von Lissabon müssen die meisten EU-Ratsbeschlüsse mit qualifizierter Mehrheit getroffen werden. Diese ist dann erreicht, wenn 55% der Mitgliedsstaaten zustimmen, die zugleich 65% der EU-Bevölkerung repräsentieren. Eine blockierende Minderheit muss aus mindestens vier Staaten bestehen – um einwohnerstarken Staaten nicht ein Vetorecht zu ermöglichen, denn sonst könnten die einwohnerstarken Staaten Deutschland, Frankreich und England – wenn sie sich denn einig sind – alle Entscheidungen der EU gegen 24 andere Mitgliedsstaaten blockieren.

5.10 Die Kuba-Krise und der Vietnamkrieg

An beiden Konfliktherden wird deutlich, wie sich regionale und globale Kon-
fliktebenen gegenseitig bedingen und verstärken. Die **Kuba-Krise** (→ Glossar,
S. 223) war einerseits Resultat einer antikolonialen Befreiungsbewegung. Sie
war aber auch mit dem Kalten Krieg in Europa und mit dem Wettrüsten und
den globalen Konflikten zwischen den USA und der UdSSR verknüpft.

Die Welt hält den Atem an: Kuba 1962

Der Westen nahm den Bau der Berliner Mauer im Sommer 1961 durch die
DDR-Führung und die Sowjetunion hin. Dies veranlasste Chruschtschow zu
einer selbstbewussteren Fortsetzung der Auseinandersetzung mit der anderen Supermacht in Europa und weltweit. Damit war der sowjetische Versuch
verknüpft, Raketenstellungen auf Kuba zu stationieren, die die amerikanische Ostküste bedrohten.

Zur Vorgeschichte: Eine nationale Befreiungsarmee unter Führung Fidel
Castros hatte 1959 den von den USA unterstützten Diktator Battista gestürzt
und Kuba in eine sozialistische Gesellschaft verwandelt. Der Versuch des
amerikanischen Geheimdienstes, mithilfe einer Invasion von Exilkubanern
in der Schweinebucht das Regime von Castro zu beseitigen, scheiterte 1961.
Die USA boykottierten nun den neuen Staat wirtschaftlich und bekämpften
ihn politisch, die UdSSR unterstützte Castro intensiv mit Personal, Waffen
und Finanzhilfen.

Diese Exilkubaner waren häufig Söhne von ehemaligen Großgrundbesitzern, die sich als Opfer von Castros sozialistischen Reformen verstanden.

Aufnahmen der amerikanischen Luftaufklärung zeigten, dass im Oktober
1962 auf Kuba sowjetische Raketenabschussrampen errichtet worden waren. Von dort aus konnte jede größere Stadt der Ostküste der USA mit Raketen beschossen werden. Der amerikanische Präsident Kennedy stellte der
Sowjetunion ein Ultimatum, forderte den sofortigen Abbau der Raketenstellungen und ließ Kuba durch eine Flotte von US-Kriegsschiffen blockieren. Die
sowjetischen Schiffe, beladen mit Raketen und anderen Rüstungsgütern,
befanden sich bereits kurz vor der kubanischen Küste. Der Welt stockte der
Atem, denn eine womöglich atomare Auseinandersetzung der beiden Supermächte schien unvermeidlich. Chruschtschow jedoch ließ die Schiffe stoppen und fand sich im letzten Moment zu einem Kompromiss bereit: Die sowjetischen Raketen auf Kuba wurden unter UNO-Aufsicht ebenso abgebaut
wie die amerikanischen Raketenstellungen in der Türkei, die USA mussten
die Sicherheit Kubas garantieren. Sie isolierten jedoch das kommunistische
Regime Kubas in der Folgezeit diplomatisch, wirtschaftlich und kulturell.

Erste Schritte zur Entspannung

Stalins Nachfolger **Chruschtschow** hatte angesichts des atomaren Patts und der Gefahren eines Atomkriegs eine neue politische Leitlinie für den Ostblock entwickelt. Die **„friedliche Koexistenz"** sollte den Konkurrenzkampf der beiden Systeme auf die wirtschaftliche und ideologische Ebene beschränken, militärische Konflikte sollten regional begrenzt werden.

Unter dem Eindruck der Kuba-Krise erkannten die beiden Weltmächte, dass die Konfrontation mehr Risiken als Vorteile bringen würde. Zwar stellten sie die Aufrüstungspolitik nicht ein, fanden sich aber zur Entspannung bereit: 1963 wurde eine direkte Nachrichtenverbindung zwischen Moskau und Washington („heißer Draht") eingerichtet, die in Krisen eine schnelle Abstimmung zwischen Washington und Moskau ermöglichen sollte.

Über Atomwaffen verfügen heute neben den USA, Russland, China, England und Frankreich auch Israel, Pakistan, Indien und (nach eigenen Angaben) Nordkorea.

Zusammen mit Großbritannien verzichteten die Sowjetunion und die USA auf Versuche mit Kernwaffen im Weltraum, unter Wasser und in der Atmosphäre. 1970 trat der Atomwaffensperrvertrag in Kraft. Die beiden Weltmächte erklärten darin, keine Kernwaffen an andere Staaten weiterzuleiten. Allen Staaten stand der Beitritt zu dieser Vereinbarung offen.

Antikolonialer Befreiungskampf und Ost-West-Konflikt: Der Vietnamkrieg

Der Vietnamkrieg gilt ebenso wie die Kuba-Krise als ein Paradebeispiel für die Überlagerung des antikolonialen Befreiungskampfes mit dem Ost-West-Konflikt seit dem Ende des Zweiten Weltkriegs. Die Großmächte USA und UdSSR griffen in regionale Konflikte in Mittelamerika, Lateinamerika, Afrika und Südostasien ein, um dabei ihre eigenen machtpolitischen globalen Interessen zu verfolgen („Stellvertreterkriege"). In den jungen Staaten, die sich gerade erst aus dem kolonialen Status befreiten, in Kuba wie in Vietnam oder auch in zahlreichen mittelamerikanischen oder afrikanischen Staaten, entfalteten sich Konfliktparteien, die miteinander unvereinbare ideologische wie materielle Interessen verfolgten. Die Supermächte unterstützten jeweils die Gruppierungen, die ihren eigenen globalen Interessen am nächsten kamen. Das mussten nicht unbedingt demokratische oder sozialistische Systeme sein, sondern Regime, die am ehesten eine Gewähr dafür zu bieten schienen, für die amerikanischen oder sowjetischen Interessen instrumentalisierbar zu sein. Dafür zahlten nicht nur die Supermächte einen hohen Preis, sondern auch die betroffenen armen Kolonien, die sich zeitweise in eine fatale, oft erzwungene Abhängigkeit von den Großmächten begaben.

Der Vietnamkrieg setzte 1946 ein, als Frankreich im Gegensatz zu dem französisch-vietnamesischen Abkommen der von Ho Chi Minh ausgerufenen demokratischen Republik (DRV) nicht wie vereinbart den Status eines freien Staates innerhalb der Französischen Union einräumte, sondern auf eine Rekolonialisierung Vietnams hinarbeitete. Dagegen wandte sich insbesondere die Befreiungsbewegung Vietminh, die bereits gegen die japanischen Besatzer gekämpft hatte.

Frankreich musste 1954 vor den Angriffen des Vietminh kapitulieren. Auf der Genfer **Indochina-Konferenz** 1954 wurde dann ein Waffenstillstandsabkommen ausgehandelt und eine Teilung des Landes entlang dem **17. Breitengrad** festgelegt, der Vietminh sollte sich nach Norden, die französischen Truppen sollten sich nach Süden zurückziehen. Zu den ebenfalls vereinbarten freien Wahlen kam es jedoch nicht. Sie scheiterten am südvietnamesischen Regierungschef Ngo Dinh Diem, der den letzten vietnamesischen Kaiser absetzte. Er bemühte sich im Verein mit den USA, Süd-Vietnam als antikommunistisches Bollwerk auszubauen.

Nord-Vietnam wollte dies nicht hinnehmen, Befreiungskämpfer aus Nord-Vietnam verbündeten sich mit Guerillakämpfern aus Süd-Vietnam zur „Befreiung" von ganz Vietnam. Als diese Truppen immer erfolgreicher agierten, griffen die USA ein, zunächst Präsident Kennedy mit sogenannten Militärberatern und dann mit immer größeren Truppenkontingenten. Schließlich bombardierten die Amerikaner systematisch Nord-Vietnam, um die Versorgungswege für die Untergrundkämpfer in Südvietnam, die von der Sowjetunion unterstützt wurden, zu zerstören. Von den Bombardements waren die Nachbarstaaten Laos und Kambodscha betroffen. Obgleich diese Luftangriffe ungeheure Zerstörungen anrichteten und zu gewaltigen Verlusten in der Zivilbevölkerung führten, konnte die Widerstandskraft der Guerillakämpfer nicht gebrochen werden, zumal ein beachtlicher Teil der südvietnamesischen Bevölkerung mit ihnen sympathisierte und die südvietnamesische Regierung für korrupt und für einen Vasallen der USA hielt.

Einen angeblichen vietnamesischen Angriff auf ein amerikanisches Kriegsschiff nutzten die USA 1964 als Vorwand für die offizielle Kriegsbeteiligung.

Über dem Norden Vietnams wurden mehr Bomben abgeworfen als während des gesamten Zweiten Weltkriegs.

Überblick: Sowjetisch-amerikanische Beziehungen

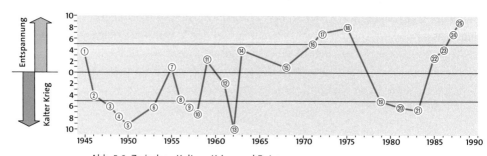

Abb. 5.6: Zwischen Kaltem Krieg und Entspannung

①	Mai bzw. Aug. 1945	Ende des Krieges in Europa bzw. Asien; Gründung der UNO
②	März bis Sept. 1947	Truman-Doktrin/Marshallplan; 2-Lager-Theorie
③	Febr./Juni 1948	kommunistischer Umsturz in der CSSR bzw. Beginn der sowjetischen Blockade Berlins
④	April bzw. Okt. 1949	Gründung der NATO; kommunistische Staatsgründung in China und der DDR
⑤	Juni 1950	Ausbruch des Korea-Krieges
⑥	März bzw. Juli 1953	Tod Stalins bzw. Waffenstillstand in Korea
⑦	Juli 1955	Genfer Gipfelkonferenz der vier Siegermächte
⑧	Okt./Nov. 1956	„Doppelkrise" von Ungarn und Suez
⑨	Okt. 1957	sowjetischer Sputnik
⑩	Nov. 1958	sowjetisches Berlin-Ultimatum
⑪	Sept. 1959	Gipfeltreffen in Camp David
⑫	Aug. 1961	Bau der Berliner Mauer
⑬	Okt./Nov. 1962	Kuba-Krise
⑭	Juli/Aug. 1963	Vertrag über Stopp von Atomtests und „heißen Draht"
⑮	Juli/Aug. 1968	Kernwaffensperrvertrag; Ende des „Prager Frühlings"
⑯	Sept. 1971	Berlin-Abkommen
⑰	Mai 1972	SALT-1-Vertrag
⑱	Aug. 1975	Schlussakte der KSZE in Helsinki
⑲	Dez. 1979	NATO-Doppelbeschluss; sowjetische Besetzung Afghanistans
⑳	Dez. 1981	Kriegsrecht in Polen; amerikanische Handelssanktionen gegen die UdSSR
㉑	Nov./Dez. 1983	Abbruch aller Rüstungskontrollverhandlungen in Genf
㉒	Nov. 1985	Gipfeltreffen in Genf
㉓	Okt. 1986	Gipfeltreffen in Reykjavik
㉔	Nov./Dez. 1987	Einigung in Genf über den Abbau der Mittelstreckenraketen; Unterzeichnung des INF-Vertrages beim Gipfeltreffen in Washington (über die Vernichtung der Mittelstreckenraketen)
㉕	Mai bis Aug. 1988	Gipfeltreffen in Moskau; Fortsetzung des sowjetischen Rückzugs aus Afghanistan; Waffenstillstandsabkommen für Iran/Irak, Angola/Namibia; gegenseitige Besuche der amerikanischen und sowjetischen Generalstabschefs; überwachter Abbau von Mittelstreckenraketen

nach: Haus Wassmund: Die Supermächte und die Weltpolitik. USA und UdSSR seit 1945. Beck'sche Reihe, Verlag C. H. Beck, München, Seite 54 f.

Tab. 5.6: Zwischen Kaltem Krieg und Entspannung

Die **Kritik** an der amerikanischen Vietnam-Politik nahm weltweit zu, vor allem nach dem Massaker von My Lai, bei dem zahlreiche Zivilisten durch amerikanische Soldaten umgebracht wurden (1968). Auf dem Höhepunkt des Krieges waren 550 000 amerikanische Soldaten in Vietnam eingesetzt. Die Amerikaner zogen sich seit dieser Zeit langsam aus Vietnam zurück und rüsteten die südvietnamesischen Truppen auf, konnten aber den Sieg der nordvietnamesischen Truppen und der südvietnamesischen Untergrundkämpfer nicht verhindern. (Angeblich sollen von korrupten südvietnamesischen Regierungsmitgliedern gewaltige Waffenmengen nach Nordvietnam verschoben worden sein.) 1973 kam es zu einem Waffenstillstandsabkommen mit den Amerikanern und zu einer „Vietnamisierung" des Krieges, der sich noch bis 1975 hinzog. Von den ökologischen Schäden des Krieges (die Amerikaner setzten massenhaft das chemische Kampfmittel „Agent Orange" zur Entlaubung des Urwalds ein) hat sich das Land bis heute nur ansatzweise erholt. Das Gift hat zahlreiche Missbildungen verursacht, die in Vietnam nur verschwiegen thematisiert werden.

Der Vientnamkrieg gilt als größtes amerikanisches Desaster im Kalten Krieg, das nicht nur unzählige Soldaten traumatisierte, sondern die gesamte amerikanische Nation.

Abb. 5.7: Napalm-Angriff der US-Streitkräfte während des Vietnamkriegs (1964–1975). Kinder fliehen vor einem Napalm-Angriff der US-Armee auf das Dorf Trang Bang in Vietnam, April 1972 – AP Photo, Nick Ut.

5.11 Krise, Protest und Modernisierung in der Bundesrepublik

In den 1960er- und frühen 1970er-Jahren fanden vor allem im Westen Deutschlands folgenreiche gesellschaftliche Veränderungen statt. Die Not der Nachkriegszeit und der 1950er-Jahre war weithin überwunden, die Löhne stiegen, die Gewerkschaften erkämpften kürzere Arbeitszeiten. Sehr viele Menschen waren jetzt motorisiert und verfügten über Waschmaschine und Kühlschrank. Der Lebenstraum vom eigenen „Häuschen im Grünen" wurde für viele Realität. Durch den ausgedehnten Wohnungs- und Städtebau nahm der Landschaftsverbrauch enorm zu. Die Massenmotorisierung machte einen zunehmenden Straßen- und Autobahnbau notwendig. Eine Million Menschen reisten 1960 in südliche Feriengebiete, 30 Jahre später waren es bereits 24 Millionen. Die ökologischen Folgen dieser individuellen Massenmobilität und des Tourismus wurden jedoch noch kaum bedacht.

1964 sprach der Philosoph und Pädagoge Georg Picht von der „Bildungskatastrophe".

Die Politik schien nach 15 Jahren CDU-Regierung am Ende der **Ära Adenauer** 1963 in eine Sackgasse geraten zu sein. In vielen gesellschaftlichen Bereichen wurden Reformen gefordert und man sprach von einem „Reformstau": Die Deutschland- und Ostpolitik schien ohne Perspektive. Beklagt wurden Mängel im Bildungswesen, Defizite in der politischen Beteiligung der Bürger, nicht durchgeführte Reformen bei Justiz und Polizei und im Familienrecht sowie das Fortwirken autoritärer Verhaltensmuster.

In wirtschaftspolitischer Hinsicht signalisierte die erste Krise der Bundesrepublik nach den langen Jahren des Aufbaus dringenden Handlungsbedarf. Mitte der 1960er-Jahre gingen die hohen Raten des westdeutschen Wirtschaftswachstums zurück und die Arbeitslosigkeit stieg auf über zwei Prozent. Die Vorstellung von einer immerwährenden Prosperität geriet ins Wanken. Die Regierung unter Kanzler Ludwig Erhard war nicht bereit, politisch lenkend in den Wirtschaftsprozess einzugreifen und die Konjunktur zu beleben. Dies war schließlich der entscheidende Grund für Erhards Rücktritt am 30. November 1966.

Bereits im Herbst 1966 fanden zwischen CDU und SPD Gespräche zur Bildung einer neuen Regierung statt. Am 1. Dezember 1966 wurde Kurt Georg Kiesinger (CDU) als Bundeskanzler gewählt. CDU und SPD bildeten eine Große Koalition, Willy Brandt (SPD) wurde Vizekanzler und Außenminister. Den beiden Regierungsparteien mit 447 Abgeordneten stand im Parlament nur die kleine FDP mit 49 Abgeordneten als Opposition gegenüber. Ziel der

Regierung war die Überwindung der Wirtschaftskrise, die Entwicklung einer neuen Ostpolitik, aber auch die Verabschiedung der Notstandsgesetze. Mit diesem höchst umstrittenen Gesetzeswerk wollte man Regelungen für die Bewältigung eines äußeren oder inneren Not- oder Ausnahmezustands schaffen. Kritiker dieser **Notstandsgesetzgebung** befürchteten, demokratische Grundrechte könnten damit eingeschränkt oder aufgehoben werden, die Gewerkschaften sahen das Streikrecht bedroht und befürchteten den Einsatz von Polizei oder Militär bei Arbeitskämpfen, andere befürchteten, dass das Parlament elementare Kontrollrechte verlieren würde.

In dieser Zeit formierten sich zwei völlig gegensätzliche Kräfte, die NPD und die **Außerparlamentarische Opposition (APO)** (→ Glossar, S. 221). Zur allgemeinen Überraschung gewann die 1964 gegründete nationalistische und rechtsextremistische NPD bei mehreren Landtagswahlen nach 1966 fast 10 %. Sie forderte einen Vorrang für Deutsche bei der Arbeitsplatzvergabe. Die NPD lehnte die Auffassung ab, dass das NS-Regime am Ausbruch des Zweiten Weltkriegs schuld gewesen sei und wetterte gegen die neue Ostpolitik von Willy Brandt. Offenbar waren in der Bevölkerung rechtsextremistische Einstellungen weit verbreitet.

Die vor allem von Studenten und Gewerkschaften gebildete APO organisierte unter anderem Großkundgebungen gegen die Notstandsgesetze. Die Studenten entwickelten dabei neue Formen des Protestes. Sie missachteten bislang akzeptierte „Spielregeln" bei der Austragung politischer Konflikte; sie provozierten durch ihr unkonventionelles Auftreten, durch ihre Sprache und Kleidung. Traditionelle Autoritäten wurden nicht mehr als selbstverständlich akzeptiert, überkommene Vorstellungen von Familienstrukturen und Partnerbeziehungen wurden kritisiert. Die Oppositionsbewegung warf den öffentlichen Medien, vor allem aber der „Bild-Zeitung", Massenmanipulation vor.

Die Erschießung von Benno Ohnesorg 1967 durch einen Polizisten sowie das Attentat auf Rudi Dutschke (1968) radikalisierten die Studentenbewegung.

Geblendet durch die Konsummöglichkeiten in der Wohlstandsgesellschaft würden sich die Menschen von ihren „wahren Interessen" ablenken lassen. In allen gesellschaftlichen Teilbereichen sollte „mehr Demokratie" herrschen. Die APO entwickelte Entwürfe für einen Sozialismus mit menschlichem Antlitz.

Gefordert wurde aber auch eine umfassende Auseinandersetzung mit der deutschen Geschichte, insbesondere mit dem Nationalsozialismus. Die Studentenbewegung problematisierte die Rolle der Elterngeneration als Mittäter und Mitläufer im NS-Regime. Die Studenten kritisierten die „ausbeuterische" Politik der kapitalistischen Staaten gegenüber den Ländern der Dritten Welt. Viele sympathisierten oder solidarisierten sich mit antikolonialen Befreiungsbewegungen in Afrika, Lateinamerika oder Asien. Politikern wurde vorgeworfen, dass sie in der Dritten Welt korrupte Regime unterstützten, was nur im ökonomischen Interesse des großen Kapitals, nicht aber in dem der Menschen in der Dritten Welt läge. Insbesondere der Krieg der USA in Vietnam wurde angeprangert.

Ein sehr kleiner Teil der Studentenbewegung vertraute nach 1968 nicht mehr auf die verändernde oder aufklärende Wirkung von Demonstrationen und Diskussionen. Dadurch könne kein neues Bewusstsein und keine gesellschaftlichen Veränderungen erreicht werden. Aus diesen enttäuschten Kreisen bildete sich die **„Rote Armee Fraktion" (RAF)** (→ Glossar, S. 240), die aus dem Untergrund einen terroristischen Kampf zur „Systemveränderung" gegen die wirtschaftlichen und politischen Repräsentanten der Bundesrepublik führte. Die von ihnen begangenen Mordanschläge (unter anderem auf den Arbeitgeberpräsidenten Hanns-Martin Schleyer, den Generalbundesanwalt Siegfried Buback und den Vorstandsvorsitzenden der Dresdner Bank, Jürgen Ponto) veränderten rasch das innenpolitische Klima. Sie erregten weithin Abscheu; Regierungen und Parlament ließen sich jedoch nicht erpressen, Polizei und Verfassungsschutz erhielten nun große Befugnisse im Kampf gegen den Terrorismus.

Zur Gründergeneration der RAF gehörten Ulrike Meinhof, Andreas Baader, Gudrun Ensslin und Horst Mahler („Baader-Meinhof-Bande").

Das innenpolitische Klima wurde durch diese Vergänge massiv geprägt. Auf der anderen Seite gingen aus der Aufbruchstimmung der späten 1960er-Jahre auch viele soziale, kulturelle und politische Initiativen hervor, z. B. Dritte-Welt-Läden oder Bürgerinitiativen sowie ökologisch motivierte Gruppen. Sie gründeten 1979 die Partei **„Die Grünen"**, in der viele Impulse der Studentenbewegung lebendig blieben.

1979	Bremen
1980	Baden-Württemberg
1981	Berlin
1982	Hamburg
1982	Hessen
1982	Niedersachsen
1986	Bayern
1987	Rheinland-Pfalz
1990	Nordrhein-Westfalen

Tab. 5.7: Die Partei „Die Grünen" in Länderparlamenten

Die Studentenbewegung gab auch der **Frauenbewegung** neuen Auftrieb. Neue Leitbilder von Frauen und Männern setzten sich allmählich durch, entsprach doch das konservative Ideal der Frau, die sich ganz den Kindern, dem Ehemann und dem Haushalt widmet, schon lange nicht mehr der Realität. Viele Frauen waren nun nicht mehr bereit, eine Ehe, die sie nicht erfüllte, geduldig zu ertragen. Zwischen 1961 und 1969 verdoppelte sich die Zahl der Scheidungen. Immer mehr Frauen forderten teilweise mit Erfolg die volle **Gleichberechtigung** in der Ehe und im Arbeitsleben („gleicher Lohn für gleiche Arbeit") und die Mitverantwortung von Männern, etwa bei der Kindererziehung und im Haushalt.

5.12 Demokratie im Wandel und Wandel durch Annäherung

Von 1969 bis 1982 bestimmten 13 Jahre lang zwei sozialdemokratische Kanzler, **Willy Brandt** und **Helmut Schmidt**, an der Spitze einer sozialliberalen Koalition aus SPD und FDP die Richtlinien der bundesrepublikanischen Politik. Die Bildung der neuen Koalition 1969 unter Willy Brandt und **Walter Scheel** (FDP, Außenminister und Vizekanzler) war mehr als ein normaler Regierungswechsel. Es war ein Aufbruch, der das kritische Potenzial der Gesellschaft aufzunehmen und zu integrieren versuchte und mit großem Elan innen-, gesellschafts- und außenpolitische Reformen einleitete. In seiner Regierungserklärung kündigte Willy Brandt im Oktober 1969 an, die neue Koalition wolle innenpolitisch „mehr Demokratie wagen", womit er vor allem die Erweiterung der politischen Beteiligung der Bürger meinte. Diese Absicht schlug sich in erster Linie im Betriebsverfassungsgesetz 1972 nieder, durch das die Mitbestimmung der Betriebsräte in personellen und sozialen Fragen erweitert wurde, und in der Herabsetzung des Volljährigkeits- und Wahlalters von 21 auf 18 Jahre (1972). Zu den wichtigsten sozialpolitischen Reformen der Brandt/Scheel-Regierung zählten unter anderem die Einführung der sechswöchigen Lohnfortzahlung im Krankheitsfall für Arbeiter (bereits seit 1957 für Angestellte gültig), die Verbesserung der Leistungen der Krankenversicherungen und die Erweiterung des Bundesausbildungs-Förderungsgesetzes (BAFöG).

Einen Eckpfeiler des Regierungsprogramms stellt die Bildungsreform dar, der das Ideal der Chancengleichheit als Voraussetzung für soziale Gerechtigkeit bei Anerkennung des Leistungsprinzips zugrunde lag. Ein großzügiger Ausbau der Hochschulen sollte mit der Reform der inneren Struktur der Hochschulen einhergehen, ein Bildungsgesamtplan langfristige Zielsetzungen für alle Bereiche des Bildungswesens festlegen.

In unmittelbarem Zusammenhang mit der Reformpolitik stand allerdings auch der sogenannte **Radikalenerlass**, der zu einer jahrelangen Kontroverse über staatliche „Gesinnungsschnüffelei" führte. Dieser Radikalenerlass sollte Mitglieder oder Sympathisanten „radikaler" Parteien vom öffentlichen Dienst fernhalten. Die SPD-Führung sah sich zu diesem Schritt genötigt, als die CDU/CSU im Bundestag anfragte, wie die SPD mit den Mitgliedern der 1968 gegründeten DKP umzugehen denke, die sich für ein Amt im öffentlichen Dienst bewerben. Die SPD wollte sich vor allem angesichts ihrer Ostpolitik (s. u.) nicht dem Verdacht aussetzen, kommunistenfreundlich zu sein.

Durch den Radikalenerlass verlor die SPD die Sympathie von vielen jungen Intellektuellen.

Erwähnt werden muss jedoch auch, dass Willy Brandt später seine Zustimmung zum „Radikalenerlass" als einen Fehler bezeichnete, der der Demokratie Schaden zugefügt habe.

Auch außenpolitisch ging die Regierung Brandt/Scheel neue Wege. Mit der **neuen Ostpolitik** (→ Glossar, S. 236) suchte sie die Entspannung des Verhältnisses der Bundesrepublik zu ihren östlichen Nachbarn. Bereits als Außenminister der Großen Koalition hatte Willy Brandt einen Kurswechsel in der Deutschland- und Ostpolitik eingeleitet. Leitender Gedanke dieser neuen Ostpolitik war die Überlegung: Wenn schon nicht eine staatliche Einheit zu erreichen war, so sollten doch die Beziehungen zwischen beiden Staaten durch eine Annäherung entkrampft und entspannt werden. Ein Durchbruch gelang aber erst, als die neue Regierung bereit war, die durch den Zweiten Weltkrieg und die Machtverschiebung von 1945 geschaffenen neuen Grenzen und Machtverhältnisse grundsätzlich hinzunehmen, insbesondere die Oder-Neiße-Linie als Westgrenze Polens und die DDR als Staat anzuerkennen. Voraussetzung für eine neue Ostpolitik war jedoch auch, dass die osteuropäischen Staaten nicht mehr auf einer völkerrechtlichen Anerkennung der DDR und der Festschreibung eines Sonderstatus für Berlin (West) bestanden. Mit den Verträgen von Moskau und Warschau von 1970, dem Berlin-Abkommen von 1971 und dem Grundlagenvertrag mit der DDR 1972 wurden nach zähen Verhandlungen die Beziehungen der Bundesrepublik zu den osteuropäischen Nachbarn und zur DDR auf eine neue Grundlage gestellt und die bisherige Regelung des Zugangs nach West-Berlin erheblich verbessert.

Der führende Vordenker oder Architekt der neuen Ostpolitik war **Egon Bahr**, er führte am 15. Juli 1963 in der Evangelischen Akademie Tutzing aus:
„Es ist in den letzten Tagen schon eine ganze Menge über das Thema der Wiedervereinigung gesagt worden. Ich möchte [...] nur einige Bemerkungen machen. Sie sind zur Anregung der Diskussion gedacht und entspringen dem Zweifel, ob wir mit der Fortsetzung unserer bisherigen Haltung das absolut negative Ergebnis der Wiedervereinigungspolitik ändern können, und der Überzeugung, dass es an der Zeit ist und dass es unsere Pflicht ist, sie möglichst unvoreingenommen neu zu durchdenken. [...]
Die Voraussetzungen zur Wiedervereinigung sind nur mit der Sowjetunion zu schaffen. Sie sind nicht in Ost-Berlin zu bekommen, nicht gegen die Sowjetunion, nicht ohne sie. [...]
Die amerikanische Strategie des Friedens lässt sich auch durch die Formel definieren, dass die kommunistische Herrschaft nicht beseitigt, sondern verändert werden soll. Die Änderung des Ost/West-Verhältnisses, die die USA versuchen wollen, dient der Überwindung des Status quo, indem der Status quo zunächst

Brandt wurde für seine Politik bisweilen als „Vaterlandsverräter" geschmäht, zumal er 1933 aus Deutschland hatte fliehen müssen.

nicht verändert werden soll. Das klingt paradox, aber es eröffnet Aussichten, nachdem die bisherige Politik des Drucks und Gegendrucks nur zur Erstarrung des Status quo geführt hat. [...]

Die Frage ist, ob es innerhalb dieser Konzeption eine spezielle deutsche Aufgabe gibt. Ich glaube, diese Frage ist zu bejahen, wenn wir uns nicht ausschließen wollen von der Weiterentwicklung des Ost/West-Verhältnisses. Es gibt sogar in diesem Rahmen Aufgaben, die nur die Deutschen erfüllen können, weil wir uns in Europa in der einzigartigen Lage befinden, dass unser Volk geteilt ist.

Die erste Folgerung, die sich aus einer Übertragung der Strategie des Friedens auf Deutschland ergibt, ist, dass die Politik des Alles oder Nichts ausscheidet. Entweder freie Wahlen oder gar nicht, entweder gesamtdeutsche Entscheidungsfreiheit oder ein hartes Nein, entweder Wahlen als erster Schritt oder Ablehnung, das alles ist nicht nur hoffnungslos antiquiert und unwirklich, sondern in einer Strategie des Friedens auch sinnlos. Heute ist klar, dass die Wiedervereinigung nicht ein einmaliger Akt ist, der durch einen historischen Beschluss an einem historischen Tag auf einer historischen Konferenz ins Werk gesetzt wird, sondern ein Prozess mit vielen Schritten und vielen Stationen. [...]

Nun kann es kaum Zweifel geben, dass Änderungen in der Zone besonders schwer zu erreichen sind. [...] Und das hat seine Gründe. Ulbricht konnte sich halten, nicht obwohl, sondern gerade weil er der letzte Stalinist ist. Die Erfahrungen des Jahres 1953 haben dem Kreml gezeigt, wie gefährlich es in seinem Sinne ist, wenn in der deutschen Zone Erleichterungen für die Menschen gewährt werden. Denn gerade weil es sich um den Teil eines gespaltenen Volkes handelt, schlagen anders als etwa in Polen oder in der Sowjetunion soziale oder wirtschaftliche Forderungen sofort um in politische und nationale. Das Gefälle zur Bundesrepublik ist da. [...]

Wir haben gesagt, dass die Mauer ein Zeichen der Schwäche ist. Man könnte auch sagen, sie war ein Zeichen der Angst und des Selbsterhaltungstriebes des kommunistischen Regimes. Die Frage ist, ob es nicht Möglichkeiten gibt, diese durchaus berechtigten Sorgen dem Regime graduell so weit zu nehmen, dass auch die Auflockerung der Grenzen und der Mauer praktikabel wird, weil das Risiko erträglich ist. Das ist eine Politik, die man auf die Formel bringen könnte: Wandel durch Annäherung.“

www.fes.de/archiv/_stichwort/tutzinger_rede.pdf
(Friedrich-Ebert-Stiftung; August 2006)

Der **Kniefall Brandts** vor dem Denkmal des ehemaligen Warschauer Gettos im Dezember 1970 war eine Geste, die mit der Erinnerung an deutsche Verbrechen in Osteuropa den Wunsch nach einem Neuanfang symbolisierte. Ziel künftiger Deutschlandpolitik sollte nun ein „geregeltes“ Nebeneinander statt der spannungsreichen Konfrontation der Vergangenheit sein. Diese

Oppositionelle betrachteten damals Brandts Kniefall als Kotau vor den Kommunisten.

sozialliberale Ost- und Deutschlandpolitik war innenpolitisch dem heftigen Widerstand der CDU/CSU-Opposition ausgesetzt. Das zeigte sich vor allem an der erbitterten Auseinandersetzung um die Ostverträge. Die ohnehin knappe Mehrheit von SPD und FDP schrumpfte durch Parteiübertritte, sodass Brandt 1972 keine Mehrheit mehr im Parlament besaß. Nachdem ein Misstrauensvotum der CDU/CSU, das sich vor allem gegen die Ostpolitik der Regierung richtete, gescheitert war, wurden Neuwahlen festgelegt. Nach einem ungewöhnlich heftigen Wahlkampf errang die sozialliberale Koalition einen großen Wahlsieg.

In der zweiten Hälfte der 1970er-Jahre schwand die „Aufbruchstimmung" der ersten Jahre der sozialliberalen Koalition. Wie alle westlichen Staaten hatte die Bundesrepublik jetzt mit Preisanstieg, Arbeitslosigkeit und Staatsverschuldung zu kämpfen. In der Bewältigung dieser Wirtschaftsprobleme sah Bundeskanzler Helmut Schmidt, seit 1974 Nachfolger von Willy Brandt (der zurückgetreten war, nachdem einer seiner engsten Mitarbeiter als DDR-Spion enttarnt worden war), die dringendste Aufgabe seiner Regierung. Die Wege, die er dabei einschlug, führten nicht nur zu Konflikten innerhalb seiner eigenen Partei; auch zwischen SPD und FDP kam es zunehmend zu Spannungen. Außerdem zeigte sich, dass die Entspannungspolitik gegenüber den kommunistischen Ländern, die von so vielen Hoffnungen begleitet worden war, ins Stocken geriet. Das durch grundlegende Differenzen über die Wirtschaftspolitik ohnehin angeschlagene sozialliberale Bündnis brach allmählich auseinander. Die Umorientierung der FDP ermöglichte am 1. Oktober 1982 ein **Misstrauensvotum** gegen Helmut Schmidt und die Wahl des CDU-Vorsitzenden Helmut Kohl zum Bundeskanzler.

Vor allem durch die „Nachrüstungsdebatte" („Nato-Doppelbeschluss") geriet die SPD in eine innere Krise; viele Sozialdemokraten lehnten die Politik der SPD-Führung ab.

5.13 Kurswechsel in der Bundesrepublik 1982 und Niedergang der DDR

Im Jahr 1982 kam durch den Koalitionswechsel der FDP die liberal-konservative Regierung unter **Helmut Kohl** (CDU) an die Macht, die eine „geistig-moralische Wende" versprach. Ein ausgewogenes historisches Urteil über diese Zeit ist heute noch nicht möglich.

Wie auch in anderen westlichen Staaten bildete sich die **„Zwei-Drittel-Gesellschaft"** heraus: Einem großen Teil der Gesellschaft ging es materiell gut, daneben entstand aber auch eine strukturell bedingte Massenarmut und -arbeitslosigkeit. Um das Wirtschaftswachstum zu fördern, wurden die Investitionsbedingungen für die Unternehmen erleichtert. In der Kohl-Ära stieg daher das Unternehmer- und Vermögenseinkommen deutlich, während die Lohnquote sank. Aber auch günstige Konjunkturbedingungen senkten die Arbeitslosigkeit kaum. Um das wachsende Haushaltsdefizit zu verringern, wurden wiederholt sozialstaatliche Leistungen gekürzt oder gestrichen. Auch bedingt durch den **demografischen Wandel** (Geburtenrückgang und Alterung der Gesellschaft) entwickelte sich das Problem der steigenden Kosten im Gesundheitswesen, das die Regierung nicht in den Griff bekam. In der Außen- und Deutschlandpolitik verfolgte die CDU-FDP-Koalition gegen den Widerstand in den eigenen Reihen die früher scharf bekämpfte Ostpolitik der sozialliberalen Koalition weiter. Das versetzte die Regierung auch in die Lage, rasch und flexibel auf die Wiedervereinigungschancen im Jahr der „Wende" 1989 zu reagieren.

> Die Lohnquote meint den prozentualen Anteil der Entgelte für unselbständige Arbeit am Volkseinkommen.

Reformhoffnungen in der DDR

In der DDR wuchsen in den späten 1960er-Jahren ebenfalls Reformhoffnungen, allerdings aus ganz anderen Gründen. In der Tschechoslowakei hatte Alexander Dubcek 1968 die Führung der Kommunistischen Partei übernommen und einen freieren Sozialismus mit menschlichem und demokratischem Charakter versprochen. Dubceks Projekt fand weltweit Aufmerksamkeit. Dieser **„Prager Frühling"** löste nicht nur große Hoffnungen in der Tschechoslowakei, sondern auch in anderen Staaten des Ostblocks aus, bis diese durch den Einmarsch von Truppen des Warschauer Pakts im August 1968 begraben wurden. In geheim verbreiteten Flugblättern drückten Menschen in der DDR ihren Protest und ihre Enttäuschung über diese repressive Reaktion der sozialistischen Staaten auf ein neues sozialistisches Experiment aus.

Gleichwohl wurden die 1970er-Jahre in gewisser Weise zu den „goldenen Zeiten" der DDR-Geschichte: Die Identifikation der Bevölkerung mit dem Staat nahm allmählich zu. Viele Bürger waren auch stolz auf ihren Staat, insbesondere auf ihr Bildungssystem, bei dem höhere Bildung kein soziales Privileg mehr darstellte. Arbeiterkinder hatten z. B. bessere Chancen, eine weiterführende Schule (EOS) zu besuchen als Kinder von Intellektuellen, und so gab es zwischen 1949 und 1963 die sogenannten Arbeit-und-Bauern-Fakultäten, die zum Abitur führten. In dieser Zeit avancierte die DDR zur führenden Wirtschaftsnation mit dem höchsten Lebensstandard im Ostblock.

Zeitweise konnte sie sich als weltoffener Staat präsentieren – etwa bei den mit gigantischem Aufwand inszenierten „Weltfestspielen der Jugend" 1973 in Ostberlin, zu denen sich Tausende von Jugendlichen aus aller Welt trafen. Aber vielen Menschen blieb es nicht verborgen, dass das Ministerium für Staatssicherheit (die „Stasi") im Vorfeld dieses spektakulären Ereignisses Tausende von regimekritischen Menschen vorübergehend aus dem Verkehr gezogen hatte. Insgesamt ließ die staatliche Repression jedoch nach: So schritten SED und „Stasi" nicht mehr gegen das heimliche Einschalten von westlichen Fernsehprogrammen ein, sie gingen nicht mehr gegen „dekadente" westliche Popmusik vor, das Tragen von Jeans wurde nicht mehr verfolgt, Kontakte von DDR-Studenten mit westlichen Studentengruppen wurden geduldet (aber auch – was allseits bekannt war – bespitzelt). Es entwickelte sich allmählich das, was der Historiker Stefan Wolle als die *„heile Welt der Diktatur"* bezeichnete.

Krise und Niedergang der DDR

Der erhöhte Lebensstandard war allerdings mit beträchtlichen gesamtwirtschaftlichen Kosten verbunden, was die DDR allmählich in den ökonomischen Ruin führte. Die sozialpolitischen Leistungen des Systems verschlangen Unsummen, während die Arbeitsproduktivität – verglichen mit der im Westen – recht niedrig lag. Der Wohnungsbestand wurde ebenso wenig modernisiert wie Industrieanlagen und Infrastruktur. Darunter litt die internationale Wettbewerbfähigkeit der DDR-Ökonomie. Die Mängel der Planwirtschaft wurden immer offensichtlicher – z. B. extreme Wartezeiten für ein Telefon oder einen Pkw oder das Missverhältnis zwischen bürokratischem Planungsaufwand und Arbeitsproduktivität. Diese Mängel und der drastische Anstieg der Erdölpreise brachten die DDR an den Rand ihrer Zahlungsfähigkeit, sodass sie 1983 einen vom CSU-Vorsitzenden Strauß eingefädelten Milliardenkredit der Bundesrepublik in Anspruch nehmen musste, um ihren Zahlungsverpflichtungen nachkommen zu können. Dies verschaffte der

Die Arbeitsproduktivität lag einem offiziellen DDR-Bericht zufolge 40% unter der der Bundesrepublik.

DDR zwar eine kurze Atempause, löste aber nicht ihre strukturellen Probleme. Das System der Preissubventionen und hohen Sozialleistungen war durch die Wirtschaftskraft nicht gedeckt, vielerorts kam es nicht zu den dringend notwendigen betrieblichen Investitionen. Exportgüter wurden, um überhaupt Devisen erwirtschaften zu können, zu Dumpingpreisen verkauft. Grundnahrungsmittel waren zwar immer im ausreichenden Umfang verfügbar, nicht aber Güter wie Bananen, Apfelsinen oder Baumaterial. Für hochwertige Kleidung musste ein Monatslohn investiert werden. Eine Zeitzeugin berichtet, dass sie im Jahr 1979 einen „Trabi" bestellt hatte, den sie 1989 immer noch nicht erhalten hatte (ausgeliefert wurden in diesem Jahr die Bestellungen vom Mai 1976). Die ökologische Situation war in vielen Regionen äußerst desolat, da Abwässer ungereinigt in Flüsse und Seen geleitet wurden, Braunkohle ungefiltert verbrannt wurde und viele Produktionsanlagen auch unter Umweltgesichtspunkten nicht mehr dem Stand der Technik entsprachen.

Angesichts dieser Verhältnisse erhielt die Opposition Zulauf. Vor allem im Umkreis der evangelischen Kirche bildeten sich Oppositionsgruppen, die eine offene Diskussion der Probleme der DDR forderten. Auftrieb bekamen diese Strömungen (z. B. seit dem Herbst 1989 „Neues Forum", „Demokratischer Aufbruch") durch die Reformpolitik des Generalsekretärs der KPdSU der UdSSR, Michail Gorbatschow. Enttäuschung über die Starrheit der SED führte dazu, dass immer mehr (besonders junge und gebildete) Menschen der DDR nicht nur innerlich den Rücken kehrten, sondern ausreisten – insbesondere in die Bundesrepublik. Auslöser für eine Flut von Anträgen auf „ständige Ausreise von Bürgern der Deutschen Demokratischen Republik nach nichtsozialistischen Staaten und Westberlin" war bereits die Unterzeichnung der **KSZE-Schlussakte** im Sommer 1975 durch die DDR-Regierung gewesen. Diesen Anträgen wurde in der Praxis nur in geringem Umfang entsprochen; diejenigen, die einen Ausreiseantrag stellten, riskierten sehr viel: den Verlust des Arbeitsplatzes, die Diskriminierung der Kinder bei der schulischen Ausbildung und der Berufswahl, lange, zermürbende Wartezeiten mit offenem, der Willkür der staatlichen Behörden unterworfenem Ausgang. Es gab keine für die Bevölkerung einsehbaren Regeln für die Genehmigung eines Reiseantrags. Auch die Lockerung der Reisebestimmungen für Privatpersonen in das „kapitalistische Ausland" ab Mitte der 1980er-Jahre brachte keine innenpolitische Entspannung. Die Zahl der Antragsteller riss nicht ab.

1980 stellten 21 500 DDR-Bürger einen Antrag auf Ausreise, 1988 waren es 113 500.

Eine entscheidende Wende zeichnete sich im Sommer **1989 in Ungarn** ab. Am 10. September 1989 öffnete die ungarische Regierung die Westgrenze ihres Landes zu Österreich für DDR-Bürger, kurze Zeit danach flüchteten tausende anderer Ausreisewillige in spektakulärer Weise in die Botschaften der Bundesrepublik in Prag, Warschau und Budapest. Am 7. Oktober 1989 gab es zwar noch eine große Feier zum 40. Jahrestag der DDR, diese war aber bereits von Gegendemonstrationen begleitet. Polizei und Stasi lösten die „konterrevolutionäre Versammlung" auf, Militär wurde nicht eingesetzt. In den nächsten Wochen weiteten sich die Demonstrationen gegen das SED-Regime zu riesigen Massendemonstrationen aus, und die Staatsführung zeigte sich durch die Ereignisse wie gelähmt. Der SED-Generalsekretär Erich Honecker wurde am 18. Oktober durch den deutlich jüngeren **Egon Krenz** ersetzt, aber die Bevölkerung sah darin keinen grundsätzlichen Kurswechsel der SED. Im Oktober und November kam es zu vielen friedlichen Demonstrationen mit Hunderttausenden von Teilnehmern, und die Welt schaute wie gebannt auf diese mutigen Menschen. In dieser Zeit und in den Folgemonaten traten zahlreiche Menschen aus der SED aus.

Die politische Konzeptionslosigkeit der neuen SED-Führung offenbarte sich am 9. November 1989: Auf der allabendlich stattfindenden und live im Fernsehen übertragenen Pressekonferenz nach der Sitzung des ZK der SED teilte der für Information zuständige Sekretär, Günter Schabowski, eher beiläufig mit, dass der Ministerrat auf Anregung des Politbüros die **kurzfristige Visavergabe** ohne die bisher notwendige Nennung triftiger Voraussetzungen

Protestparolen lauteten: „Demokratie unbekrenzt", „Sozialismus krenzenlos".

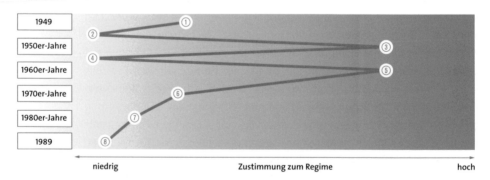

① Gründung der DDR
② politische Krise, Arbeiteraufstand am 17. Juni 1953, gewaltsame Unterdrückung, Massenflucht
③ Anwachsen des Lebensstandards bei weitreichenden sozialen Umgestaltungen
④ 1961 Mauerbau, um Massenflucht einzudämmen, anschließend aber auch Wirtschaftsreformen
⑤ deutlicher Anstieg des Lebensstandards, auch internationale Zustimmung
   zum System auf dem Höhepunkt
⑥ Rückgang der Investitionen, Zahlungskrise, breiter Unmut und Resignation;
   DDR verliert Rückhalt durch Sowjetunion
⑦ Verstärkung von Repression, ökonom. Krise, Massenflucht über Ungarn und Österreich,
   mutige Massendemonstrationen, innerer Zerfall und Resignation der politischen Führung
⑧ Öffnung der Mauer, Zusammenbruch des Systems

Abb. 5.8: Die innere Entwicklung in der DDR – materielle und ökonomische Verhältnisse sowie Zustimmung zum Regime

beschlossen habe. Tausende von Ostberlinern versammelten sich daraufhin vor den Grenzübergangsstellen nach West-Berlin. Diesem **Massenandrang** waren die Behörden nicht mehr gewachsen und sie ließen die Menschen unkontrolliert passieren. In der Nacht des 9. November 1989 konnten durch die geöffnete Berliner Mauer Hunderttausende nach Westberlin strömen – dort herrschte in jenen Tagen eine unvorstellbare Euphorie. Die gesamte Parteiführung der SED resignierte und trat am 3. Dezember geschlossen zurück. Die weitere Entwicklung wurde dann von der Bundesregierung gemeinsam mit der DDR-Führung unter Einbeziehung der Westmächte und der Sowjetunion beraten.

Claus Offe über die Ursachen des Zusammenbruchs der DDR:
Welches waren die Gründe, die den Repressionsapparat der DDR im Herbst 1989 außer Funktion setzten? Sie waren sämtlich außenpolitischer Natur, d. h., sie hatten nichts zu tun mit einer liberalen Öffnung der Politik der DDR oder einem inneren Zerfall des Repressionsapparates.
Unmittelbar ausschlaggebend war vielmehr die Unfähigkeit und Unwilligkeit der ungarischen Regierung, diejenigen DDR-Bürger, die (zunächst) als Urlauber in diesem Land weilten, an der Ausreise in die Bundesrepublik zu hindern. Ein zweiter Faktor war die klar voraussehbare Weigerung der von der Politik der perestroika erfassten Sowjetunion, eine Repressionspolitik, wie sie zuletzt 1968 im Namen jer Breschnew-Doktrin gegen die tschechoslowakische Bevölkerung verübt worden war, durch „brüderliche Hilfe" militärisch oder auch nur politisch zu unterstützen. Die Undenkbarkeit einer solchen Gewalt-Eskalation war (außer in Rumänien) drittens durch das erschreckende und weltweit verurteilte Negativ-Vorbild des Massakers mitbedingt, das die chinesische Führung im Juni 1989 an der Demokratie-Bewegung in Peking verübt hatte. Eine solche Demokratie-Bewegung trat in der DDR erst zutage, als der Zusammenbruch der Repressionsfähigkeit des Regimes bereits in vollem Gange war und sich die Bürgerbewegung mithin relativ gefahrlos entfalten konnte. Nicht sie besiegte den Staatsapparat, sondern umgekehrt ermutigte die sichtbare Schwächung des Staatsapparates ihr Entstehen. [...] Nicht der demokratische Protest und das Verlangen des Volkes nach Freiheit und Demokratie besiegelten das Ende der DDR, sondern der Wunsch nach wirtschaftlichem Wohlstand und, auf dessen Spuren, die massenhafte Abwanderung der Menschen durch die seit dem 9. November 1989 nicht mehr wirksamen Sperranlagen. [...] Nicht siegreicher kollektiver Kampf um eine neue politische Ordnung führte zum Ende des Staates der DDR, sondern die massenhafte und plötzlich nicht mehr aufhaltbare individuelle Abwanderung zerstörte seine ökonomische Basis. [...]

Claus Offe, Wohlstand – Nation – Republik; in: Hans Joas/Martin Kohli (Hg.), Der Zusammenbruch der DDR, Frankfurt/M. 1993, S. 290–294.

5.14 Glasnost und Perestroika: der Zusammenbruch des Sowjetsystems

Gorbatschow löste eine Reihe von sehr alten Parteiführern (Gerontokratie) ab.

1985 wurde **Michail Gorbatschow** (geb. 1931) zum Generalsekretär der KPdSU gewählt. Russische Reformkräfte setzten große Hoffnungen in den vergleichsweise jungen Generalsekretär, denn die Reformversuche der letzten Jahrzehnte waren allesamt mehr oder minder erfolglos verlaufen. Das gilt für die Lockerung der ineffektiven, erstarrten innerparteilichen und der aufgeblähten staatlichen Strukturen und Organisationen, den erfolglosen Kampf gegen die verbreitete Korruption, die halbherzige Entstalinisierung. Immer noch wurden inner- und außerparteiliche Kritiker der Sowjetunion gnadenlos verfolgt oder zur Emigration gezwungen. Die Lebensverhältnisse besserten sich kaum, die Arbeitsproduktivität war gering, die Verschwendung von Ressourcen hingegen beträchtlich. In der Rüstungs- und Weltraumpolitik konnte die Sowjetunion zwar bemerkenswerte Erfolge vorweisen, dies kam aber anderen Lebensbereichen nicht zugute.

Der Einmarsch in Afghanistan (1979) erwies sich als Fehlschlag, der die Sowjetunion teuer zu stehen kam.

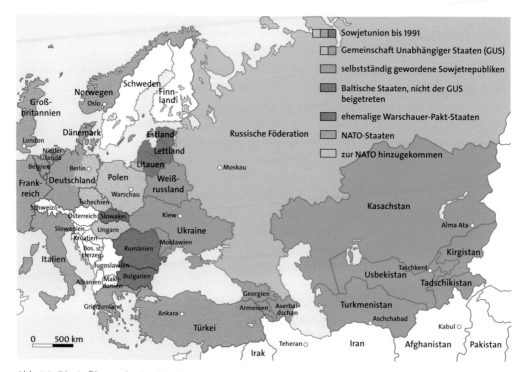

Abb. 5.9: Die Auflösung der Sowjetunion

Gorbatschow strebte einen grundsätzlichen Umbau von staatlichen und gesellschaftlichen Strukturen an, diese **Perestroika** (→ Glossar, S. 237) sollte flankiert werden von einer offenen und freimütigen Diskussion (**Glasnost,** → Glossar, S. 230) gesellschaftlicher Probleme, einer Demokratisierung, Justizreform, einer Liberalisierung der staatlichen Produktion. Die Entstalinisierung sollte beherzter vorangetrieben, die Opfer des Stalinismus sollten rehabilitiert werden. Insgesamt sollten auch die dunklen Seiten der Geschichte der Sowjetunion kritisch aufgearbeitet werden.

Gorbatschow räumte 1990 die russische bzw. sowjetische Alleinschuld an den Verbrechen von Katyn ein.

Tatsächlich engagierten sich viele Literaten, Künstler und Wissenschaftler lebhaft in der einsetzenden Debatte, dieser Druck „von unten" sollte erstarrte Strukturen in Bewegung bringen. Die Masse der Bevölkerung verhielt sich indes reserviert. Für die Millionen von Russlanddeutschen, die in der Stalinzeit und insbesondere zu Beginn des Zweiten Weltkriegs nach Osten (u.a. Kasachstan) deportiert worden waren und generell mit zahllosen Schikanen konfrontiert waren, bedeutete die Politik Gorbatschows nahezu eine Erlösung, ihnen wurde in steigender Zahl die Auswanderung nach Deutschland ermöglicht. Aber auch viele ethnische Minderheiten machten sich in dem „Vielvölkergefängnis" (so hat Lenin das Zarenreich charakterisiert) deutlich bemerkbar. In den Sowjetrepubliken – zumal in den baltischen Staaten – brodelte es vernehmlich.

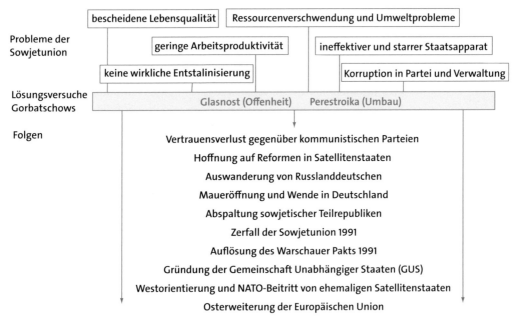

Abb. 5.10: Glasnost und Perestroika

Neuen Schwung in die öffentliche Diskussion brachte die Atomkatastrophe von **Tschernobyl** (1986). Die Sowjetunion hatte ihre Abhängigkeit von Ölimporten reduzieren wollen, zumal der Erdölpreis nach dem Ölschock ständig angestiegen war, und demzufolge massiv den Ausbau der Atomkraft vorangetrieben, ohne dass die Probleme der Endlagerung usw. auch nur ansatzweise gelöst waren. Die hochradioaktive Wolke richtete nicht nur im Umkreis von Kiew erheblich Schäden an, sondern zog weite Teile der Sowjetunion und Westeuropas in Mitleidenschaft. Die halbherzige und manipulative Informationspolitik der sowjetischen Behörden zeigte, dass die Idee der Glasnost noch keine Tiefenwirkung erzielt hatte. Betroffene Menschen in Weißrussland und in der Ukraine wurden nicht oder falsch informiert, Evakuierungsmaßnahmen fanden viel zu spät statt. Die Menschen wurden über das Ausmaß und die Folgen der Katastrophe getäuscht.

Gorbatschow nahm damit von der **Breschnew-Doktrin** (→ Glossar, S. 222) Abschied.

Die neue Politik Gorbatschows zeigte auch in einigen Satellitenstaaten der Sowjetunion und anderen sozialistischen Ländern starke Wirkung. Während in China im Frühjahr 1989 die Demokratiebewegung, die wochenlang demonstriert hatte, niedergeschossen wurde, konnte sie in Ungarn und Polen rasch bemerkenswerte Erfolge erzielen. In Polen konnte die verbotene Gewerkschaftsbewegung **Solidarność** angesichts der wirtschaftlichen Talfahrt des Landes nicht vollständig unterdrückt werden, die polnische Regierung war gezwungen, Kontakte und Verhandlungen mit der von der Kirche unterstützten Gewerkschaftsbewegung aufzunehmen. Bei den ersten freien Präsidentschaftswahlen 1990 wurde ihr Anführer **Lech Wałęsa** sofort in das höchste Staatsamt gewählt. In Ungarn wurde bereits im Spätsommer (also vor der „Wende") die Grenze zu Österreich für ausreisewillige DDR-Urlauber geöffnet. In den deutschen Botschaften in Prag und Budapest und andernorts sammelten sich Tausende von DDR-Bürgern mit stiller Duldung der Behörden. Angesichts der wochenlangen und immer selbstbewusster auftretenden Montagsdemonstrationen in Leipzig und in anderen Städten der DDR resignierte schließlich die DDR-Führung und öffnete am 9. November 1989 in Berlin die Mauer.

5.15 Der Weg zur deutschen Einheit

Für die Bundesrepublik kam die dramatische Entwicklung in der DDR völlig überraschend. Bundeskanzler **Helmut Kohl** (CDU) legte am 28. November dem Bundestag einen **10-Punkte-Plan** zum Ausbau der Zusammenarbeit mit der DDR vor, der jedoch von der Wirklichkeit überholt wurde. Die Menschen in der DDR forderten über Reformen im eigenen Land hinaus immer stärker die staatliche Einheit mit der Bundesrepublik („Wir sind ein Volk"). Hier zeigte sich, dass die Menschen in der DDR keineswegs aufgehört hatten, in nationalstaatlichen Bezügen zu denken, dass sie vielmehr die DDR als einen „Staat auf Zeit" interpretierten. Bei der freien Volkskammerwahl am 18. März 1990 wurde die von der CDU geführte „Allianz für Deutschland" stärkste Kraft. Die neue Regierung unter Ministerpräsident **Lothar de Maizière** (CDU) verhandelte unter großem Druck – der Strom der Übersiedler aus der DDR in den Westen hielt auch 1990 unvermindert an – mit der Bundesregierung über eine Wirtschafts- und Sozialunion. Diese Wirtschafts-, Währungs- und Sozialunion trat am 1. Juli 1990 in Kraft. Die D-Mark wurde nun auch in der DDR gesetzliches Zahlungsmittel (für zwei Mark Ost konnte eine DM eingetauscht werden). Verhandlungen über die sehr komplizierten Fragen der Privatisierung der Staatsbetriebe und der LPGs begannen, eine Treuhandanstalt „wickelte" zahlreiche Betriebe ab, wobei es auch zu fragwürdigen, für manche nicht nachvollziehbaren Entscheidungen kam, sehr viele Menschen wurden in den Neuen Bundesländern arbeitslos. Aber auch in der Folgezeit kamen viele privatisierte Betriebe in eine Krise. Die Einführung der D-Mark

Viele Betriebe und Behörden in der DDR waren personell völlig überbesetzt.

Überblick: Geschichte der Beziehungen zwischen Bundesrepublik und DDR

1949	Gründung der Bundesrepublik und der DDR, Westintegration der BRD und enge Bindungen der DDR an UdSSR
1952	Stalin-Note
1953	Arbeiteraufstand in der DDR
1955	BRD tritt NATO bei, Gründung des Warschauer Pakts; Hallstein-Doktrin
1961	Mauerbau
seit 1966	vorsichtige Distanzierung von bisheriger Abgrenzungspolitik, Entwicklung einer neuen Ostpolitik durch Egon Bahr
1972	Grundlagenvertrag
1975	KSZE-Prozess, Ausbau der vertraglichen Beziehungen und Kontakte, Politik der gegenseitigen Achtung
1981	Bundeskanzler Schmidt besucht die DDR.
1983	Milliarden-Kredit (F. J. Strauß)
1987	Honecker-Besuch in BRD
1989	Massenflucht aus DDR, Wende, Öffnung der Mauer
1990	Währungsunion und Beitritt

Tab. 5.8: Beziehungen zwischen Bundesrepublik und DDR

Deutsche Außenpolitik vom Kaiserreich bis zur Gegenwart

Führende Persönlichkeit	Leitideen	Daten / Maßnahmen	Folgen / Ergebnisse	Probleme
Bismarck	⊚ Deutsche Einigung durch „Einigungskriege" ⊚ Realpolitik ⊚ Bündnispolitik ⊚ Kolonialismus	**„Einigungskriege":** 1864: deutsch-dänischer Krieg 1866: Deutscher Krieg 1870/71: deutsch-französischer Krieg **Bündnispolitik:** 1877: Kissinger Diktat 1879: Zweibund 1882: Dreibund 1887: Rückversicherungsvertrag Seit 1881: systematische Kolonialisierung Afrikas	⊚ Verbesserung der außenpolitischen Situation Deutschlands ⊚ sich widersprechende Bündnisverträge mit den Großmächten ⊚ Verträge zur Verhinderung eines Zweifrontenkrieges ⊚ Umsetzung des Kissinger Diktats ⊚ Deutschland wird als saturierter Staat verstanden.	⊚ Bündnispolitik ging von Prämisse aus, dass Bündnisfall nie eintritt.
Wilhelm II	⊚ Imperialismus ⊚ Weltmachtpolitik ⊚ politische Handlungsfreiheit	**Weltmachtpolitik:** 1890: keine Verlängerung des Rückversicherungsvertrages nach Entlassung Bismarcks 1898: Orientreisen 1899/1903: Bau der Bagdad-Bahn 1898: Kriegsflottenbauprogramm	⊚ Zerstörung der Bündnispolitik Bismarcks ⊚ Ansehen Deutschlands in der Welt sinkt ⊚ Annäherung Russlands und Frankreichs (Defensivvertrag 1894) ⊚ Frankreich und England bilden Entente Cordiale ⊚ Herausbildung der Triple Entente ⊚ verschlechterte Beziehungen zu England ⊚ Flottenwettrüsten	⊚ Die Konflikte spitzen sich zu bis zum Ausbruch des Ersten Weltkrieges.
Frühe Weimarer Republik (bis 1923)	⊚ Revision des **Versailler Vertrags (VV)** ⊚ Nichtanerkennung der Grenzen	**Revision des VV:** ⊚ Versuche zur Senkung der Reparationsforderungen durch inflationäre Geldpolitik Mai 1921: Handelsabkommen mit Russland 1922: Vertrag von Rapallo	außenpolitische Isolierung ⊚ Ruhrbesetzung 1923 ⊚ Dawes-Plan 1924	⊚ Kein „Ost-Locarno" ⊚ außenpolitische Isolierung z. B.: Deutschland nicht im Völkerbund
Späte Weimarer Republik	⊚ Revision des Versailler Vertrags ⊚ Lockerung der außenpolitischen Isolierung	**Lockerung der außenpolitischen Isolierung:** 1925: Verträge von Locarno 1926: Deutschlands Aufnahme in den Völkerbund 1929: Börsencrash in den USA und Zurückforderung von Krediten 1930: Deflationspolitik 1930: Young-Plan	⊚ Kontinuität in der deutschen Außenpolitik ⊚ Aufhebung der außenpolitischen Isolierung	⊚ innenpolitischer Widerstand durch Konservative (DNVP)

Führende Persönlichkeit	Leitideen	Daten / Maßnahmen	Folgen / Ergebnisse	Probleme
Hitler	⊙ Endgültige Revision des Vers. Vertrags ⊙ Weltmachtstellung des Deutschen Reiches ⊙ „Lebensraum im Osten" ⊙ Herrschaft der „arischen Rasse"	1933: Deutschland tritt aus dem Völkerbund aus. 1934: Nichtangriffspakt mit Polen 1935: deutsch-englisches Flottenabkommen 1936: Deutschland und Italien intervenieren im spanischen Bürgerkrieg. 1938: „Anschluss" Österreichs und Münchener Abkommen → Annektierung des Sudetenlandes 1939: Besetzung der „Rest-Tschechei" 1939: Hitler-Stalin-Pakt 1939: Überfall auf Polen	⊙ meist gewalttätige Revision des VV ⊙ Zweiter Weltkrieg	Durch die *Appeasement*-Politik Englands und die Zurückhaltung der Westmächte, wird Hitler in seinen Plänen nicht gestoppt ⊙ Hitler überschätzt sich. ⊙ unwirtschaftliche Autarkiepolitik
Adenauer	⊙ Westintegration ⊙ Souveränität der BRD erreichen ⊙ Abgrenzungspolitik von DDR ⊙ Antikommunismus ⊙ Europapolitik	**Westintegration:** 1951: Gründung der EGKS 1955: Eintritt der BRD in die NATO 1963: deutsch-französischer Freundschaftsvertrag **Abgrenzungspolitik:** 1949: doppelte Staatsgründung 1952: Stalin-Note seit 1955: Hallstein-Doktrin	⊙ Wiederbewaffnung ⊙ In der BRD kommt es zu einem raschen wirtschaftlichen Aufschwung. ⊙ Westintegration der BRD ⊙ Hallstein-Doktrin und andere Maßnahmen gegen eine Annäherung mit der DDR führen zur Verhärtung der Fronten.	⊙ Durch Adenauers Abgrenzungspolitik von der DDR wäre es mit großer Wahrscheinlichkeit nicht zur Wiedervereingung gekommen. ⊙ Eine atomare Auseinandersetzung zwischen Sowjetunion und USA hätte auch auf deutschem Boden stattgefunden.
Brandt	⊙ neue Ostpolitik → Entspannungspolitik (Vordenker Egon Bahr) ⊙ Europapolitik	1970: Warschauer Vertrag, Moskauer Vertrag und Kniefall Brandts vor dem Denkmal des ehemaligen Warschauer Ghettos 1971: Berlin Abkommen 1972: Verkehrs- und Grundlagenvertrag 1973-75: KSZE und Helsinki-Schlussakte	⊙ Entspannung des Verhältnisses der BRD zu den östlichen Nachbarn ⊙ Anerkennung der DDR als Staat und der Oder-Neiße-Linie als Grenze ⊙ innerdeutsche Absprachen für verbesserte Kontakte zwischen DDR und BRD	⊙ Die neue sozialliberale Ostpolitik war innenpolitisch großer Kritik durch CDU/CSU ausgesetzt. ⊙ 1972 hat Brandt keine Mehrheit mehr im Parlament. ⊙ Durch die innenpolitischen Probleme (Preisanstieg, Arbeitslosigkeit, Staatsverschuldung) stockt die Entspannungspolitik.
Kohl	⊙ Weiterführung der Ostpolitik Brandts mit dem Ziel der Wiedervereinigung ⊙ Europapolitik	1989: Zehn-Punkte-Programm 31.8.1990: Einigungsvertrag zwischen BRD und DDR wird unterschrieben 12.9.1990: Durch die Unterzeichnung des „Zwei-plus-Vier-Vertrages"	⊙ Wiedervereinigung ⊙ Deutschland erhält seine vollständige Souveränität zurück.	

Tab. 5.9: Übersicht verfasst von Jana Fischer

Überblick: Regierung der Bundesrepublik Deutschland

Staats-oberhaupt	Regierungen unter der Kanzlerschaft	zentrale Themen der Innen-, Wirt-schafts- und Sozialpolitik	zentrale Aufgaben der Außen- und Deutschlandpolitik
Theodor Heuss (FDP) (1949–1959) Heinrich Lübke (CDU) (1959–1969)	Konrad Adenauer (CDU) CDU/CSU/FDP-Koalition 1949–1963	Flüchtlingsintegration, Wohnungs- und Städtebau, Ausbau des Sozialstaats	Westintegration, Abwehr der kommunistischen Expansionspolitik
	Ludwig Erhard (CDU) CDU/CSU/FDP 1963–1966	ökonomische Rezession, Anstieg der Arbeitslosigkeit, neuer Rechtsradikalismus	Fortsetzung der Westintegration und der antikommunistischen Abgrenzung
	Kurt Georg Kiesinger (CDU) 1966–1969 Große Koalition CDU/CSU/SPD	Notstandsgesetzgebung, Formierung der APO, Studentenproteste, Staatsinterventionismus, Stabilitätsgesetz, Erfolge der NPD	Einleitung der neuen Ostpolitik
Gustav Heinemann (SPD) (1969–1974)	Willy Brandt (SPD) 1969–1974 sozialliberale Koalition	Wahlrechtsreform, Mitbestimmung, Ausbau des Sozialstaats, Vermögensbildung, Bildungsreformen, ökologische Probleme werden allmählich erfasst	neue Ostpolitik, Verträge mit DDR und osteuropäischen Staaten
Walter Scheel (FDP) (1974–1979) Karl Carstens (CDU) (1979–1984)	Helmut Schmidt (SPD) 1974–1982 sozialliberale Koalition	zunehmende Staatsverschuldung, Terrorismus, Anstieg der Arbeitslosigkeit, Debatte über Atomkraft	Fortsetzung der Ostpolitik, Aufrüstungspolitik, NATO-Doppelbeschluss
Richard v. Weizsäcker (CDU) (1984–1994) Roman Herzog (CDU) (1994–1999)	Helmut Kohl (CDU) 1982–1998, Koalition von CDU/CSU/FDP	weiterer Anstieg der Staatsverschuldung, Anwachsen der Ausländerfeindlichkeit, Politikverdrossenheit, Krise der sozialen Sicherungssysteme, Herstellung der Deutschen Einheit, Privatisierung in neuen Bundesländern (Treuhandanstalt)	Fortsetzung der Ostpolitik, deutsche Wiedervereinigung
Johannes Rau (SPD) (1999–2004)	Gerhard Schröder (SPD) 1998–2005 rot-grüne Koalition	Probleme der Wiedervereinigung, Einstieg in den Atomausstieg, Förderung alternativer Energien angesichts des Klimawandels, demografischer Wandel, Ansätze zur Lösung der Finanzkrise und der sozialen Sicherungssysteme, Hartz-Gesetze, Ansätze zur Gesundheitsreform, Fortdauer der Massenarbeitslosigkeit	zunehmendes Engagement der Bundeswehr in internationalen Konflikten
Horst Köhler (CDU) (seit 2004)	Angela Merkel (CDU) seit 2005 Große Koalition CDU/CSU/SPD	Gesundheitsreform, Föderalismusreform, weitere Ansätze zur Lösung der Staatsverschuldung, Bekämpfung der Massenarbeitslosigkeit	Politik des internationalen Engagements wird fortgesetzt
Christian Wulff (CDU) (2010–2012) Joachim Gauck (parteilos) seit 2012	Angela Merkel (CDU) seit 2009 Koalition von CDU/CSU/FDP seit 2013 Große Koalition CDU/CSU/SPD	Kampf gegen die Folgen der Finanzkrise 2008	

verbesserte zwar rasch das Warenangebot, aber die marode Wirtschaft in den neuen Bundesländern musste sich nun der Weltmarktkonkurrenz stellen. Diese Probleme wurden von den verantwortlichen Politikern zunächst zu wenig bedacht, und die Hoffnungen auf eine rasche Verbesserung der sozialen und ökonomischen Verhältnisse („blühende Landschaften") erwiesen sich als Illusion.

Bundeskanzler Kohl konnte die sowjetischen sowie die französischen und englischen Vorbehalte gegen eine Wiedervereinigung ausräumen. Die Sowjetunion stimmte schließlich zu, dass der neue Staat seine Bündniszugehörigkeit frei bestimmen konnte. Als Gegenleistung sollte die Bundeswehr ihren militärischen Bestand verringern und den Abzug der sowjetischen Truppen aus der DDR finanzieren. Am 12. September unterzeichneten die Außenminister der vier Siegermächte und der beiden deutschen Staaten in Moskau den „Vertrag über die abschließende Regelung in Bezug auf Deutschland" (**„Zwei-Plus-Vier-Vertrag"**), nachdem auch die Westalliierten grünes Licht zur deutschen Einheit gegeben hatten. Am 3. Oktober 1990 kam es schließlich zum formellen Zusammenschluss der beiden deutschen Staaten, nachdem auch die Volkskammer beschlossen hatte, gemäß Art. 23 GG der Bundesrepublik Deutschland beizutreten; die Modalitäten für diesen Schritt wurden im sogenannten Einigungsvertrag festgelegt.

England und Frankreich schreckte die Stellung eines noch stärkeren Deutschland in Europas Mitte.

Überblick

Das Jahr 1989 wird wahrscheinlich als bedeutende Zäsur in die Geschichtsbücher eingehen. 1989 kam es nicht nur zur Öffnung der Mauer und der kurz darauf folgenden Wiedervereinigung Deutschlands, auch in mehreren osteuropäischen Staaten kam es zu ähnlich dramatischen Wandlungsprozessen: in Ungarn, in der Tschechoslowakei, in Polen, bei den drei baltischen Staaten; alle diese Staaten näherten sich rasch dem Westen und der Europäischen Union an.

Aber auch weltweit wurden die Karten neu verteilt. Die Sowjetunion und ihr Imperium brach zusammen, der deprimierende und für zahllose Spannungen und Kriege verantwortliche Ost-West-Konflikt war nun an sein Ende gelangt. Ein neues Zeitalter des Friedens, der Demokratie, der größeren Reichweite der Geltung der Menschenrechte und des kapitalistischen Wohlstands schien sich zu eröffnen. Tatsächlich wurde 1989 die Welt nicht einfach nur friedlicher, sondern der Wind der kapitalistischen Globalisierung auch rauer. Das bekamen insbesondere auch die afrikanischen Staaten zu spüren, die nun nicht mehr von den Großmächten hofiert wurden, damit sie sich in deren machtstrategisches Kalkül einfügten. Viele Regionen der Welt wurden nun wieder zur Peripherie.

6 Ausblick: Neue Unübersichtlichkeit

Diese neue Unübersichtlichkeit seit 1989 hat viele Gesichter: Die Hoffnung auf eine „Zivilisierung", auf eine friedliche neue Epoche musste bald einer Ernüchterung Platz machen. Gewiss, die EU konnte sich rasch vergrößern, aber das ist mit vielen inneren Konflikten und wirtschaftlichen Herausforderungen verbunden. Auf dem Balkan scheint sich die Situation mittlerweile zu stabilisieren, aber stabile demokratische Verhältnisse benötigen einen langen Atem. Manche Staaten der Dritten Welt konnten sich rasch modernisieren, andere verarmen noch mehr und zerfallen. Der pseudoreligiös motivierte Terrorismus hat barbarische Kriege ausgelöst. Die weltweiten Migrationsprozesse haben eher zugenommen.

6.1 Ende der Geschichte?

1992 verkündete der Politikwissenschaftler **Francis Fukuyama** in seinem Buch „Das Ende der Geschichte" provozierende geschichtsphilosophische Thesen. Fukuyama versteht den Verlauf der Geschichte als gesetzmäßige und teleologische (= auf ein Ziel gerichtete) Verkettung von Ereignissen. Das Ende des Zweiten Weltkriegs und schließlich der Fall der Mauer (1989) hätten zu einer Schlussphase der politischen Systementwicklung geführt. Für totalitäre Regime wie den Faschismus oder Kommunismus gebe es keine Chance mehr, sie stellten keine überzeugende Alternative mehr dar, sie seien vielmehr hoffnungslos gescheitert. Damit sei der Weg nun frei für die Marktwirtschaft und die liberale Demokratie, die sich nun mehr oder weniger zwangsläufig überall durchsetzen würden.

Fukuyama behauptet also, dass die Welt nun frei, unkriegerisch und glücklich wäre.

Dieses Buch löste heftige Debatten aus. Manche Diskussionsteilnehmer kritisierten Fukuyamas Modell des historischen Ablaufs, das bestimmten Gesetzmäßigkeiten folge. Sie meinten vielmehr, dass es keine historische Zwangsläufigkeit gebe, die Menschen vielmehr die Freiheit hätten, Geschichte nach eigenem Willen zu gestalten und künftige Entwicklungen nicht vorhersehbar seien. Fukuyama musste zwischenzeitlich selbst einräumen, dass er z. B. das Erstarken der islamischen und islamistischen Gesellschaftssysteme unterschätzt habe. Diese Länder seien keineswegs bereit, bürgerlich-liberale Werte zu übernehmen oder in ihren Ländern nach marktwirtschaftlichen Prinzipien zu handeln. Fukuyama meint indes, dass

seine optimistischen Prognosen in die Zukunft verschoben werden müssten, es käme zu einem universalen Prozess der dynamischen Integration und
Assimilation an die westliche Kultur, zur globalen Durchsetzung von Freiheit
und Menschenrechten.

Tatsächlich hofften, als 1991 die Sowjetunion zusammenbrach und der jahr-
zehntelange Ost-West-Gegensatz zum Ende kam, viele Menschen auf eine
friedliche Epoche der Weltgeschichte. Sie rechneten mit einer Fortsetzung
des weltweiten Prozesses der Demokratisierung und Zivilisierung der internationalen politischen und ökonomischen Beziehungen. Diese Euphorie hat
sich allerdings rasch verflüchtigt. Es bildete sich nicht eine vielfach erhoffte stabile neue Weltordnung heraus, vielmehr wird die neue Situation als
„Neue Unübersichtlichkeit" bezeichnet.

Alte Weltordnung – Neue Weltordnung

Der Begriff „Neue Weltordnung" wurde nach dem Ende des Ersten Welt-
kriegs vom amerikanischen Präsidenten **Woodrow Wilson** geprägt, der
den – letztlich misslungenen – Versuch unternahm, den Völkerbund als
Weltregierung zu etablieren. Unter „Alter Weltordnung" verstand man das
System des Mächtegleichgewichts im 19. und Anfang des 20. Jahrhunderts
(**Balance of Power,** → Glossar, S. 222), welches sich jedoch als unfähig er-
wies, die im ausgehenden 19. Jahrhundert ausbrechenden internationalen
Konflikte friedlich zu regeln.

Erneut populär wurde der Begriff „Neue Weltordnung" durch den amerikanischen Präsidenten **George H. W. Bush**, der die Hoffnung artikulierte, dass
mit dem Zusammenbruch der kommunistischen Regime in Osteuropa jetzt
unter der alleinigen amerikanischen Führung ein Zeitalter des Friedens an-
brechen würde. Die vorangegangene Alte Weltordnung – gekennzeichnet
durch das Gegenüber zweier antagonistischer gesellschaftlicher Systeme
mit der militärischen Blockbildung im Kalten Krieg nach dem Ende des Zweiten Weltkriegs – hatte sich mit dem wirtschaftlichen und politischen Zusammenbruch der kommunistischen Regime in Osteuropa aufgelöst.

George H. W. Bushs späterer Nachfolger im Präsidentenamt, sein Sohn **George W. Bush**, verkündete mit seinem Krieg gegen den Irak 2003 das Ziel, in
diesem Land (und später im ganzen Nahen Osten) demokratische Strukturen einzuführen. Er wollte auch die Armut besiegen und den Menschen ein
Leben in Freiheit und Würde verschaffen. Er griff damit auf das traditionelle
rhetorische Arsenal der USA zurück, mit dem bereits der Eintritt in die bei-

Die militärische
Übermacht der USA
hat freilich nicht aus-
gereicht, die amerika-
nischen Kriegsziele im
Irak oder in Afghanis-
tan wirklich durchzu-
setzen.

den Weltkriege begründet wurde. Dabei war nicht die Rede davon, dass die USA auch Ziele verfolgten, die durchaus ganz pragmatisch ökonomische Interessen im Blick hatten, die aber den Irak-Krieg in einem ganz anderen Licht erscheinen lassen: die Erdöl-Vorratssicherung des ressourcenreichsten Nahost-Staates sowie die Absicherung von Claims für US-Firmenkonsortien.

Unilaterale oder multilaterale Weltpolitik?

Seit dem Ende des Ost-West-Konflikts und dem Zusammenbruch der kommunistischen Welt scheint die **Bipolarität** (→ Glossar, S. 223) durch eine Unipolarität abgelöst worden zu sein.

Die USA verfügen über die Voraussetzungen einer *„ersten und einzigen"* (Zbigniew Brzezinski) Supermacht:
- ⊚ weltweite Militärpräsenz
- ⊚ weltwirtschaftliche Führungsrolle
- ⊚ technologische Überlegenheit
- ⊚ kulturelle Hegemonie (hohe Attraktivität des *American way of life*, weltweit verbreitet durch amerikanische Medienkonzerne)

Die USA scheinen demnach die internationale Politik mehr als früher zu dominieren; allerdings traten – seit der Kalte Krieg beendet ist – deutlicher als früher Interessengegensätze zwischen den USA und ihren Bündnispartnern zutage. Manche Sozialwissenschaftler sprechen daher vorsichtiger von einer Multipolarität, die an die Stelle der früheren Bipolarität getreten sei. Denn man müsse nicht nur das militärische Gewicht einer Nation ins Auge fassen, sondern auch die wirtschaftliche Potenz. Und hier stehen den USA nicht nur die Europäische Union gegenüber, sondern auch neue Akteure aus dem Fernen Osten wie Japan und China, demnächst vielleicht Indien.

Daher reagierten die USA so aggressiv auf die Enthüllungen von Wikileaks, die zahllose US-Geheiminformationen der Weltöffentlichkeit preisgaben.

Weiterhin gibt es Kräfte, die sich der staatlichen Kontrolle entziehen (können). Hier spielen international agierende Großkonzerne und Banken eine Rolle, die sich bei ihren Entscheidungen nicht an nationalstaatlichen Interessen orientieren und die Summen transferieren, die nationale Budgets teils weit überschreiten. Und schließlich operieren einige kriminelle Akteure weltweit, die sich der nationalstaatlichen Kontrolle entziehen können und auf eigene Rechnung Politik machen: Hacker, Terroristen, Finanzjongleure, die aus der Verwundbarkeit der globalen Informationssysteme ihren Nutzen zu ziehen suchen und auf eigene Faust handeln. Das heißt, der überwältigenden militärischen Macht der USA werden durch wirtschaftliche Interessen und unkontrollierbare Akteure deutliche Grenzen gesetzt.

Ist die Aufrechterhaltung von Stabilität in der Weltpolitik durch die Dominanz einer einzigen Supermacht förderlich? Fördert der amerikanische Unilateralismus (im Gegensatz zu einer multipolaren Weltordnung) Frieden und Stabilität in der Welt? Diese Frage wird von amerikanischen Politikberatern naturgemäß anders beantwortet als von unabhängigen Politikwissenschaftlern. Huntington z. B. hält den globalen Unilateralismus auch im amerikanischen Eigeninteresse für kontraproduktiv, denn die USA laufen dabei Gefahr, zu einer „einsamen Großmacht" zu werden. Aber auch der ehemalige Außenminister (unter Clinton) Warren Christopher gibt zu bedenken: *„Jüngst wurde es Mode zu argumentieren, wir sollten es einfach allein machen. Diese Sicht ist naiv: Sie begrenzt unsere Flexiblität, schwächt unseren Einfluss und beschädigt unsere Interessen. [...] Viele unserer wichtigsten Ziele können nicht ohne Kooperation mit anderen erreicht werden. Wir gewannen den Kalten Krieg nicht allein. Wir werden den globalen Kampf gegen die Proliferation* [Weiterverbreitung von Massenvernichtungswaffen], *gegen Terrorismus und Verbrechen oder gegen Umweltrisiken nicht ohne Zusammenarbeit mit Freunden und Verbündeten gewinnen. In diesen Zeiten großer Chancen können wir nicht allein eine sicherere und wohlhabendere Welt bauen. Die Debatte zwischen Verfechtern des unilateralen und multilateralen Handelns geht von einer falschen Wahl aus."*

in: „Foreign Policy", Vol 98/1995, Seite 9.

Chancen des europäischen Integrationsprojekts

Der **europäische Einigungsprozess** ist seitdem weitergeschritten. Eine Reihe von Staaten des ehemaligen Ostblocks (die drei baltischen Staaten Estland, Lettland und Litauen sowie Polen, Tschechien, Slowakei, Ungarn, Bulgarien und Rumänien) haben sich der Europäischen Union angeschlossen, mittlerweile ist aber auch hier angesichts gegenwärtiger innereuropäischer Differenzen Ernüchterung eingekehrt. Die aktuelle Verschuldungsproblematik und die Eurokrise dürften die Integration zusätzlich belasten.

Von einer gemeinsamen europäischen Verteidigungs- und Außenpolitik ist die EU noch weit entfernt. Während Frankreich über seine traditionelle Unabhängigkeit gegenüber den USA wacht, betonen die Engländer ihre Solidarität mit den USA. Einige der EU-Staaten gehören nicht dem NATO-Bündnis an, und umgekehrt gehören Staaten der NATO an, die nicht EU-Mitglieder sind. Die „Fronten" sind also unübersichtlich. Der europäische Integrationsprozess ist auch mit spezifischen amerikanischen Erwartungen und ökonomischen Befürchtungen konfrontiert.

Bei wichtigen großen Konflikten, etwa dem Krieg gegen Libyen, konnte die EU keine gemeinsame Linie finden.

Das weltpolitische Gewicht der Europäischen Union wird wahrscheinlich größer werden:

- ⊛ Angesichts der zunehmenden Ökonomisierung der internationalen Beziehungen kommt dem ökonomischen Gewicht eine größere Bedeutung zu als gewaltigen Waffenarsenalen.
- ⊛ Die EU hat eine weltweite Vertrags- und Kooperationspolitik aufgebaut, die auch Stabilität in den GUS-Bereich hinein exportiert und ehemalige Republiken der Sowjetunion in ihre Sicherheitsstruktur einbindet.
- ⊛ Die EU kann angesichts ihrer zahlreichen Integrationsprojekte Vorbildfunktion einnehmen für andere Regionen in der Welt. Sie genießt bei Staaten der Dritten Welt ein höheres Ansehen als etwa die USA, die primär ihre eigenen machtpolitischen Ziele verfolgen.
- ⊛ Eine unilaterale Machtpolitik stößt immer häufiger auf Ablehnung, davon kann die EU profitieren.

Demokratisierung versus Verarmung in den ehemaligen Sowjetrepubliken

In vielen muslimischen Regionen artikulieren sich gegenwärtig unüberhörbar demokratische Bewegungen gegen autoritäre Regime. Der Ausgang dieses „Arabischen Frühlings" ist noch völlig ungewiss.

Der Demokratisierungsprozess in der ehemaligen Sowjetunion kam entgegen manch optimistischer Prognosen rasch ins Stocken. In den Nachfolgestaaten der UdSSR vollziehen sich teilweise sehr widersprüchliche Entwicklungen: Einige haben sich dem Westen angenähert, andere, und zumal autoritär geführte, sind zu bitterarmen Entwicklungsländern geworden, die sich eher loyal zur russischen Führung der GUS bekennen, die wiederum diese autoritären Regime stützt. Die neue Unübersichtlichkeit kann also auch an den Nachfolgestaaten der ehemaligen Sowjetunion beobachtet werden. Da einige dieser Staaten von muslimisch geprägten Regimen dominiert werden, verkompliziert sich die Situation zusätzlich.

Weitere Facetten der Neuen Unübersichtlichkeit

In der sogenannten Dritten Welt kommt es vielerorts nicht zu einer allmählichen Konsolidierung der politischen und ökonomischen Situation, ganz im Gegenteil. Vor allem in der Region Subsahara-Afrika brechen alte Konflikte immer wieder auf, einige afrikanische Staaten zerfallen. Der Friedensprozess im Nahen Osten kommt kaum voran, in Afghanistan oder Irak hat sich die Lage nach den Kriegen keineswegs stabilisiert; Grenzkonflikte z.B. zwischen Indien und Pakistan und andernorts werden bewaffnet ausgetragen usw. Hier haben die USA Bündnispartner, auf die sie sich langfristig kaum verlassen können.

Klare Akteurgruppen, die eine gemeinsame Politik (wie noch im Kalten Krieg) verfolgen, gibt es offenbar weniger, die politischen Frontlinien ändern sich sowohl innerhalb der Staatenbünde wie z. B. der EU oder bei Projekten der UNO (z. B. bei dem Versuch, eine gemeinsame Klimapolitik zu entwicklen). Vor ähnlichen Problemen stehen Versuche, eine gemeinsame neue Weltwirtschaftsordnung (etwa bei der Öffnung der westlichen Märkte für Produkte der Entwicklungsländer) zu entwickeln, hier gehen die Frontlinien zwischen verbündeten Ländern hindurch.

Weitere Merkmale der Neuen Unübersichtlichkeit sind der weltweite Terrorismus (11. September 2001; aber auch Terroranschläge in Spanien, England, in der Türkei oder Ägypten usw.). Opfer dieses nicht selten islamistisch motivierten Terrors sind offenkundig nicht nur westliche Staaten. Erschwerend bei der Bekämpfung dieser neuen Form von Gewalt ist, dass die Attentäter in der Regel keine Soldaten sind, sondern Zivilisten. In der Folge dieser Terrorakte wurden Kriege in Afghanistan (2001) und im Irak (2003) mit internationaler Beteiligung geführt. Sie haben jedoch deutlich werden lassen, dass allein militärische Macht nicht ausreicht, die Ursachen des Terrorismus zu beseitigen.

In Kriegen ist, wie Beispiele aus Bosnien, dem Kosovo, Tschetschenien, Afghanistan, Ruanda, Sierra Leone, Liberia, dem Kongo, dem Irak oder Somalia gezeigt haben, vor allem die Zivilbevölkerung Opfer der kriegerischen Konflikte. Ihr Anteil an den Kriegstoten und Verwundeten ist erschreckend hoch. Millionen Menschen sind Opfer von Flucht und Vertreibung. Diese Kriegshandlungen haben in der Regel Hungerkatastrophen zur Folge, wie in Somalia, Äthiopien/Eritrea, im Sudan oder in Ruanda und Burundi. Sie werfen die wirtschaftliche Entwicklung dieser Länder weit zurück. Das gilt selbst für ehemals ökonomisch erfolgreiche Staaten wie den Libanon, Uganda, den Irak oder Sri Lanka.

Politikwissenschaftler schlagen daher vor, eher benachbarte Staaten von Konfliktregionen zu stabilisieren, da diese eine attraktive Vorbildfunktion für Krisenregionen entwickeln könnten.

Auch in anderen Regionen traten an die Stelle zwischenstaatlicher Kriege global agierende „private" Gruppen, für die nicht einfach ein „Schurkenstaat" verantwortlich gemacht werden kann. Für den weltweiten Terrorismus lässt sich also kein eindeutiges religiöses Ursachenbündel identifizieren. Neben ökonomischen Faktoren traten in verschiedenen politischen Systemen ethnisch-kulturelle Konflikte in Erscheinung. Die internationale Staatenwelt steht angesichts dieser Neuen Unübersichtlichkeit vor neuen Herausforderungen, für die sich noch keine weithin akzeptierten Strategien abzeichnen.

6.2 Ende von zwischenstaatlichen Kriegen?

Zwischenstaatliche Konflikte wie im 19. und 20. Jahrhundert sind selten geworden, **innerstaatliche Gewaltanwendungen** haben dagegen drastisch zugenommen. Von den 33 Kriegen bzw. bewaffneten Konflikten des Jahres 2003 wurden lediglich zwei zwischen Staaten ausgetragen. An die Stelle von Staaten sind in den zerfallenden Staaten („failing states") regionale bzw. lokale Kriegsherren (Warlords), Rebellengruppen, Terroristen, Separatisten und organisierte Verbrecherbanden als Akteure von Kriegshandlungen getreten. Zahllose Kinder unter 18 Jahren (sogenannte Kindersoldaten) nehmen an den gewalttätigen Auseinandersetzungen teil.

Die skrupellose **Ausbeutung der Bodenschätze** dieser zerfallenden Staaten durch westeuropäische Staaten und vor allem auch China verschärft die innerethnischen Konflikte und beschleunigt Staatszerfall zumal in Afrika. Die Piraterie am Horn von Afrika hat ihre Ursachen teils in nachkolonialen Ausbeutungspraktiken der westeuropäischen Staaten, die manchen afrikanischen Fischern die Lebensgrundlage entzog – so sehen das zumindest somalische Fischer, die auf Fischtrawler aus Asien und Europa am Horn von Afrika verweisen können. Allerdings werden diese somalischen Piraten auch von örtlichen Warlords unterstützt.

Überblick

Seit dem Ende des Kalten Krieges ist die Welt also keineswegs friedlicher geworden, vielmehr wurde die internationale Situation komplizierter. Selbst miltärisch, ökonomisch und politisch starke Staaten erweisen sich in diesen Konflikten als hilflos. Den eingangs zitierten Thesen von Francis Fukuyama können Tendenzen entgegengehalten werden, die wenig optimistisch stimmen. Die Nationalstaaten des 19. und 20. Jahrhunderts, von denen hier viel die Rede war, sind mit den gegenwärtigen und künftigen globalen ökologischen wie politischen Herausforderungen überfordert. Historiker, die sich später mit den internationalen Prozessen im frühen 21. Jahrhundert auseinandersetzen müssen, werden eine komplizierte Gemengelage vorfinden, die die verbreitete Rede von einer von den USA dominierten unipolaren Weltordnung wohl kaum bestätigen wird.

Glossar

Absolutismus
In dieser Staatsform herrscht der Fürst oder der Monarch unabhängig, losgelöst von Gesetzen oder uneingeschränkt. Es gibt keine ständische Mitbestimmung mehr. Der absolute Herrscher ist nur Gott gegenüber **verantwortlich**, handelt aber nicht wie in einer konstitutionellen Monarchie im Rahmen einer Verfassung und ist nicht, wie bei einer parlamentarischen Monarchie, einem Parlament verantwortlich.

Alldeutscher Verband
Einflussreiche nationalistische Vereinigung, die seit 1891 eine imperialistische Kolonial- und Flottenpolitik forderte.

Alleinvertretungsanspruch
Die Bundesrepublik vertrat seit 1955 den Anspruch, nur sie sei legitimiert, Deutschland völkerrechtlich zu vertreten („Hallstein-Doktrin").

Alliierte (Verbündete)
Bezeichnung der militärischen Gegner der Mittelmächte im Ersten Weltkrieg; also Frankreich, England, Russland, später auch die USA. Im Zweiten Weltkrieg gehörten diese Staaten ebenfalls zu den alliierten Gegnern Deutschlands.

Alliierter Kontrollrat
Oberstes Entscheidungs- und Kontrollorgan der vier Besatzungsmächte seit Juni 1945. Durch die Spannungen im Kalten Krieg wurde der Alliierte Kontrollrat allerdings handlungsunfähig.

Ancien Régime („alte Herrschaftsform")
„Alte Ordnung"; Bezeichnung für die vorrevolutionäre Feudalgesellschaft in Frankreich.

Angestellte
Als Angestellte werden seit der Industrialisierung abhängig Beschäftigte bezeichnet, die eine Zwischenstellung zwischen Unternehmern und Arbeitern bilden. Sie sind im administrativen (verwaltenden oder kaufmännischen) Bereich tätig, also mit der Planung und Verwaltung beschäftigt. Angestellte grenzen sich selbst scharf politisch und sozial von den Arbeitern ab, zumal sie ihre Arbeit als „höherwertig" definieren, keinen Arbeitskittel tragen, aber oft kaum besser als Facharbeiter honoriert werden. Sie rechnen sich aber selbst nicht der Arbeiterklasse zu und verstehen sich als besonderer Teil der Unternehmen bzw. des Staates und verhalten sich in der Regel loyal zu ihrem Arbeitgeber.

Anti-Hitler-Koalition
Zweckbündnis von England, Russland und den USA, um das nationalsozialistische Deutschland zu bekämpfen. Seit 1941 vereinbarten die Regierungschefs bzw. deren Vertreter auf Konferenzen unter anderem in Jalta, Teheran und Potsdam gemeinsame Ziele gegen das nationalsozialistische Deutschland.

Antisemitismus
Vor allem seit dem Antisemitismusstreit um 1880 gebräuchliche Bezeichnung für die ideologisch motivierte und nun auch rassisch begründete Bekämpfung des Judentums. Da zu den Semiten auch die Araber gehören, ist der Begriff problematisch. Der Antisemitismus wurde seit 1933 zur Staatsdoktrin des „Dritten Reichs", er fand seinen Höhepunkt in dem nationalsozialistischen Bestreben, das „internationale Judentum" systematisch zu vernichten.

APO
Als „außerparlamentarische Opposition" wird die Studentenbewegung seit etwa 1966 bezeichnet, die gegen die Politik der Großen Koalition aus SPD und CDU opponierte. Die APO forderte eine fundamentale Reformpolitik, kritisierte die „imperialistische" Politik der kapitalistischen Mächte (insbesondere der USA in Vietnam, Mittelamerika und weltweit), prangerte „autoritäre Strukturen" in Staat (Notstandsgesetzgebung), Gesellschaft, Familie, Schule und Universitäten an und formulierte marxistisches Gedankengut neu.

Appeasement (Beschwichtigungspolitik)

Bezeichnung vor allem für die englische Außenpolitik, die dem aggressiven national-sozialistischen Drängen nachgab und in dem → Münchener Abkommen von 1938 gipfelte. Als das Deutsche Reich im Frühjahr 1939 die „Rest-Tschechei" annektierte, scheiterte die Appeasementpolitik.

Arbeiterbewegung

Gesamtheit der Arbeiterparteien, Gewerkschaften, Arbeitervereine und sonstigen Bestrebungen des Proletariats, die seit etwa 1860 die soziale und politische Lage der Arbeiterschaft zu verbessern sucht.

Arbeiter- und Soldatenräte

Als in den letzten Kriegstagen des Ersten Weltkriegs Marinesoldaten meuterten, bildeten sie nach sowjetischem Vorbild einen Arbeiter- und Soldatenrat. Ähnliches vollzog sich in den Folgetagen in zahlreichen Städten des Deutschen Reichs, diese Räte übernahmen dann die politische Macht und bemühten sich etwa um die Lebensmittelversorgung. Die Räte gehörten häufig der SPD oder der USPD an. Eine Minderheit der Räte plädierte generell für ein Rätesystem, die Mehrheit votierte hingegen für die Wahl einer Nationalversammlung, die auch eine neue Verfassung ausarbeiten sollte. Daher lösten sich die Arbeiter- und Soldatenräte 1919 wieder auf.

Arier

Ursprünglich die Selbstbezeichnung der „Reinen" in Indien. In der Rassenideologie des ausgehenden 19. Jahrhunderts und vor allem des Nationalsozialismus Bezeichnung für die vermeintlich höherwertige „nordische" Rasse, die das Recht besitze, die „minderwertigen" Rassen (Juden, Sinti, Roma und andere) zu verdrängen oder zu bekämpfen.

Aufklärung

Philosophische Bewegung des 17. und 18. Jahrhunderts, die vor allem eine Geisteshaltung anstrebt, die auf Verstand, Vernunft und Toleranz basiert und abzielt sowie Traditionen und traditionelle Herrschaftsansprüche (auch der Religion und Kirche) kritisch hinterfragt.

Autarkie

Selbstversorgung eines Staates mit Lebensmitteln und Rohstoffen für die eigene Wirtschaft und Industrie, um damit unabhängig von Importen zu werden. Vor allem das „Dritte Reich" betrieb eine kostspielige Autarkiepolitik, um im Krieg über alle wichtigen Ressourcen verfügen zu können.

Autokratie

In einem autokratischen Regime ist alle Gewalt in einer Person oder Partei vereint, etwa bei einer Diktatur oder in der absolutistischen Monarchie. Als Musterbeispiel gilt die Herrschaft des russischen Zaren. Er legitimiert seine Herrschaft aus göttlichem Recht und duldet keine Kritik an seiner Stellung. Ein Diktator hingegen beruft sich nicht auf religiöse Vorstellungen, sondern schafft selbst die Rechtsgrundlagen seiner Machtstellung.

Balance of Power (Gleichgewicht der Mächte)

Leitendes Prinzip der englischen Außenpolitik seit dem 17. Jahrhundert. Ziel war das Gleichgewicht der Mächte auf dem europäischen Kontinent.

Bauernbefreiung

Beseitigung der bäuerlichen Erbuntertänigkeitsverhältnisse im Zuge der Agrarreformen des 18. und 19. Jahrhunderts. Während reichere Bauern ihre ehemaligen Grundherrn entschädigen konnten, wurden andere zu Landarbeitern oder wanderten in die Städte.

Befreiungskriege

Kriege oder nationale Erhebungen in den von Napoleon besetzten europäischen Ländern.

Bekennende Kirche

Kirchliche Widerstands- oder Oppositionsgruppe gegen den Nationalsozialismus, die 1933/34 aus dem protestantischen „Pfarrernotbund" hervorging und sich gegen die nationalsozialistische Interpretation und Umdeutung des Christentums wandte sowie die Evangelische Kirche aus der engen Bindung mit dem Staat löste.

Berliner Blockade

Die Sowjetunion reagierte auf die Währungsreform (1948) in den drei Westzonen, die die deutsche Teilung vorantrieb, mit der Sperrung aller Zufahrtswege nach West-Berlin, das daher durch die Luft („Luftbrücke", „Rosinenbomber") versorgt wurde. Die UdSSR brach die Blockade am 12. Mai 1949 ab.

Berliner Kongress

1878 trafen sich führende europäische Staatsmänner in Berlin, um unter dem Vorsitz von Reichskanzler Bismarck („ehrlicher Makler") strittige Grenzfragen auf dem Balkan zu klären, nachdem das Osmanische Reich durch den russisch-türkischen Krieg seine letzten Besitzungen in Europa verloren hatte. Unter anderen wurden Rumänien, Serbien und Montenegro unabhängige Staaten, Österreich-Ungarn erhielt das Recht, Bosnien und die Herzegowina zu okkupieren, Großbritannien erhielt Zypern. Allerdings waren damit die nationalen Konflikte auf dem Balkan nicht beendet.

Berliner Mauer

Sperrgrenze, von der DDR-Regierung mit sowjetischer Rückendeckung am 13. August 1961 errichtet, um den Flüchtlingsstrom aus der DDR in die Bundesrepublik zu stoppen. Am 9. November 1989 wurde die Grenze wieder geöffnet und damit die Wiedervereinigung („Wende") eingeleitet.

Bipolarität

Zwei Hegemonialmächte stehen sich gegenüber, z. B. die UdSSR und die USA bis 1989 während des Ost-West-Konflikts bzw. im Kalten Krieg. Gegenbegriffe: Multipolarität oder Unipolarität bzw. multipolare oder unipolare Weltordnung.

Bismarcks Bündnissystem

Um Frankreich nach dem deutsch-französischen Krieg 1870/71 zu isolieren, errichtete Bismarck ein Bündnissystem, das ein friedliches Gleichgewicht der Mächte in Europa anstrebte und das Deutschland vor einem Zweifrontenkrieg schützen sollte. Nach Bismarcks Entlassung 1890 wurde diese Politik unter Kaiser Wilhelm II. nicht mehr fortgesetzt.

Bizone

Wirtschaftlicher Zusammenschluss der amerikanischen und britischen Besatzungszonen am 1.1.1947.

Blockfreie Staaten

Gruppe von Staaten, die in der Zeit der verhärteten Spannungen während des Kalten Krieges weder dem Ostblock noch der NATO angehören wollten (Jugoslawien, Indien, viele Staaten der „Dritten Welt"). Die Bewegung der Blockfreien Staaten traf sich 1955 in Bandung auf Java. Sie sprach sich vor allem gegen Kolonialismus und Rassendiskriminierung aus und forderte die Achtung der UNO-Charta. Die Blockfreien Staaten unterstützten weltweit Unabhängigkeitsbewegungen.

Blockpartei

Partei in sozialistischen Ostblockstaaten, die sich dem Führungsanspruch der sozialistischen Partei unterwarf (in der DDR z. B. die Ost-CDU oder die LDPD).

Bodenreform

Bezeichnung für die Veränderung der Rechtsverhältnisse an agrarisch genutztem Boden durch Überführung in Gemeineigentum oder Umverteilung (z. B. in der Oktoberrevolution oder in der SBZ/DDR nach 1945).

Bolschewiki (Mehrheitler)

Selbstbezeichnung der Anhängerschaft Lenins in der russischen Sozialdemokratischen Arbeiterpartei. Im Gegensatz zu den Menschewiki vertraten die Bolschewiki radikale Vorstellungen zur Erringung der politischen Macht, die sie dann auch 1917 in der russischen Revolution praktisch-politisch umsetzten.

Bolschewismus

Politische Lehre der Bolschewiki, eine Spielart des Marxismus-Leninismus, die die Einparteienherrschaft in sozialistischen Systemen legitimiert und die individuellen Freiheitsrechte beschränkt.

Bourgeoisie

Herrschende Gruppe der Besitzbürger, die in der Französischen Revolution die politische Macht erkämpfte. Später Begriff des Marxismus zur Bezeichnung der kapitalbesitzenden Klasse, die die Partizipationsansprüche der unteren sozialen Klassen (Proletariat) abwehrt.

Boxer-Aufstand

Chinesische Widerstandsbewegung gegen die chinesische Politik der Konzessionen an die europäischen Mächte. Die Ermordung des deutschen Gesandten Freiherr von Ketteler (1900) löste den Boxer-Aufstand aus, der durch eine internationale Intervention niedergeschlagen wurde.

Breschnew-Doktrin

Der Generalsekretär der KPdSU Breschnew formulierte 1968 den Anspruch, dass sich die UdSSR in die inneren Angelegenheiten ihrer Satellitenstaaten einmischen dürfe, wenn deren sozialistische Ordnung gefährdet sei. Diese Doktrin legitimierte die Niederschlagung des „Prager Frühlings" 1968.

Briand-Kellogg-Pakt

1928 schlossen 63 Staaten einen völkerrechtlichen Vertrag, der den Krieg als Mittel der Politik ächtete und für eine friedliche Beilegung internationaler Konflikte eintrat. Ähnliche Prinzipien übernahm später die UNO.

Bundesstaat

Beim Bundesstaat treffen dessen Einzelstaaten in bestimmten Politikbereichen (z. B. Bildungs- oder Kulturpolitik) eigene Entscheidungen, aber delegieren andere Bereiche wie Währungs-, Außen- oder Verteidigungspolitik an den Bund bzw. eine Bundesregierung, wie beispielsweise USA, Bundesrepublik Deutschland, Schweiz.

Bürger

Ein Stadtbürger (nur eine kleine privilegierte Gruppe innerhalb der Stadt) besaß im Mittelalter das Bürgerrecht, das zumeist an Besitz und Qualifikation gebunden war. Der Staatsbürger kämpft seit dem 18. Jahrhundert für politische Gleichberechtigung und für eine Teilhabe an der politischen Macht in den entstehenden Nationalstaaten.

Bürgerliche Gesellschaft

Gesellschaft, in der das Besitz- und Großbürgertum zur führenden wirtschaftlichen und später auch politischen Schicht geworden ist. Die bürgerliche Gesellschaft löste im ausgehenden 18. und frühen 19. Jahrhundert während der und durch die Industrielle Revolution die Stände- und Feudalgesellschaft ab. Sie kämpfte für demokratische Teilhabe, für Bürger- und Menschenrechte und für eine freie liberale Marktwirtschaft.

Burschenschaften

Deutsche Studentenverbindungen, die zunächst gegen die napoleonische Fremdherrschaft und dann gegen das restaurative Metternich'sche System kämpften sowie für einen deutschen Nationalstaat eintraten. Viele Burschenschaften wurden nach der Märzrevolution 1848/49 konservativ oder gar reaktionär; seit 1918 bekämpften viele die neue demokratische Ordnung.

Charismatische Herrschaft

Der Sozialwissenschaftler Max Weber unterschied zwischen traditionaler, rationaler und charismatischer Herrschaft. Charisma meint eine außergewöhnliche Ausstrahlungskraft eines Menschen oder eines Herrschers, etwa von Caesar, Napoleon, Hitler, Stalin, Mao Tsetung, Fidel Castro u. a.). Dessen Herrschaft wird von vielen Menschen akzeptiert, da er (scheinbar) außergewöhnliche Leistungen (politischer, militärischer oder ökonomischer Art) vollbracht hat und daher seine Autorität und moralische Haltung von vielen Menschen unbefragt hingenommen wird. Jede Form von charismatischer Herrschaft ist instabil, ein politischer Misserfolg kann die charismatische Herrschaft in Frage stellen.

Chauvinismus
Übersteigerter Nationalismus, der sich in der zweiten Hälfte des 19. Jahrhunderts und im 20. Jahrhundert in einigen europäischen Ländern durchsetzte.

Checks and Balances (Gewichte und Gegengewichte)
Prinzip vor allem der amerikanischen Verfassung, das eine strikte Trennung der drei Gewalten vorsieht.

Code Civil (auch Code Napoléon)
bürgerliches Recht, das 1804 durch Napoleon in Frankreich eingeführt wurde. Der Code Civil enthält wichtige Errungenschaften der Französischen Revolution. Auf ihm basieren zahlreiche andere europäische und auch deutsche Gesetzbücher.

Comecon („Council for Mutual Economic Assistance", Rat für gegenseitige Wirtschaftshilfe)
1949 gegründete Wirtschaftsgemeinschaft in den Ostblockstaaten, die die Wirtschaftspläne in den einzelnen Staaten koordinierte. Der Comecon wurde 1991 aufgelöst.

Commonwealth (Gemeinwohl)
Bündnis der ehemaligen britischen Kolonien.

Containment (Eindämmung)
Der amerikanische Präsident Truman entwickelte nach dem Zweiten Weltkrieg eine Politik, die eine weitere Ausbreitung des Einflusses der UdSSR eindämmen sollte. → Truman-Doktrin, Marshall-Plan

Dampfmaschine
Wesentliche Erfindung in der Industrialisierung, die u.a. die Textilproduktion, das Verkehrswesen (Eisenbahn und Dampfschiffe) und den Bergbau revolutionierte. Würde man in der Gegenwart eine vergleichbar auf die Wirtschafts- und Gesellschaftsentwicklung wirkstarke Erfindung suchen, dann käme am ehesten der Computer in Verbindung mit dem Internet infrage.

Deflation
Das Gegenteil einer inflationistischen Geldpolitik ist die Deflation. Das Preisniveau sinkt infolge einer Abnahme des Geldumlaufs. Die Ursache hierfür ist der Rückgang der Nachfrage nach dem verfügbaren Güterangebot. Reichskanzler Heinrich Brüning wollte in der Weltwirtschaftskrise seit 1929/30 um jeden Preis eine Inflation wie zwischen 1914 und 1923 verhindern, als der Staat die steigenden Rüstungsausgaben und die späteren Reparationslasten unter anderem durch das Drucken von Geld finanzierte und damit die Geldvermögen vernichtete. Er versuchte, einen ausgeglichenen Staatshaushalt durch die Erhöhung von Steuern erreichen. Damit hat seine Wirtschaftspolitik die Nachfrage nach Gütern erschwert und die Wirtschaftskrise verschärft.

Demokratischer Zentralismus
Organisationsprinzip kommunistischer Parteien, demzufolge die Beschlüsse einer höheren Ebene die niedrigeren Ebenen binden. Kandidaten und Delegierte können von unteren Ebenen nur dann gewählt werden, wenn sie zuvor von höheren zur Wahl aufgestellt wurden. Demokratischer Zentralismus macht daher innerparteiliche Demokratie unmöglich.

Demontage
Abbau von Fabrikanlagen und Maschinen, die in das Land des Siegers abtransportiert werden sollten und als Teil der Reparationen galten. Demontagen nutzen indes weniger dem Sieger, sie schaden vielmehr dem Kriegsverlierer. Solche Demontagen fanden nach dem Zweiten Weltkrieg kaum im Westen, dafür verstärkt in der Ostzone statt.

Dependenztheorie
Nach dieser Theorie ist die Unterentwicklung in den ehemaligen Kolonien eine Folge des Kolonialismus, da die Kolonien einseitig im Interesse der imperialistischen Staaten ausgebeutet wurden. Die Dependenztheorie erachtet den Einfluss endogener Faktoren auf die Unterentwicklung als gering.

Deutsche Arbeitsfront

Nach der Zerschlagung der Gewerkschaften 1933 wurden die Arbeitgeber- und Arbeitnehmerverbände in der Deutschen Arbeitsfront (DAF) zwangsvereinigt („Volksgemeinschaft"). Die Löhne und Arbeitsbedingungen wurden von „Treuhändern der Arbeit", also letztlich vom nationalsozialistischen Arbeitsministerium festgelegt.

Deutscher Bund

Dem 1815 auf dem Wiener Kongress geschaffenen Staatenbund gehörten 35 souveräne Fürsten und vier freie Städte an. Die Vertreter des Deutschen Bunds tagten unter österreichischem Vorsitz in Frankfurt. Durch den preußisch-österreichischen Dualismus wurde der Deutsche Bund 1866 aufgelöst.

Dolchstoßlegende

Dieser von nationalistischen Kreisen verbreiteten Vorstellung zufolge sei das deutsche Heer während des Ersten Weltkriegs „im Felde unbesiegt" geblieben. Die kämpfende Truppe habe nur deshalb verloren, weil ihr linke Gruppen – durch Streiks und Antikriegsagitation – hinterrücks den Dolch in den Rücken gestoßen hätten. Diese Kampfparole, vor allem gegen Sozialdemokraten und Kommunisten gerichtet, vergiftete von Anfang an das innenpolitische Klima der Weimarer Republik und entlastete die Oberste Heeresleitung von ihren Fehlern und von ihrer Verantwortlichkeit für die Kriegsniederlage.

Dominotheorie

Vorstellung aus der Zeit des Kalten Krieges, die besagt, dass wenn ein Land kommunistisch werde, die umliegenden Staaten ebenfalls kommunistisch werden könnten. Eine solche Ausweitung der russisch-kommunistischen Einfluss-Sphäre wollten die amerikanischen Präsidenten verhindern, deshalb intervenierten sie u. a. in Vietnam.

Doppelmonarchie

Die 1867–1918 verbundenen Monarchien Österreich und Ungarn, die dem österreichischen Kaiser unterstanden.

Dreibund

1882 schlossen das Deutsche Reich, Österreich-Ungarn und Italien ein geheimes Verteidigungsbündnis, das der Isolierung Frankreichs diente. 1914 trat Italien aus.

Dreiklassenwahlrecht

Dieses Wahlrecht galt in Preußen von 1849 bis 1918 bei den Wahlen zum preußischen Abgeordnetenhaus. Die männliche Bevölkerung wurde nach ihrem Steueraufkommen in drei Klassen eingeteilt, die jeweils ein Drittel der Abgeordneten wählten. Das diskriminierende Dreiklassenwahlrecht wurde insbesondere von der sozialistischen Arbeiterbewegung erbittert bekämpft.

Dritter Stand

Im → Ancien Régime musste allein der Dritte Stand, im Gegensatz zum Klerus und Adel, den ersten beiden Ständen, Steuern entrichten. Gegen diese und andere Privilegien kämpfte der Dritte Stand, dem nicht nur die Bürger, sondern auch Angehörige der Unterschichten zugerechnet wurden. Tonangebend im Dritten Stand war allerdings die Bourgeoisie.

Dritte Welt

Bezeichnung für die sogenannten Entwicklungsländer im Gegensatz zur Ersten Welt der kapitalistischen Staaten des Westens und der Zweiten Welt der sozialistischen Staaten des Ostblocks.

Duma (russ. Bezeichnung für Rat, Versammlung)

Volksvertretung, die nach der Revolution von 1905 geschaffen wurde – sie hatte allerdings nur sehr begrenzte Kompetenzen und wurde nach einem Zensuswahlrecht gewählt.

EGKS

Die 1951 gegründete Europäische Gemeinschaft für Kohle und Stahl (Montanunion) war ein Vorläufer der Europäischen Wirtschaftsgemeinschaft (EWG). Deutschland, Frankreich, Italien und die Beneluxländer einigten sich auf einen gemeinsamen Markt für Kohle und Stahl.

Einigungskriege

Gemeint sind die Kriege Deutschlands gegen Dänemark (1864), Österreich (1866) und Frankreich (1870/71), aus denen u. a. die Gründung des (kleindeutschen) Deutschen Reichs hervorging.

Einigungsvertrag

Am 31. August 1990 schlossen die Bundesrepublik Deutschland und die DDR einen Vertrag. Vereinbart wurde der Beitritt der DDR zur Bundesrepublik nach Art. 23 GG.

Eiserner Vorhang

Churchill prägte 1946 den Begriff. Die Sowjetunion und ihre Satellitenstaaten hätten sich demnach hinter einem undurchdringlichen Vorhang vom Westen abgeschottet.

Elitenkontinuität

Wenn Führungsgruppen eines untergangenen politischen Systems in der neuen Ordnung wieder eine führende Rolle spielen, spricht man von Elitenkontinuität. So waren führende Persönlichkeiten des Kaiserreichs etwa in den Bereichen Militär, Justiz, Verwaltung, Schule- und Hochschule auch in führenden Positionen der Weimarer Republik. Eine ähnliche Elitenkontinuität vollzog sich auch wieder nach 1945.

Emser Depesche

Reichskanzler Bismarck kürzte und verschärfte ein Telegramm über französische Forderungen an König Wilhelm I. Die Emser Depesche war ein auslösendes Element für den Deutsch-Französischen Krieg 1870/71.

Endlösung

Auf der Wannsee-Konferenz 1942 trafen sich hochrangige Vertreter der Reichsbehörden und Parteidienststellen und stimmten untereinander die sogenante „Endlösung der Judenfrage" – also den Holocaust an den Juden – ab. Vorsitz der Konferenz hatte SS-Obergruppenführer Reinhard Hendrich.

Entente Cordiale (herzliches Einvernehmen)

1904 verständigten sich England und Frankreich unerwartet über koloniale Interessengegensätze. Diese Annäherung bereitete ihr Bündnis gegen die Mittelmächte im Vorfeld des Ersten Weltkriegs vor („Ententemächte").

Entmilitarisierte Zone

Vertraglich bestimmte Verpflichtung, auf einem bestimmten Gebiet keine Militäranlagen zu unterhalten oder militärische Übungen durchzuführen. Der Versailler Vertrag sah entsprechend dem französischen Sicherheitsinteresse eine 50 Kilometer breite ent- oder demilitarisierte Zone östlich des Rheins vor.

Entnazifizierung

Maßnahmen der alliierten Siegermächte in Deutschland seit 1945 zur raschen Auflösung aller nationalsozialistischen Organisationen und zur Ausschließung von Nationalsozialisten aus wichtigen staatlichen, wirtschaftlichen und kulturellen Schlüsselstellungen. Bei den Entnazifizierungsverfahren wurden Beschuldigte in fünf Gruppen eingestuft: 1. Hauptschuldige, 2. Belastete, 3. Minderbelastete, 4. Mitläufer, 5. Entlastete. Die Entnazifizierungsverfahren sind häufig scharf kritisiert worden, da unter anderem wichtigere Beschuldigte ihre Verfahren so lange hinauszögerten, bis sie dann im Kalten Krieg eingestellt wurden.

Entspannungspolitik

Bemühungen der Großmächte seit der Kuba-Krise (1962), die militärischen und politischen Spannungen zwischen den Supermächten friedlich beizulegen.

Entstalinisierung

Drei Jahre nach Stalins Tod fand auf dem XX. Parteitag der KPdSU eine erste Auseinandersetzung mit dem stalinistischen Personenkult und mit der Terrorherrschaft statt.

Erfüllungspolitik

Meist denunziatorisch und diffamierend ge-
brauchter Begriff der rechtsradikalen und nationalistischen Gegner der Weimarer Republik
für eine Politik, die den Bestimmungen des
Versailler Vertrags (z. B. den Reparationsforderungen) entsprach. Der Begriff wurde auch
von der Reichsregierung im positiven Sinne
verwendet (als Weg zur Revision des Versailler
Vertrags).

Ermächtigungsgesetz

Am 23. März 1933 stimmte der Deutsche
Reichstag (gegen das Votum der SPD; die KPD
war bereits verboten) dem „Gesetz zur Behebung der Not von Volk und Reich" zu, das die
legislative Gewalt auf die Reichsregierung
übertrug. Damit war die Gewaltenteilung, ein
Grundprinzip der demokratisch-parlamenta-
rischen Ordnung, aufgehoben und die nationalsozialistische Diktatur eingeführt.

Euthanasie (griech. „schöner Tod")

euphemistische, also unangemessen beschö-
nigende (verschleiernde) Bezeichnung für die
Ermordung von behinderten Menschen oder
Geisteskranken („lebensunwertes Leben")
durch den NS-Staat.

Faschismus

Die 1919 von Benito Mussolini gegründete
nationalistische Bewegung errang 1922 nach
dem „Marsch auf Rom" die politische Macht
und errichtete ein autoritäres System. Diese
faschistische Bewegung war gegen das liberale parlamentarische System gerichtet und
gegen den antikapitalistischen Marxismus.
Sie errichtete eine Führerdiktatur ohne Gewaltenteilung. Faschistische Bewegungen
gab es in der Zeit zwischen den beiden Welt-
kriegen in vielen europäischen Ländern. Der
Nationalsozialismus unterscheidet sich vom
Faschismus u. a. durch seine radikale Rassen-
ideologie.

Februarrevolution

a) So wird die im Februar 1848 in Paris ausge-
brochene Revolution bezeichnet. Die Februarrevolution wirkte wie eine Initialzündung auf
die revolutionären Erhebungen in vielen europäischen Ländern.

b) Die Februarrevolution 1917 in Russland
führte zum Sturz des Zaren und zur Etablierung einer Regierung von Sozialrevolutionären, die den Weltkrieg fortführten.

Feudalismus

Bezeichnung sowohl für das mittelalterliche Lehnswesen als auch für das System der
Grundherrschaft. Der Grundherr ist zugleich
Leibherr, Kirchenherr und Gerichtsherr in einer
Person, ihm gehört das Land. Die Leibeigenen
sind zu Abgaben und Diensten verpflichtet.
Die feudale Ordnung wird im 18. und 19. Jahrhundert durch die bürgerliche Gesellschaft
(unter anderem durch die Englische und Französische Revolution) abgelöst.

Flottenverein

Dieser während der Hochindustrialisierung
1898 gegründete Verein mit über einer Million
Mitgliedern verfolgte das Ziel, den Seemacht-
gedanken zu verbreiten.

Föderalismus

Schließen sich mehrere Länder unter einer
gemeinsamen Regierung zusammen (wie
z. B. beim Norddeutschen Bund oder 1871 zum
Deutschen Kaiserreich), so verbleiben den
einzelnen Ländern besondere Rechte und Aufgaben, die sie in eigener Verantwortung aus-
führen. Eine föderale Ordnung kann ein Bundesstaat oder ein Staatenbund sein.

Fordismus

Henry Ford realisierte in seinen Automobil-
fabriken die Idee, durch rationalisierte Massenfertigung (Arbeitsteilung, Fließbandar-
beit) die Industrieproduktion zu verbilligen
und den Absatz zu steigern.

Frankfurter Nationalversammlung

Erstes frei gewähltes deutsches Parlament, das in der Frankfurter Paulskirche 1848/49 über eine Reichsverfassung beriet.

Freikorps

Paramilitärische Freiwilligenverbände, die sich vor allem nach einem Krieg bilden und neben der regulären Armee selbstständig handeln. Solche republikfeindlichen Freikorps schlugen in Deutschland nach 1918 unter anderem eine Reihe von Arbeiteraufständen blutig nieder.

Friede von Brest-Litowsk

Nach der Oktoberrevolution drängte die neue bolschewistische Regierung auf einen raschen Frieden mit dem Deutschen Reich. Sie nahmen in Verhandlungen in Brest-Litowsk harte deutsche Friedensbedingungen hin, die mit großen Gebietsverlusten und Reparationszahlungen verbunden waren. – Durch den Versailler Vertrag wurde der Friede von Brest-Litowsk annulliert.

Führerprinzip

Der Führer beansprucht für sich diktatorische Vollmachten. Dem Führerprinzip entspricht eine hierarchische Befehlsstruktur von oben nach unten, es gibt also „Führer" auf allen gesellschaftlichen Ebenen. Kennzeichnend für das Führerprinzip ist der Personenkult, der den charismatischen „Führer" aus der breiten Masse heraushebt.

Fundamentalismus

Bezeichnung für eine sich im ausgehenden 19. Jahrhundert herausbildende Strömung im amerikanischen Protestantismus, die nur eine wortwörtliche Interpretation der Bibel zulässt (z. B. Schöpfungsgeschichte). Fundamentalistische Bestrebungen lassen nur die eigene Deutung zu und verhalten sich intolerant gegenüber anderen Deutungen der Welt. Kennzeichnend für fundamentalistische Strömungen ist ferner eine Heilsgewissheit, eine strenge Orientierung an starren Regeln sowie die Ablehnung von Aufklärung und Liberalismus. Neben dem christlichen gibt es auch einen jüdischen und islamischen Fundamentalismus.

Generalstände

Gewählte Repräsentanten der drei Stände Klerus, Adel und Bürgertum. Die Generalstände, die während der Zeit des französischen Absolutismus nicht mehr zusammengetreten waren, wurden 1789 zur Lösung der Finanz- und Staatskrise einberufen.

Genfer Konventionen

Völkerrechtliche Vereinbarungen zum Schutz von Kriegsopfern und zur Versorgung von verwundeten oder gefangenen Soldaten seit 1949.

Genozid

Der national oder rassistisch motivierte Völkermord an nationalen oder religiösen Minderheiten (z. B. der Armenier in der Türkei oder der Sinti und Roma und der Juden in der NS-Zeit).

Gesellschaftsvertrag

Staatsphilosophische Überlegungen über ein Gemeinwesen, das die Rechte des einzelnen Individuums regelt. Dabei wurde die Fiktion entwickelt, dass gleiche und freie Menschen im ungebundenen Naturzustand ihre Rechte einer überpersönlichen Einrichtung, einem Souverän, übertragen haben, der dann die Einzelwillen vertritt. Solche Modelle entwickelten Thomas Hobbes, John Locke und Jean-Jacques Rousseau.

Gewaltenteilung

Gegen die Willkürherrschaft des absolutistischen Monarchen wurde die Lehre der Gewaltenteilung entwickelt. Die Teilfunktionen Legislative, Exekutive und Judikative sollten an getrennte Institutionen übertragen werden, die sich gegenseitig kontrollieren und in ihrer Macht einschränken, um damit die Freiheit und die Rechte des Einzelnen zu gewährleisten. Zunächst hat John Locke (1632–1704) die Gewaltenteilung entwickelt. Sie wurde von Charles de Montesquieu (1689–1755) weiter entfaltet und ist Grundlage aller liberaldemokratischen Verfassungen und Staaten.

Glasnost (Offenheit, Transparenz, freie Diskussionskultur)

Eine der Leitideen von Michail Gorbatschow im Rahmen seiner Politik der demokratischen Öffnung und Umgestaltung (→ Perestroika) der Sowjetunion (1985).

Gleichschaltung

1933 wurden durch eine Reihe von Gesetzen (Ermächtigungsgesetz, Gleichschaltungsgesetze) die vertikale und die horizontale Gewaltenteilung aufgehoben, also das Parlament auf Reichsebene ausgeschaltet und die Reichsländer in ihren Einwirkungsmöglichkeiten auf die Reichspolitik beschnitten. Die Gleichschaltungspolitik ermöglichte die uneingeschränkte Diktatur des Nationalsozialismus.

Globalisierung

Bezeichnung für den Prozess der internationalen Verflechtung der Volkswirtschaften und Kapitalmächte sowie der Entstehung weltweiter Märkte für Waren, Ressourcen und Dienstleistungen. Insbesondere die neuen Kommunikationstechnologien begünstigen den Prozess der Globalisierung.

Großdeutsch

Die Frankfurter Nationalversammlung diskutierte zwei Varianten der deutschen Einigung – die großdeutsche zielte auf den Einschluss von und die Führung durch Österreich, die kleindeutsche Lösung (für die sich die Paulskirche entschied) bedeutete die Einigung Deutschlands unter preußischer Führung und den Ausschluss Österreichs mit seinen zahlreichen Nationalitäten. Nachdem Hitler den „Anschluss" Österreichs vollzogen hatte, wurde das Deutsche Reich zum „Großdeutschen Reich" erklärt.

Gründerjahre

Zeitraum von 1871 bis 1873, in dem nach dem Sieg über Frankreich und der Gründung des Deutschen Reichs zahlreiche Unternehmen und Aktiengesellschaften gegründet wurden. Die Gründerjahre waren von einer optimistischen wirtschaftlichen Grundstimmung geprägt.

Grundvertrag (auch Grundlagenvertrag)

Der „Vertrag über die Grundlagen der Beziehungen" (1973), vereinbart im Rahmen der neuen Ostpolitik unter Willy Brandt, sollte die angespannten Beziehungen zwischen der Bundesrepublik und der DDR normalisieren.

Gulag (russ. Abkürzung für „Hauptverwaltung")

In Anlehnung an Alexander Solschenizyns Werk „Archipel Gulag" (ab 1973) verbreitete Bezeichnung für die Straf- und Arbeitslager Sibiriens in der Stalinzeit.

Hambacher Fest

Massendemonstration von 20 000 bis 30 000 Liberalen auf dem Hambacher Schloss im Jahr 1832, die revolutionäre nationale und liberale Forderungen entwickelten.

Harzburger Front

Im Oktober 1931 schlossen die DNVP, NSDAP, der Stahlhelm und andere rechtsgerichtete Organisationen ein Bündnis gegen die Regierung Brüning, das allerdings rasch wieder zerbrach.

Hegemonie

Vormachtstellung eines Staates gegenüber anderen Staaten.

Heilige Allianz

Auf dem Wiener Kongress schlossen sich die Großmächte Russland, Österreich und Preußen zu einer Allianz zusammen, die eine von christlichen Leitideen geprägte Innen- und Außenpolitik betreiben wollte. Tatsächlich ging es eher um die Unterdrückung liberaler und nationaler Bewegungen.

Hitler-Stalin-Pakt

Dieser Nichtangriffspakt vom 23. August 1939 zwischen Deutschland und der UdSSR ermöglichte Deutschland den Angriff auf Polen, da Stalin die sowjetische Neutralität zusicherte. Ein geheimes Zusatzabkommen regelte die Aufteilung Polens zwischen Deutschland und der UdSSR.

Holocaust

Diese Bezeichnung für den Völkermord (Genozid) an den Juden hat sich seit den 1970er-Jahren durchgesetzt.

Imperialismus

Der Begriff bezeichnet allgemein das Streben eines Staates nach politischer Vorherrschaft über andere, zugleich meint er auch die Epoche zwischen 1880 und 1914, in der mehrere europäische Staaten, die USA, Russland und Japan eine expansionistische Politik betrieben. In dieser Epoche setzte ein Wettlauf um die letzten „weißen" Flächen in der Welt ein. Europäische Kolonialmächte brachten afrikanische Staaten unter ihre Kontrolle, Japan eroberte Teile Südostasiens, Russland dehnte sich an seiner Südflanke aus und die USA brachten Staaten Mittelamerikas in ihre Abhängigkeit. Damit waren zahlreiche internationale Konflikte und Interessenskollisionen zwischen den Kolonialmächten verbunden.

Industrielle Revolution

Die Bezeichnung gilt dem beschleunigten Wandel von der Agrar- zur Industriegesellschaft, der vor allem durch rasante technologische Entwicklungen vorangetrieben wurde.

Internationale

Die sozialistischen und kommunistischen Parteien verschiedener europäischer Länder bildeten im 19. und 20. Jahrhunderts internationale Zusammenschlüsse, so z. B. die kommunistischen Parteien in der Kommunistischen oder Dritten Internationale, die 1919 in Russland geschaffen wurde. Ihr Ziel war die Weltrevolution.

Isolationismus

Tendenz vor allem innerhalb der amerikanischen Außenpolitik, sich von internationalen Konflikten fernzuhalten (Monroe-Doktrin, 1823). 1917 unterbrachen die USA diese Politik mit ihrem Kriegseintritt in den Ersten Weltkrieg. In den 1920er-Jahren kehrten die USA wieder zu ihrer früheren Haltung zurück.

Jakobiner

Der politische Club der französischen Revolution, der sich zunächst im Pariser Kloster St. Jakob traf, nannte sich nach diesem Treffpunkt „Jakobiner". Von ihnen spalteten sich im Verlauf der Revolution die gemäßigteren Girondisten ab, während sich die Jakobiner 1792/93 radikalisierten. Unter Robespierre errichteten die Jakobiner die Diktatur des Wohlfahrtsausschusses, der für die Terrorherrschaft verantwortlich war.

Judenemanzipation

Seit der Französischen Revolution gab es Initiativen, die rechtliche und soziale Benachteiligung und Diskriminierung der Juden zu beenden. 1812 wurde im Rahmen der Stein-Hardenberg'schen Reformen auch ein Edikt zur Gleichstellung der Juden erlassen, gleichwohl blieben viele Diskriminierungen noch im 19. Jahrhundert wirksam.

Kalter Krieg

Nach 1945 (nach dem Sieg über den Nationalsozialismus) traten die ideologischen und politischen Differenzen zwischen den westlichen demokratischen Staaten und der Sowjetunion erneut hervor, sie eskalierten wiederholt in den nächsten Jahrzehnten. Mit dem Zusammenbruch der Sowjetunion 1990 kam der Kalte Krieg zu seinem Ende.

Kapitalismus

Wirtschaftsform, die durch das Privateigentum an Produktionsmitteln (Fabriken, Maschinen etc.) gekennzeichnet ist. Die ökonomischen Akteure konkurrieren mit ihren Waren und ihrer Arbeitskraft auf dem Markt, auf dem Angebot und Nachfrage die Preise und Löhne bestimmen. Der Kapitalismus tendiert zu einer Akkumulation (Anhäufung) von Kapital in den Händen weniger Kapitalisten. Der Kapitalismus löste als Gesellschaftsordnung die feudale Ständeordnung im 18. und 19. Jahrhundert ab und erlebte mit der Industrialisierung weltweit seinen Siegeszug. Nach marxistischer Vorstellung schuf sich der Kapitalismus mit der sozialistischen Arbeiterbewegung selbst seinen Gegner.

Kapp-Lüttwitz-Putsch

Vom 13. bis zum 17. März 1920 putschten Freikorps unter der Führung von Kapp und Lüttwitz; ausgelöst wurde dieser Putsch durch die Auflösungsorder für eine Marinebrigade. Die Reichsregierung floh über Dresden nach Stuttgart. Der Putsch scheiterte am Widerstand der Beamten sowie am Generalstreik der Arbeiterbewegung.

Karlsbader Beschlüsse

Nach dem Attentat eines Burschenschaftlers auf den Schriftsteller Kotzebue veranlasste Metternich die Karlsbader Beschlüsse (1819), die eine Pressezensur, ein scharfes Vorgehen gegen die studentischen Burschenschaften sowie eine polizeiliche Überwachung aller demokratischen, also oppositionellen Bestrebungen beinhalteten.

Kirchenkampf

Teile der evangelischen Kirche leisteten Widerstand gegen die nationalsozialistischen deutschen Christen und die Etablierung eines evangelischen „Reichsbischofs". Der Begriff Kirchenkampf meint umfassender die Verfolgung von katholischen und evangelischen Kreisen, die sich nicht den Ansprüchen des Nationalsozialismus unterwarfen. Katholische Geistliche wurden unter anderem mit dem Vorwurf konfrontiert, pädophile Kontakte zu Mitgliedern von Jugendgruppen zu unterhalten. Der Kirchenkampf des Nationalsozialismus untergrub eher die Autorität des Regimes.

Kolonialismus

Der Erwerb und die Ausbeutung von in der Regel überseeischen Kolonien (durch europäische Staaten, die USA und Japan) erreichten seit 1880 einen neuen Höhepunkt. Die kolonialistische Politik war Teil einer neuen Phase des Imperialismus. Die Spannungen zwischen den Kolonialmächten leisteten einen Beitrag zum Ausbruch des Ersten Weltkriegs.

Konkordat

Vertrag zwischen der römisch-katholischen Kirche und einem Staat. Das überraschend schnell abgeschlossene Reichskonkordat zwischen dem Vatikan und dem NS-Staat von 1933 verhalf dem Hitler-Regime zu einer inneren und äußeren Aufwertung.

Konservativismus

Politische Haltung, die das Bestehende als das Wertvolle erachtet und zu bewahren sucht. Der Konservativismus steht dem sozialen Wandel skeptisch oder kritisch gegenüber, er betont vielmehr das geschichtlich Gewordene. Traditionelle Institutionen wie Ehe und Familie, Kirche, Autorität und Staat usw. genießen aus konservativer Perspektive eine besondere Hochschätzung.

Konstitutionelle Monarchie

In einer konstitutionellen Monarchie wird (im Gegensatz zum Absolutismus) die Macht des Monarchen durch eine Verfassung beschränkt, die z.B. ein Parlament mit gewissen Vollmachten vorsieht. Häufig wird dem Monarchen in einer konstitutionellen Monarchie ein (suspensives – aufschiebendes) Veto zugestanden. Beispiele: Frankreich 1791, Deutsches Kaiserreich, englische Monarchie.

Kontinentalsperre

Vergeblicher Versuch Napoleons, England 1806 durch eine auf dem Kontinent errichtete Handelssperre an den Verhandlungstisch oder in die Knie zu zwingen.

Konzentrationslager (KZ)

Diese Internierungslager wurden ohne eine rechtliche Grundlage errichtet. In ihnen wurden Gruppen, die dem nationalsozialistischen Regime aus unterschiedlichsten Gründen „lebensunwert" erschienen oder die das Regime bekämpften, inhaftiert bzw. systematisch ermordet. Teilweise mussten die Gefangenen Sklavenarbeit (unter anderem für die Industrie- oder Kriegsproduktion) leisten. Die SS und manche deutschen Konzerne erzielten aus dieser Arbeit erhebliche Gewinne.

Kraft durch Freude (KdF)
Nationalsozialistische Organisation, die manchen „Volksgenossen" ein Freizeit- und Urlaubsangebot machte.

Kreisauer Kreis
Auf dem niederschlesischen Gut Kreisau von Helmuth James Graf von Moltke trafen sich ab 1940 Widerstandskämpfer aus dem bürgerlich-zivilen Milieu. Sie diskutierten Konzepte für eine grundlegende staatliche, wirtschaftliche und soziale Neugestaltung Deutschlands nach dem Sturz der NS-Diktatur.

Kriegskommunismus
Wirtschaftspolitik Lenins in der Zeit des russischen Bürgerkriegs 1918 bis 1921. Die Zentralisierung und Verstaatlichung der Produktion, das Verbot des Privathandels sowie des Abgabezwangs von Nahrungsmitteln verschlimmerten die soziale Lage in Russland. Diese Zwangsmaßnahmen wurden 1921 teilweise durch die „Neue Ökonomische Politik" rückgängig gemacht.

Kriegsschuldfrage (Erster Weltkrieg)
Frage, wer für den Ausbruch eines Krieges die Verantwortung trägt. Die Diskussion der Frage, wer „schuld" am Ausbruch des Ersten Weltkriegs ist, füllt Bibliotheken. Der Versailler Vertrag schrieb in Art. 231 Deutschland die alleinige Kriegsschuld zu, um die übrigen alliierten Forderungen und vor allem die Reparationszahlungen zu begründen. Die Kriegsschuldfrage bestimmte seit 1918/19 intensiv die öffentlich-politische und wissenschaftliche Diskussion, sie provozierte eine aggressive wie nationalistische Revisionspolitik, vergiftete die Nachkriegsordnung und trug maßgeblich zur Labilität und Schwäche der Weimarer Demokratie bei. Heute wird in der wissenschaftlichen historischen Forschung in der Großmachtpolitik Deutschlands vor 1914 ein wichtiges konfliktverschärfendes Element gesehen, das wesentlich zum Ausbruch des Ersten Weltkriegs beitrug.

KSZE (Konferenz für Sicherheit und Zusammenarbeit in Europa)
Seit 1973 wurden auf mehreren Konferenzen Prinzipien erörtert und beschlossen, die zu einer friedlichen Annäherung der Blöcke beitragen könnten. Beteiligt waren neben fast allen europäischen (also auch osteuropäischen) Staaten auch die USA und Kanada. Die KSZE-Schlussakte von Helsinki (1975) machte für alle Teilnehmerstaaten die Einhaltung der Menschenrechte verbindlich. Bürgerrechtsbewegungen im Ostblock konnten sich auf diese Schlussakte beziehen. → OSZE

Kuba-Krise
Höhepunkt des Kalten Krieges, als der Versuch der UdSSR scheiterte, im Jahr 1962 auf Kuba dauerhaft Mittelstreckenraketen zu stationieren. Die unmittelbare Gefahr eines Atomkriegs brachte die beiden Konfliktparteien an den Verhandlungstisch. In der Folgezeit wurde ein „heißer Draht" zwischen Washington und Moskau eingerichtet.

Kulturkampf
Bezeichnung für die Konflikte des Deutschen Reichs zur Zeit der Kanzlerschaft Bismarcks (um 1870) mit der katholischen Kirche. Der Kulturkampf führte zur Entstehung eines abgeschlossenen katholischen Lagers innerhalb des überwiegend protestantischen Preußens. Bismarck verfehlte aber sein Ziel, die katholische Zentrumspartei zu schwächen.

Lebensraum
Von 1870 bis 1945 wurde in Deutschland die Vorstellung gehegt und auch praktisch-politisch umgesetzt, dass ein wachsendes Volk „Raum" benötige, um sich ernähren und kulturell entfalten zu können. Die expansionistische Politik des Kaiserreichs und vor allem die des Nationalsozialismus griff auf dieses Konzept zurück, um sich einen „Lebensraum" im Osten zu schaffen, die dort lebenden Menschen zu deportieren oder gar zu töten.

Liberalismus

Bezeichnung für eine politische Weltanschauung, bei der die Gewährleistung der individuellen Freiheit und die uneingeschränkte ökonomische Entfaltung im Mittelpunkt stehen. Die Liberalen forderten ferner die Abschaffung der Ständegesellschaft und eine rechtsstaatliche Ordnung mit Gewaltenteilung. Sie traten für die Marktwirtschaft und für den Freihandel ein.

Locarno-Vertrag

Der 1925 zwischen dem Deutschen Reich, Frankreich und Belgien unter maßgeblicher Beteiligung von Gustav Stresemann abgeschlossene Vertrag garantierte die Unverletzlichkeit der Westgrenze des Deutschen Reichs bzw. die Ostgrenze Belgiens und Frankreichs. Damit wurde eine Entspannungspolitik nach Westen (aber nicht nach Osten) eröffnet.

Maastricht, Vertrag von

Mit dem am 1. November 1993 in Kraft getretenen Vertrag wurde die Europäische Gemeinschaft zur Europäischen Union (EU). Es wurde unter anderem die Einführung einer gemeinsamen Währung (Euro) beschlossen. Der Beitritt zur Währungsunion hatte die Einhaltung bestimmter Kriterien zur Voraussetzung.

Machtergreifung

Nationalsozialistischer Begriff, der die Ernennung von Adolf Hitler am 30. Januar 1933 zum Reichskanzler durch den Reichspräsidenten Hindenburg als eine besondere Leistung der nationalsozialistischen Bewegung selbst hervorhebt. Mit Machtergreifung ist auch der Prozess in den Jahren seit 1933 gemeint, in dem die Nationalsozialisten die Macht in allen gesellschaftlichen Teilbereichen zu erringen suchten.

Maginot-Linie

Von dem frz. Kriegsminister Maginot seit 1929 errichtetes Befestigungssystem gegenüber dem Deutschen Reich, das allerdings im Zweiten Weltkrieg militärisch fast bedeutungslos war.

Manufaktur

Handwerkliche Form der Produktion vor der Industriellen Revolution, die der Massenfertigung durch Arbeitsteilung und Spezialisierung – noch ohne Maschineneinsatz – diente.

Marokkokrise

Frankreich und Deutschland konkurrierten seit 1905 um Einfluss in Marokko. Die dadurch ausgelösten internationalen Krisen trugen zur Annäherung zwischen England und Frankreich bei. Die Entsendung eines deutschen Kanonenboots im Jahr 1911 nach Agadir („Panthersprung") löste die 2. Marokkokrise aus.

Marshallplan

Der amerikanische Außenminister George W. Marshall entwickelte 1947 ein Hilfsprogramm für Europa, das zur raschen Westintegration Westeuropas ebenso beitrug wie zur Spaltung Europas in zwei politisch-ideologische Blöcke.

Märzminister

Mit der Ernennung von liberal gesinnten Märzministern versuchen die absolutistisch regierenden deutschen Fürsten, die revolutionären Unruhen im Frühjahr 1848 zu besänftigen.

Märzrevolution

Bezeichnung für die revolutionären Erhebungen in zahlreichen europäischen Staaten im Jahr 1848. Zahlreiche Regierungen gaben den Forderungen vor allem der liberalen Bewegung rasch nach. Dies führte zur Einsetzung liberaler „Märzminister" durch die in Bedrängnis geratenen Fürsten.

Mediatisierung

Im Zuge der napoleonischen „Flurbereinigung" Deutschlands (→ Reichsdeputationshauptschluss, 1803) wurde die Reichsunmittelbarkeit vieler Städte und kleinerer Herrschaften aufgehoben. Sie wurden den dadurch entstandenen Mittelstaaten angegliedert, also „mediatisiert".

Menschenrechte

Bezeichnung für Rechte, die jedem Menschen unabhängig von Geschlecht, Rasse, Nationalität etc. zustehen. Die erste Formulierung der Menschenrechte enthält die amerikanische Unabhängigkeitserklärung; 1789 folgte Frankreich mit der „Erklärung der Menschen- und Bürgerrechte". Bedeutsam ist schließlich die Erklärung der Menschenrechte durch die UNO von 1948. 1959 wurde ein „Europäischer Gerichtshof für Menschenrechte" eingerichtet.

Mittelmächte

Bezeichnung für die mit Deutschland im Ersten Weltkrieg verbündeten Staaten.

Monroe-Doktrin

Der amerikanische Präsident Monroe proklamierte 1823 als Grundsatz der amerikanischen Außenpolitik, dass sie sich nicht in die inneren Angelegenheiten Europas einmischen wolle. Die Amerikaner würden es aber auch nicht zulassen, dass europäische Mächte bei Konflikten auf dem amerikanischen Kontinent intervenieren. Die Monroe-Doktrin erneuerte den amerikanischen Isolationismus.

Montanunion
→ EGKS

Münchener Abkommen

Bei diesem 1938 in München geschlossenen Vertrag zwischen Deutschland, Frankreich, England und Italien wurde die Sudetenkrise im deutschen Interesse beigelegt. England und Frankreich hofften, damit den Ausbruch eines Krieges verhindert zu haben (→ Appeasement). Durch diesen Vertrag konnte Deutschland tschechische Gebiete annektieren, in denen viele Deutsche wohnten.

Nachtwächterstaat

Ironisch-spöttische Bezeichnung für die wirtschaftlich-liberale Staatsvorstellung, die die Aufgaben des Staates auf den Schutz des Privateigentums und der persönlichen Freiheit und Sicherheit beschränkt. Der Nachtwächterstaat wurde im 19. Jahrhundert durch den Interventionsstaat abgelöst.

Nationale Front

Zusammenschluss aller politischen Parteien und Massenorganisationen unter der Führung der SED, sie bereitete die Wahlen und die Wahllisten in der DDR vor.

Nationalliberale (Bewegung)

Politische Bewegung des 19. Jahrhunderts, die einerseits einen nationalen Einheitsstaat erstrebte und andererseits marktwirtschaftlich-liberale Forderungen vertrat. In Deutschland bildete sich 1867 die politisch einflussreiche Nationalliberale Partei.

Nationalsozialismus

Rechtsradikale Bewegung, die als Folge der (nicht bewältigten und nicht akzeptierten) Kriegsniederlage nach dem Ersten Weltkrieg entstand. Der Nationalsozialismus propagierte eine „Volksgemeinschaft", betonte das Führerprinzip und war geprägt von rassistischen, imperialistischen und sozialdarwinistischen Vorstellungen. Der Nationalsozialismus lehnte die Demokratie fundamental ab.

Nationalversammlung

Eine Versammlung von gewählten Abgeordneten, die zumeist bedingt durch eine Revolution ihre Aufgabe darin sehen, eine (neue) Verfassung für die Nation zu beschließen. Wichtige Nationalversammlungen waren die Französische Nationalversammlung 1789, die deutsche Nationalversammlung 1848/49 sowie die Nationalversammlung, die 1919 in Weimar zusammentrat.

NATO (North Atlantic Treaty Organization)

Dieses Verteidigungsbündnis wurde 1949 von europäischen und nordamerikanischen Staaten gegründet, um sich im Kalten Krieg gegenseitigen Schutz vor einem Angriff der Sowjetunion und/oder einem ihrer Satellitenstaaten zu verschaffen. Als 1955 die Bundesrepublik der NATO beitrat, wurde von östlicher Seite der Warschauer Pakt gegründet, der 1991 aufgelöst wurde.

Naturrecht

Rechtsgrundsätze, die entweder aus der menschlichen Natur oder aus göttlichem Recht abgeleitet bzw. durch die Vernunft begründet werden. Das Naturrecht beansprucht, über dem „positiven" (also von Menschen gesetzten Recht) zu stehen. Bisweilen besteht zwischen dem positiven Recht und dem Naturrecht eine kritische Spannung. Die Idee der Unveräußerlichkeit der Menschenwürde geht auf ältere Naturrechtskonzeptionen zurück.

Neue Ostpolitik

Unter Bundeskanzler Willy Brandt (SPD, Kanzler seit 1969) wurde ein Wandel in der Ostpolitik vollzogen. Die Hallstein-Doktrin wurde fallen gelassen, eine Entspannungspolitik verfolgt, die einen „Wandel durch Annäherung" (Egon Bahr) beabsichtigte. Die Bundesrepublik schloss Verträge u.a. mit Polen (Anerkennung der Westgrenze Polens) und mit der UdSSR, mit der DDR wurde der Grundlagenvertrag vereinbart, der die Grenzen der DDR anerkannte.

New Deal (Neuverteilung der Spielkarten)

Der amerikanische Präsident Roosevelt entwickelte seit 1933 umfangreiche wirtschaftspolitische Maßnahmen, um die Weltwirtschaftskrise vor allem in den USA zu bekämpfen. Dazu zählten unter anderem Arbeitsbeschaffungsmaßnahmen vor allem zur Linderung der Not der Farmer. Die historische Forschung ist sich über den Erfolg dieser Maßnahmen nicht einig.

Norddeutscher Bund

Bismarck vereinte 1867 die nördlich der Mainlinie gelegenen 22 Mittel- und Kleinstaaten sowie Freien Städte unter preußischer Führung zum Norddeutschen Bund, dessen Verfassung und Struktur zum Vorbild für das 1871 geschaffene Deutsche Reich wurden.

Notverordnung

Die Weimarer Reichsverfassung räumte dem Reichspräsidenten mit dem Art. 48 das Notverordnungsrecht ein, mit dem er in Krisenzeiten Gesetze erlassen und Grundrechte befristet außer Kraft setzen konnte. Allerdings musste der Reichspräsident diese mit Art. 48 erlassenen Notverordnungen dann wieder außer Kraft setzen, wenn der Reichstag dies verlangte. Reichspräsident Hindenburg und der von ihm ernannte Reichskanzler Brüning und seine Nachfolger nutzten dieses Recht extensiv (aber in missbräuchlicher Weise) aus.

Novemberrevolution

Die Marinemeuterei löste die Novemberrevolution 1918 aus. Sie führte zur Abdankung des Kaisers, zur Ausrufung der Republik sowie zur Einberufung eines Rats der Volksbeauftragten. Die rechtsradikalen Republikgegner verunglimpften daher später die Politiker, die zur Abschaffung der Monarchie und zum Systemwechsel beitrugen, als „Novemberverbrecher".

Nürnberger Gesetze

Antisemitische Gesetze, die anlässlich des Nürnberger Parteitags der NSDAP vom Reichstag beschlossen wurden. Die deutschen Juden verloren dadurch ihre Reichsbürgerschaft. Ehen und sexuelle Beziehungen zwischen Deutschen und deutschen Juden wurden unter Strafe gestellt.

Nürnberger Prozesse

Unter der Leitung der Alliierten verhandelte ein internationaler Gerichtshof 1945/46 in Nürnberg gegen 22 deutsche Hauptkriegsverbrecher. Der Gerichtshof verurteilte zwölf Angeklagte zum Tode, andere zu Haftstrafen, drei wurden freigesprochen. Verbrechen gegen die Menschlichkeit wurden als völkerrechtliche Verbrechen definiert.

Oberste Heeresleitung (OHL)

Oberste Kommandobehörde der deutschen Armee im Ersten Weltkrieg, die seit 1916 eine Art Militärdiktatur errichtete. Chef des Generalstabs waren Moltke, Falkenhayn, Hindenburg. Ihm stand seit 1916 Ludendorff zur Seite.

Oktoberrevolution

Nach dem alten russischen Kalender fand die bolschewistische Revolution am 24./25. Oktober 1917 (nach dem neuen Kalender am 7./8. November) in Petrograd (St. Petersburg) und Moskau statt. Sie führte zur Errichtung der sozialistischen Herrschaft in Russland.

Oktroyierte Verfassung (oktroyieren

frz. = aufzwingen): Eine solche Verfassung wird vom Fürsten „von oben herab" erlassen, ohne Beteiligung einer Volksvertretung.

OSZE

Die Organisation für Sicherheit und Zusammenarbeit in Europa ist die Nachfolgeorganisation der KSZE, die sich 1995 in OSZE umbenannte. Sie ist der erste Ansprechpartner bei Konflikten in ihrem Wirkungsbereich und bemüht sich um eine ausgleichende, dem Frieden dienende Zusammenarbeit.

Paneuropäische Bewegung

Graf Coudenhove-Kalergi gründete 1923 die Paneuropa-Bewegung, die Europa gegen die Sowjetunion zusammenschließen wollte. Von dieser Bewegung gingen Impulse auf die europäische Integration nach dem Zweiten Weltkrieg aus.

Parlamentarische Monarchie

Seit dem 19. Jahrhundert entwickelte Staatsform, in der die Regierung dem Parlament verantwortlich ist, das die legislative Macht besitzt. Die monarchische Staatsspitze hat nur noch repräsentative Aufgaben, wie z. B. in England, Niederlande, Schweden.

Parlamentarischer Rat

65 von den Landtagen delegierte Abgeordnete erarbeiteten 1948/49 das Grundgesetz für die spätere Bundesrepublik Deutschland nach Aufforderung durch die Alliierten.

Patriotismus

(Unpolitische) Vaterlands- oder Heimatliebe, die im Gegensatz zum Nationalismus oder Chauvinismus kein Feindbild benötigt.

Paulskirche

In dieser evangelischen Kirche in Frankfurt am Main tagte 1848/49 die Nationalversammlung, dieses Gremium wird auch als Paulskirche oder Paulskirchenversammlung bezeichnet.

Pauperismus

Bezeichnung für die Massenarmut in der vorindustriellen Zeit um 1840. Insbesondere durch den Eisenbahnbau lindert sich das Massenelend.

Pazifismus

Politisch-ideologische Grundhaltung, die Krieg und Gewalt als Mittel der Politik fundamental ablehnt

Pentarchie

Bezeichnung für das Fünfmächtesystem, das von etwa 1750 bis 1914 die europäische Politik maßgeblich bestimmte: England, Frankreich, Preußen/Deutsches Reich, Österreich und Russland. Angestrebt wurde ein Mächtegleichgewicht.

Perestroika (russ. = Umbau, Umgestaltung)

Leitidee von M. Gorbatschow für die von ihm in Angriff genommene Liberalisierung und Modernisierung der UdSSR.

Planwirtschaft (auch sozialistische Zentralverwaltungswirtschaft)

Im Gegensatz zur Marktwirtschaft, in der Angebot und Nachfrage durch den Markt geregelt werden, wird in dieser Wirtschaftsordnung die Produktion durch eine Planungsbehörde zentral gesteuert; diese kontrolliert die Planerfüllung in den einzelnen Teilbereichen. Es gibt keinen Privatbesitz an Produktionsmitteln.

Plebiszit

Bei einem Plebiszit stimmen die wahlberechtigten Bürger selbst (im Gegensatz zur repräsentativen Demokratie) über eine einzelne Sachentscheidung ab. Plebiszite sind daher ein zentrales Element in einer direkten Demokratie, z. B. im antiken Athen, in der heutigen Schweiz.

Pluralismus

In den demokratischen Gesellschaften wird grundsätzlich akzeptiert, dass es unterschiedliche gesellschaftliche Interessen, Meinungen und Werthaltungen gibt und dass diese legitimerweise miteinander konkurrieren. Wichtig ist dabei, dass die unterschiedlichen Diskussionsparteien die gemeinsamen Spielregeln der politischen Auseinandersetzung grundsätzlich anerkennen.

Polnischer Korridor

Der Versailler Vertrag beließ Danzig als Freie Stadt unter der Aufsicht des Völkerbunds beim Deutschen Reich. Damit aber Polen einen Zugang zur Ostsee erhielt, wurde das Gebiet um Danzig Polen zugeschlagen, wodurch Danzig vom Deutschen Reich durch polnisches Gebiet getrennt wurde.

Potsdam, Tag von

Von Goebbels inszenierte feierliche Eröffnung des Reichstags am 21. März in der Potsdamer Garnisonkirche, bei dem die Nationalsozialisten mit propagandistischen Mitteln eine Kontinuität preußischer Traditionen im neuen NS-Staat beschworen, um das Misstrauen in der Bevölkerung gegenüber dem Nationalsozialismus abzubauen.

Potsdamer Abkommen/Potsdamer Konferenz

Die Siegermächte des Zweiten Weltkriegs berieten vom 17. Juli bis 2. August 1945 in Potsdam über die Besatzungspolitik und die Zukunft Deutschlands. In Potsdam wurde kein Vertrag ausgehandelt, sondern lediglich ein Abschlusskommuniqué.

Präsidialkabinett

Präsidialkabinette wurden in der Endphase der Weimarer Republik (1930–1933) von Reichspräsident Hindenburg installiert. Diese Regierungen verfügten nicht über eine Mehrheit im Parlament, sondern waren vom Reichspräsidenten abhängig. Sie regierten häufig mit Hilfe von Notverordnungen (Art. 48 der Weimarer Reichsverfassung).

Präsidialsystem

Der Regierungschef – oft auch Staatsoberhaupt – wird vom Volk gewählt und ist mit weitreichenden Vollmachten ausgestattet, damit ist er relativ unabhängig vom Parlament, wie z. B. in den USA.

Präventivkrieg

Krieg, der einem (vermuteten) bevorstehenden Angriff eines Gegners zuvorkommen soll.

Preußische Reformen

Nach der Niederlage 1806 gegen Napoleon entwarfen Reformer wie Stein und Hardenberg weitreichende Vorhaben zur Modernisierung des preußischen Staates: Bauernbefreiung, Heeresreform, Gewerbeordnung, städtische Selbstverwaltung, Bildungsreform und Judenemanzipation.

Protektionismus

Wirtschaftspolitische Maßnahmen in einer Volkswirtschaft, durch die die eigene Wirtschaft etwa durch hohe Zölle oder andere Handelsbarrieren vor der ausländischen Konkurrenz geschützt wird.

Rapallovertrag

Vertrag zwischen dem Deutschen Reich und der Sowjetunion 1922, in dem beide Staaten gegenseitig auf den Ersatz ihrer Kriegskosten verzichteten. Durch den Vertrag durchbrach Deutschland seine außenpolitische Isolierung nach dem Versailler Vertrag. Der Vertrag kann als Teil der deutschen Revisionspolitik verstanden werden.

Rat der Volksbeauftragten

In der Novemberrevolution aus Vertretern der SPD und USPD gebildete vorläufige Regierung unter Friedrich Ebert, der am 9. November von Reichskanzler Max von Baden die Reichskanzlerschaft übertragen bekommen hatte. Unter anderem beschloss der Rat, Frauen das Wahlrecht zu ermöglichen.

Räterepublik

Bei dieser Herrschaftsform, die sich in Revolutionen herausformte, gibt es keine Gewaltenteilung zwischen Legislative, Exekutive und Judikative. Die drei Gewalten liegen vielmehr bei direkt gewählten Vertretern (etwa der Arbeiter, Bauern und Soldaten), die ein imperatives Mandat haben, das heißt, die Gewählten sind an die Weisungen ihrer Wähler gebunden und können jederzeit abgewählt werden. Räte (russ. „Sowjets") bildeten sich z.B. 1905 und wieder 1917 in Russland und in Deutschland 1918 während der Novemberrevolution.

Reichsarbeitsdienst (RAD)

Seit 1935 mussten alle männlichen und weiblichen Arbeitskräfte im Alter von 18 bis 25 Jahren einen Pflicht-Dienst ableisten, u. a. Entwässerungsarbeiten, Autobahnbau; Mädchen arbeiteten in der Regel in der Landwirtschaft. Der RAD wollte der Festigung der Arbeitsmoral dienen und eine „Volksgemeinschaft" herstellen. Im RAD arbeiteten auch Jugendliche, die keinen Ausbildungs- oder Arbeitsplatz gefunden hatten.

Reichsdeputationshauptschluss

Auf Veranlassung Napoleons in Regensburg 1803 getroffener Beschluss, der die Auflösung fast aller geistlichen Fürstentümer (→ Säkularisierung) und Reichsstädte sowie kleiner selbstständiger Territorien (→ Mediatisierung) vorsah. Auf diese Weise entstand in Deutschland anstelle zahlreicher kleiner und kleinster Staaten eine begrenzte Anzahl von größeren Staaten.

Reichskristallnacht/Reichspogromnacht

Die Nationalsozialisten nahmen einen Anschlag auf einen Gesandten durch einen Juden zum Anlass, planmäßig organisierte Ausschreitungen gegen die jüdische Bevölkerung zu unternehmen. In der Nacht vom 9. auf den 10. November 1938 wurden von der SA zahlreiche Synagogen in Brand gesetzt.

Reichstag

Im Mittelalter und in der Frühen Neuzeit bezeichneten sich die Vertreter der Stände als Reichstag. Seit 1867 Bezeichnung für die Volksvertretung im Norddeutschen Bund, seit 1871 im Deutschen Reich. Im Gegensatz zur Weimarer Zeit konnte der Reichstag im Kaiserreich nur sehr begrenzt Einfluss auf die Politik nehmen.

Reichstagsbrand

Am 27. Februar 1933 brannte in Berlin das Reichstagsgebäude. Marinus van der Lubbe wurde als Täter festgenommen, allerdings ist dessen Urheberschaft bis heute umstritten. Die Nationalsozialisten interpretierten den Brand als eine Verschwörung der KPD und nutzten ihn im Vorfeld der Reichstagswahlen zur systematischen Verfolgung ihrer Gegner. Die Reichstagsbrandverordnung vom 28. Februar 1933 legalisierte den Terror und die Verhaftungen („Schutzhaft") und setzte wesentliche Grundrechte der Weimarer Reichsverfassung außer Kraft.

Reparationen

Geldzahlungen oder Sachleistungen eines besiegten Staates an den Sieger zur Behebung von Kriegsschäden. Politisch außerordentlich folgenreich waren die Reparationsforderungen der Alliierten nach dem Ersten Weltkrieg. Deutschland sollte 132 Mrd. Goldmark bezahlen. Allerdings wurden Deutschland während der **Weltwirtschaftskrise** 1932 die Reparationszahlungen erlassen.

Republik

In dieser Staatsform werden die Herrschaftsorgane nur auf begrenzte Zeit bestellt (z.B. Konsul in der römischen Republik). In der Republik bestimmt das Volk oder ein Teil des Volks die Politik. Republik ist das Gegenmodell zur (absoluten) Monarchie. Eine republikanische Ordnung kann aber auch einen aristokratischen oder oligarchischen Charakter tragen.

Restauration

Bezeichnung für ein Bestreben, angeblich legitime vorrevolutionäre Verhältnisse wiederherzustellen, etwa in der Zeit nach großen Umbrüchen nach 1815 oder nach 1848/49.

Revisionspolitik

Alle Regierungen der Weimarer Republik betrieben eine Politik, die auf eine Abänderung von Bestimmungen des Versailler Vertrags zielte.

Revolution

Bezeichnung für eine grundlegende Umgestaltung von gesellschaftlichen Strukturen, politischen, wirtschaftlichen und kulturellen Systemen. Revolutionen können sich sehr rasch, aber auch in einem langen Prozess vollziehen. Sie können sich friedlich (wie die Wende 1989) oder auch extrem gewaltförmig, verbunden mit Bürgerkriegen o. Ä. entwickeln. Träger von Revolutionen sind in der Regel soziale Schichten, die bislang unterprivilegiert oder von der Teilhabe an der politischen Macht ausgeschlossen waren.

Rheinbund

Napoleon fasste 1806 nach der preußischen Niederlage einige deutsche Staaten zum Rheinbund zusammen, dessen Einzelstaaten Napoleon zur politischen und militärischen Unterstützung verpflichtet waren.

Röhm-Putsch

Bezeichnung für einen angeblich vom SA-Führer Ernst Röhm gegen Hitler geplanten Putschversuch. Tatsächlich dienten diese Vorwürfe der SS und der Reichswehr nur dazu, gewaltsam gegen die lästige Konkurrenz der SA vorzugehen und Röhm und andere hohe SA-Funktionäre zu ermorden.

Roll back

Der amerikanische Außenminister J. F. Dulles entwickelte seit 1950 die Vorstellung, dass der Kommunismus weltweit aktiv zurückzudrängen sei. Seine „Politik der Stärke" löste die → Containment-Politik ab.

Rote Armee Fraktion

Diese kleine terroristische Bewegung hat ihren Ursprung in den Studentenunruhen der Jahre 1968/69. Durch die bewaffnete Gewalt gegen das „imperialistische Herrschaftssystem" wollte die RAF, dass sich der Staat in einen Polizeistaat verwandelt, um auf diese Weise die „Massen aufzurütteln". Tatsächlich haben die zumeist erfolgreichen großangelegten Fahndungen und neue Anti-Terror-Gesetze die politische Kultur der Bundesrepublik verändert.

Rückversicherungsvertrag

Dieser zwischen dem Deutschen Reich und Russland 1887 geschlossene und auf drei Jahre befristete Geheimvertrag sicherte die russische Neutralität im Fall eines französischen Angriffs auf Deutschland zu. Ein Zusatzprotokoll erkannte die russischen Interessen in Bulgarien an. Dieser Vertrag widersprach dem Geist des Zwei- und Dreibunds. Er wurde nach Bismarcks Entlassung nicht verlängert.

SA (Sturmabteilung)

1920 gegründete paramilitärische und uniformierte Kampf- und Propagandatruppe der NSDAP, die vor allem in den letzten Jahren der Weimarer Republik für bürgerkriegsähnliche Zustände verantwortlich war. Die SA wurde 1934 nach dem angeblichen → Röhm-Putsch entmachtet.

Säkularisation (Verweltlichung)

Durch den → Reichsdeputationshauptschluss 1803 wurden zahlreiche geistliche Territorien in staatlichen Besitz übergeführt. Allgemein: Kirchlicher Besitz geht in staatliche Hände über.

Sansculotten („ohne Kniebundhosen")

Handwerker, Arbeiter, Gesellen, kleine Geschäftsleute, deren soziale Lage sich durch die erste Phase der Französischen Revolution nicht geändert hat .

SBZ

Sowjetische Besatzungszone, aus der 1949 die DDR hervorging.

Schlieffenplan

General von Schlieffen entwickelte 1905 einen Plan für den Fall eines Zweifrontenkriegs mit Russland und Frankreich. Der Plan sah einen raschen Vorstoß nach Frankreich vor, um dann nach der erwarteten französischen Niederlage größere Truppen für den Kampf im Osten zur Verfügung zu haben. Der Schlieffenplan kam 1914 zur Anwendung, scheiterte aber rasch, da sich angesichts des französischen Widerstands der Bewegungskrieg rasch in einen Stellungskrieg wandelte.

Schwarzer Freitag

Der 25.10.1929 brachte an der New Yorker Börse dramatische Kursstürze, er leitete die Weltwirtschaftskrise ein. Der Crash hatte auch für die deutsche Wirtschaft gravierende Folgen. Kurzfristige Auslandskredite wurden aus Deutschland abgezogen. Insolvenzen häuften sich, die Zahl der Arbeitslosen und Kurzarbeiter nahm in der Folgezeit rasch zu. Der internationale Handel ging dramatisch zurück.

Senat

Dieser Begriff der römischen Antike wurde in den USA als Bezeichnung für die Vertretung der Einzelstaaten übernommen. Bisweilen nennen sich die Regierungen von Stadtstaaten (Berlin, Hamburg, Bremen etc.) „Senat", ebenso die Richterkollegien höherer Gerichte.

Sendungsbewusstsein

Im ausgehenden 19. Jahrhundert bildete sich in vielen Kolonialmächten die Vorstellung heraus, die eigene Nation und Kultur sei höherwertig und anderen überlegen. Imperialistische Unternehmungen waren oft mit diesem missionarischen Sendungsbewusstsein verbunden, das die (gewaltsame) Ausbreitung des eigenen Machtbereichs legitimierte.

Sezessionskrieg (lat. Abspaltung)

Anlass für den Bürgerkrieg, auch Sezessionskrieg genannt (1861–1865), zwischen den nordamerikanischen Staaten der USA und den Südstaaten war die Sklavenfrage. Die noch kaum industrialisierten Südstaaten wollten die Sklaverei beibehalten. Durch den Sieg des Nordens im Bürgerkrieg wurde die Einheit der USA gewahrt.

Siegfrieden

Die führenden Politiker und Militärs des Ersten Weltkriegs wagten nicht, der Bevölkerung die Wahrheit zu sagen, sie behaupteten vielmehr, dass die angeblich starken Stellungen im Feindesland einen „Siegfrieden" mit gewaltigen territorialen Ansprüchen erwarten ließen. Damit waren schon die spätere Enttäuschung und der Boden für die Dolchstoßlegende vorbereitet.

Souveränität

Höchste, uneingeschränkte Gewalt. In der absoluten Monarchie ist der Fürst souverän (der Souverän). Volkssouveränität (Leitidee der parlamentarisch-demokratischen Ordnung) bedeutet, dass alle Staatsgewalt vom Volk ausgeht (vgl. Art. 20 GG).

Sowjet (russ. = Rat)

Gewählte Räte von Arbeitern, Bauern und Soldaten, die sich 1905 und wieder 1917 formierten und zunächst Exekutivaufgaben übernahmen. Allerdings blieb von der Räteidee bei den Sowjets bald nach der Oktoberrevolution wenig übrig, da sich die Räte der Parteiführung unterordnen mussten.

Sozialdarwinismus

Gesellschaftslehren, die aus Darwins Evolutionslehre auf menschliche und/oder geschichtliche Zusammenhänge übertragen werden, bezeichnet man als sozialdarwinistisch. Dies gilt vor allem für Begriffe wie „Kampf ums Dasein", „Recht des Stärkeren" u.Ä. Solche sozialdarwinistischen Vorstellungen wurden bereits im Deutschen Kaiserreich lebendig. Sie legitimierten im „Dritten Reich" vor allem die Euthanasiemaßnahmen und den Völkermord (Genozid).

Sozialgesetzgebung

Sie setzt ein mit dem preußischen Regulativ über die Arbeit von jugendlichen Arbeitern (1839). Bismarcks Sozialgesetze seit 1883 (Renten-, Unfall- und Krankenversicherung) sollten die Arbeiterschaft zu einer staatsloyalen Haltung veranlassen und sie von der sozialistischen Arbeiterbewegung abbringen.

Sozialisierung

Damit ist die Überführung von Produktionsmitteln vom Privateigentum ins Gemeineigentum gemeint. Solche Forderungen der Verstaatlichung gehörten im 19. Jahrhundert zum Repertoire der sozialistischen Bewegung. Sie wurden auch 1918/19 erhoben und wieder nach 1945. Durchgeführt wurden sie in der UdSSR und in den mit ihr verbundenen Satellitenstaaten.

Sozialismus

Gesellschaftsordnung, in der das Privateigentum an Produktionsmitteln in Gemeineigentum überführt worden ist, in der nicht mehr das individuelle Gewinnstreben und die Profitmaximierung im Mittelpunkt stehen, sondern das Wohl der Allgemeinheit, insbesondere der bislang Unterprivilegierten, die ihre Arbeitskraft den Kapitalisten verkaufen mussten. In der Theorie des Sozialismus, entwickelt von Marx und Engels, schafft sich der Kapitalismus seine eigenen Totengräber in Gestalt der sozialistischen Bewegung, die nach einer Phase der „Diktatur des Proletariats" den Sozialismus errichtet.

Sozialistengesetz

Nach einem (gescheiterten) Attentat auf Kaiser Wilhelm I. im Jahr 1878 ließ Bismarck durch den Reichstag die SPD und die ihr nahestehenden Arbeitervereine verbieten. Aber obgleich die SPD nur im Untergrund und in der Illegalität operieren konnte, konnten weiterhin sozialdemokratische Politiker bei Wahlen kandidieren und sich durch Wahlvereine unterstützen lassen. Die Stimmen für diese Politiker stiegen bei den Reichstagswahlen kontinuierlich an. 1890 wurde das Sozialistengesetz nicht mehr verlängert.

Sozialstaat

Nach Art. 20 Grundgesetz versteht sich die Bundesrepublik Deutschland als Sozialstaat, der soziale Gerechtigkeit anstrebt.

SS (Schutzstaffel)

Diese sich als nationalsozialistische Elite verstehende Kampftruppe wurde im „Dritten Reich" zu einem „Staat im Staate" und war wohl der wichtigste Machtfaktor Hitlers. Sie organisierte die Konzentrations- und Vernichtungslager und übernahm auch militärische Aufgaben. Die SS wurde zum Synonym für das Terrorregime.

Staatenbund

Im Gegensatz zum Bundesstaat bleiben beim Staatenbund die beteiligten Staaten teilweise eigenständig und können auch außenpolitisch eigene Ziele verfolgen.

Stahlhelm

Paramilitärischer Bund ehemaliger Frontsoldaten, die der DNVP politisch nahestanden und die Weimarer Republik bekämpften. 1931 verbanden sich kurzfristig der Stahlhelm, die SA, die NSDAP und die DNVP zur Harzburger Front. 1933 gliederte sich der Stahlhelm teilweise in die SA ein.

Stalinismus

Diktatur der kommunistischen Parteiführung unter Josef Stalin in der Sowjetunion und in den von ihr abhängigen Staaten (1928–1953). Grundlage für den Stalinismus waren die Ausschaltung politischer Gegner, der Personenkult um Stalin sowie die zentralistische wirtschaftliche Organisation.

Ständegesellschaft

Herrschafts- und Gesellschaftssystem, in dem die (nach damaliger Auffassung von Gott gegebenen) Stände rechtlich voneinander abgehoben sind. Man wird in seinen Stand hineingeboren. In Frankreich bestand die Ständeordnung bis zur Französischen Revolution, in anderen Ländern bis ins 19. Jahrhundert.

Sudetenkrise

Die deutschen Sudeten leben als nationale Minderheit in der Tschechoslowakei. Hitler löste die Sudetenkrise 1938 aus, indem er im Sudetenland eine anti-tschechische Stimmung förderte und Konflikte durch Einmarschdrohungen verschärfte. Auf der Münchener Konferenz (→ Münchener Abkommen) wurde die Sudetenkrise beigelegt. → Appeasement

Toleranz

Die Aufklärung forderte vor allem die Toleranz gegenüber anderen religiösen Bekenntnissen in einer Zeit, in der vielerorts noch der Landesherr die Religion seiner Untertanen bestimmte und zahlreiche Menschen auswandern mussten, um ihre Religion ausüben zu können. Religionskritik diente in der Zeit der Aufklärung als Form der Herrschaftskritik, da sich die feudale Ordnung noch religiös legitimierte.

Totalitarismus

Ein totalitäres Herrschaftssystem will alle Bereiche des öffentlichen und privaten Lebens überwachen und den Einzelnen im Sinne der herrschenden Ideologie völlig erfassen und kontrollieren. Kennzeichnend für ein totalitäres System sind die Gleichschaltung aller Interessenorganisationen und Parteien, die Kontrolle aller Massenmedien und die Durchsetzung einer einheitlichen Ideologie. Die Totalitarismustheorie sucht nach gemeinsamen Merkmalen von kommunistisch-stalinistischer und nationalsozialistischer Herrschaft. Kritiker der Totalitarismustheorie sehen diese vom Geist des Kalten Krieges geprägt; die Theorie berücksichtige nicht den Klassencharakter dieser gegensätzlichen ideologischen Systeme und rücke im Wesentlichen nur vergleichbare Herrschaftstechniken in den Vordergrund.

Triple Entente

Bündnis von Frankreich, Großbritannien und Russland gegen die Mittelmächte (1907).

Truman-Doktrin

Der amerikanische Präsident Harry S. Truman verkündete 1947 als Ziel der USA die Eindämmung (Containment) der UdSSR. Truman versprach den Völkern Unterstützung, die sich von der UdSSR bedroht fühlten.

Urbanisierung

Bezeichnung für den Prozess der Verstädterung, der sich vor allem durch und während der Industrialisierung im 19. Jahrhundert vollzog.

Vernichtungslager

Teil der nationalsozialistischen Konzentrationslager, die der systematischen Tötung („Endlösung der Judenfrage") und dem Völkermord dienten.

Versailler Vertrag

Teil der Pariser Vorortverträge zur Regelung der Nachkriegsverhältnisse in Europa nach dem Ersten Weltkrieg, der sich mit den Friedensbestimmungen für das Deutsche Reich befasst. Der Versailler Vertrag wurde von allen politischen Strömungen der Weimarer Republik abgelehnt und in unterschiedlicher Weise bekämpft. Die demokratischen Politiker, die ihn unterschreiben mussten, wurden von einflussreichen nationalistischen Kreisen als „Erfüllungspolitiker" denunziert.

Vielvölkerstaat

Mit der Entdeckung und Hochbewertung des Nationalen im 19. Jahrhundert erwuchsen den europäischen Vielvölkerstaaten innere Probleme, also dem „Völkergefängnis" (Lenin) Russland, dem Osmanischen Reich und Österreich-Ungarn, in denen viele Völker eine nationale Unabhängigkeit erstrebten.

Vierter Stand

Die Bezeichnung kam im 19. Jahrhundert im Zuge der Industrialisierung auf und meint die neue soziale Schicht der unabhängigen Arbeiter und Proletarier.

Vierzehn Punkte (Wilson)

Im Frühjahr 1918 unterbreitete der amerikanische Präsident Woodrow Wilson 14 Leitideen zur Beendigung des Krieges und für die Gestaltung einer friedlichen Nachkriegsordnung. Unter anderem sah Wilson das Selbstbestimmungsrecht der Völker und die Gründung eines Völkerbundes vor. Eine praktisch-politische Konsequenz daraus war die Wiedererrichtung des polnischen Staates.

Virginia Bill of Rights

Menschenrechtserklärung, die 1776 vom Konvent in Virginia angenommen wurde; Grundlage der amerikanischen Unabhängigkeitserklärung.

Völkerbund

1920 wurde auf Initiative von Präsident Wilson der Völkerbund als Organisation zur Friedenssicherung und Schlichtung von zwischenstaatlichen Konflikten gegründet. Allerdings traten die USA dem Völkerbund nicht bei, Deutschland und Russland konnten zunächst nicht Mitglied werden. Der Völkerbund scheiterte vor allem an der expansionistischen Politik des „Dritten Reichs".

Volksgerichtshof

1934 zunächst als Provisorium geschaffenes Gericht, das zugleich als Erst- und Letztinstanz die Aufgaben des Reichsgerichts bei Hoch- und Landesverrat und ähnlichen politischen Delikten übernahm. Die Mitglieder dieses Gerichts wurden von Hitler ernannt. Der Volksgerichtshof diente der Unterdrückung der Opposition und der Bekämpfung der „Wehrkraftzersetzung". Außerdem fanden vor dem Volksgerichtshof Verfahren gegen Mitglieder des Widerstands statt. Besonders berüchtigt wurde der Präsident des Volksgerichtshofs Roland Freisler.

Volkssouveränität

Grundprinzip der Legitimation demokratischer Herrschaft: Alle Staatsgewalt geht dabei vom Volk aus. In den modernen westlichen Demokratien verbindet sich die Idee der Volkssouveränität mit den Prinzipien des liberalen Verfassungsstaats. Die Grund- und Menschenrechte unterliegen nicht der Verfügungsgewalt durch die Volkssouveränität.

Volkssturm

Im September 1944 wurden alle waffenfähigen Männer zwischen 16 und 60 Jahren, die nicht in der Wehrmacht dienten, zu dieser Kampforganisation zusammengefasst, die vor allem in unmittelbar bedrohten Gebieten die Wehrmacht bei der Verteidigung unterstützen sollte.

Vormärz

Bezeichnung für die Epoche der Restauration, vor allem die Zeit von 1830–1848 vor der Märzrevolution 1848. In der Literatur- und Kunstgeschichte wird für denselben zeitlichen Abschnitt meist der Begriff Biedermeier verwendet. Politisch und kulturell war die Zeit gekennzeichnet durch die Erfahrung der Französischen Revolution, durch die Herrschaft Napoleons und die Kriege gegen das revolutionäre sowie napoleonische Frankreich. Reaktion darauf waren obrigkeitliche Unterdrückung liberaler oder revolutionärer Ideen. Die Zeitgenossen schwankten zwischen Resignation und Auflehnung.

Wahlrecht

In demokratischen Systemen ist das Wahlrecht in der Regel allgemein, gleich, geheim und unmittelbar. Bei dem Mehrheitswahlrecht (z. B. in England) ist der Kandidat gewählt, der in einem Wahlkreis die meisten Stimmen erhält, bei dem Verhältniswahlrecht (Weimarer Republik) erhält jede Partei gemäß ihrem Stimmenanteil Sitze im Parlament. Besonders umstritten war in der deutschen Geschichte das Zensuswahlrecht, bei dem das Gewicht einer Stimme (oder gar das aktive Wahlrecht) von der Steuerklasse abhängt (Preußisches Dreiklassenwahlrecht) und das damit die Wohlhabenden begünstigt.

Währungsreform

In der Regel wird unter Währungsreform die Umstellung von Reichsmark auf Deutsche Mark am 21. Juni 1948 verstanden. Die Währungsreform wurde von den USA vorbereitet und durchgeführt, sie war mit dem Marshallplan verbunden. Am 15. November 1923 wurde die ebenfalls durch eine kriegsbedingte Inflation entwertete Reichsmark durch die Rentenmark abgelöst.

Wannseekonferenz

Auf der Wannseekonferenz 1942 trafen sich hochrangige Vertreter der Reichsbehörden und Parteidienststellen und stimmten untereinander die sogenante „Endlösung der Judenfrage" – also den Holocaust an den Juden – ab. Vorsitz der Konferenz hatte SS-Obergruppenführer Reinhard Hendrich.

Warschauer Ghetto

Nachdem die SS seit Sommer 1942 aus dem mit etwa 400 000 Juden völlig überfüllten Ghetto täglich Tausende in Vernichtungslager abtransportierte, brach hier 1943 ein Aufstand aus, der nach wochenlanger verzweifelter Gegenwehr von der SS niedergeschlagen wurde.

Warschauer Pakt

Bezeichnung für das Militärbündnis der Ostblockstaaten unter sowjetischer Führung. Die Gründung des Warschauer Pakts folgte auf den Beitritt der Bundesrepublik zur NATO 1955. Das östliche Militärbündnis wurde 1991 aufgelöst, als die Sowjetunion zusammengebrochen war.

Wehrmacht

Streitkräfte des Deutschen Reichs seit 1935, als die allgemeine Wehrpflicht (entgegen den Bestimmungen des Versailler Vertrags) wieder eingeführt wurde. Oberster Befehlshaber der Wehrmacht wurde nach dem Tod Hindenburgs (1934) Hitler.

Weimarer Koalition

Bezeichnung für das politische Bündnis von SPD, Zentrumspartei und DDP. Sie stand vorbehaltlos hinter der neuen Verfassung.

Weltwirtschaftskrise

Ausgelöst durch den Kurseinbruch an der New Yorker Börse Ende Oktober 1929 kam es in den Folgejahren zu einer Wirtschaftskrise, die die meisten Länder der Welt erschütterte. Folgen der Weltwirtschaftskrise waren insbesondere ein starker Produktionsrückgang und Massenarbeitslosigkeit. Die Weltwirtschaftskrise begünstigte das Entstehen von autoritären Regimen.

Wende

Massenproteste in der DDR führten 1989/90 zum Zusammenbruch der SED-Herrschaft und zur Wiedervereinigung.

Westintegration

Die Außenpolitik Adenauers zielte vorrangig darauf, die junge Bundesrepublik Deutschland in die westliche Staatenwelt politisch und ökonomisch zu integrieren (Beitritt zur NATO, EGKS, EWG etc.). Das Ziel der Wiedervereinigung trat dadurch in den Hintergrund.

Wiedervereinigung

Ziel der westdeutschen Außenpolitik seit 1949. Eine Annäherung zwischen den beiden deutschen Staaten wurde mit der Ostpolitik unter Willy Brandt erreicht. Die Wiedervereinigung wurde vor allem durch die Umgestaltungspolitik Gorbatschows möglich. Abgeschlossen wurde der Prozess am 3.10.1990.

Wiener Kongress

Nach dem Sieg über Napoleon trafen sich europäische Fürsten 1814/15 in Wien, um unter der Leitung Metternichs über eine Neuordnung Europas zu beraten. In der Folgezeit kam es zu einer langen Friedensperiode in Mitteleuropa. Mit dem Wiener Kongress begann die Phase der Restauration.

Wilhelminismus

Bezeichnung für den militaristischen (und auch protzigen) Zeitgeist und das politische Klima im Deutschen Kaiserreich, vor allem seit dem Regierungsantritt Kaiser Wilhelms II. im Jahr 1888.

Wirtschaftsliberalismus

Ökonomische Lehre (begründet von Adam Smith), derzufolge der allgemeine Wohlstand am Besten dann gewährleistet sei, wenn der Staat Privatinitiative und freies Unternehmertum nicht behindert.

Youngplan

Dieser Plan von 1929 löste den Reparationszahlungsplan von Dawes aus dem Jahr 1924 ab. Zugleich wurde von den Siegermächten des Ersten Weltkriegs die vorzeitige Räumung des Rheinlands beschlossen. Die „nationale Opposition" nutzte den Youngplan zur Agitation gegen die Weimarer Demokratie.

Zentralverwaltungswirtschaft

→ Planwirtschaft

Zollverein

1834 schlossen sich zahlreiche Staaten des Deutschen Bundes zum Deutschen Zollverein unter preußischer Führung zusammen, dadurch fielen Zölle und Handelsbarrieren weg. Der Zollverein förderte das wirtschaftliche Zusammenwachsen Deutschlands. Er bereitete die spätere (1871) kleindeutsche Reichseinigung vor.

Zweibund

Ein 1879 geschlossenes, gegen Russland und Frankreich gerichtetes defensives Bündnis zwischen dem Deutschen Reich und Österreich-Ungarn. Er wurde 1882 zum Dreibund mit Italien erweitert und bereitete die Bündniskonstellation des Ersten Weltkriegs vor.

Zwei-plus-vier-Vertrag

Am 12. September 1990 geschlossener Vertrag zwischen den vier Siegermächten des Zweiten Weltkriegs (USA, UdSSR, Großbritannien und Frankreich) und der Bundesrepublik Deutschland sowie der DDR. Die Siegermächte stimmen der Wiedervereinigung Deutschlands zu und Deutschland erhält durch den Vertrag die volle Souveränität.

Literaturhinweise

Dirlmeier, Ulf u. a.: **Kleine deutsche Geschichte.** Stuttgart, Reclam, 1995. (Preiswerte Überblicksdarstellung, gut lesbar; viele Informationen betreffen vor allem die politische Ereignisgeschichte, die im Unterricht oft gar nicht mehr behandelt wird.)

Die Hefte der **„Informationen zur politische Bildung"** der Bundeszentrale für politische Bildung, die viele wichtige Abiturthemen zur deutschen, europäischen, amerikanischen oder russischen Geschichte abdecken, sind fachlich seriös, nicht immer spannend zu lesen, aber lebendig bebildert und vor allem kostenlos zu erhalten.

Osterhammel, Jürgen: **Die Verwandlung der Welt.** Eine Geschichte des 19. Jahrhunderts. Bonn: Bundeszentrale für politische Bildung 2011.

Schulze, Hagen: **Kleine deutsche Geschichte.** Mit Bildern aus dem Deutschen historischen Museum. München, Beck, 1996. (Sehr anregend und lebendig geschrieben, gut bebildert. Wer gerne liest und sich für Geschichte interessiert, findet hier eine engagiert verfasste, knappe Gesamtdarstellung.)

Büttner, Ursula: **Weimar: Die überforderte Republik.** 1918−1933, Bonn: Bundeszentrale für politische Bildung 2010.

Winkler, Heinrich August: **Der lange Weg nach Westen.** Deutsche Geschichte 1806−1933. München, Beck, 2012.

Zeit für Geschichte. Schroedel, 2003/2004. (Für den schnellen und ungeduldigen Leser stellen diese leicht überschaubaren Werke, eine solide Grundlage auch für die Abiturvorbereitung dar. Man sollte vor allem die Darstellungstexte lesen, dann weiß man mindestens so viel wie manche Lehrer. Hier werden historische Probleme und Zusammenhänge in gut lesbarer Weise komprimiert dargestellt.)

Anspruchsvoller sind die Hefte der Reihe **„Thema Geschichte"** (Schroedel), die für die gymnasiale Oberstufe konzipiert wurden. Hier werden zwar wichtige Basisinformationen, aber eher Anregungen zur Auseinandersetzung mit Geschichte geboten. Diese Bände zielen nicht unbedingt auf den Erwerb von Basiswissen ab, sondern zur kritischen Auseinandersetzung mit diesem. Neben Bänden zur Umweltgeschichte und römischen Antike liegen unter anderem vor:
- Europa bricht auf — Kultur, Staat und Wirtschaft in der Frühen Neuzeit
- Geschlechtergeschichte — Historische Probleme und moderne Konzepte
- Der Islam und die westliche Welt — Konfrontation, Konkurrenz, Kulturaustausch
- Das 19. Jahrhundert — Nationsbildung und Modernisierung

⊙ Zeitenwende 1900 — Dynamik, Faszination, Widersprüche
⊙ Deutschland im 20. Jahrhundert — Zwischen Diktatur und Demokratie
⊙ Gründungsmythen — Nationenbildung und Nationalismus
⊙ Französische Revolution und Napoleon
⊙ Die DDR: Sozialismus, friedliche Revolution und deutsche Einheit
⊙ Die USA: Wirtschafts- und Sozialgeschichte der USA

Schildt, Axel: **Die Republik von Weimar. Deutschland zwischen Kaiserreich und „Drittem Reich" (1918 — 1933).** Erfurt, Landeszentrale für politische Bildung, 1997. (Gut les- und überschaubare sowie problemorientierte Darstellung.)

Görtemaker, Manfred: **Kleine Geschichte der Bundesrepublik.** München, Beck, 2002. (Auch erhältlich über die Bundeszentrale für politische Bildung. Seriöse Darstellung, vor allem die politische Geschichte Deutschlands wird bis zur Wiedervereinigung berücksichtigt.)

Greiner, Bernd: **Krieg ohne Fronten.** Die USA in Vietnam, Bonn: Bundeszentrale für politische Bildung 2007.

Wolle, Stefan: **Die heile Welt der Diktatur. Alltag und Herrschaft in der DDR 1971 — 1989.** Bonn, Bundeszentrale für politische Bildung, 1998. (Eine sehr lebendig wie interessant verfasste Darstellung der inneren Verhältnisse in der DDR.)

Adams, Willi (Hg.): **Die Vereinigten Staaten von Amerika. Fischer Weltgeschichte, Bd. 30.** Frankfurt a. M., 2003. (Die seriöse Darstellung reicht von der amerikanischen Revolution bis zum amerikanischen Krieg in Vietnam.)

Stichwortverzeichnis